MICHAEL P

De stoel van Hemingway

Een scherpzinnig en geestig verhaal over de strijd tegen de vernieuwing

Vertaald door Wiebe Buddingh'

Uitgeverij BZZTôH
's-Gravenhage, 1995

De gebeurtenissen in dit verhaal zijn volledig verzonnen. Geen van de personages buiten Hemingways wereld, heeft ooit bestaan. De namen van de bedrijven - zowel de vernietigende als de opbouwende - zijn eveneens verzonnen.

Passages uit Hemingways gepubliceerde werk zijn overgenomen met de vriendelijke toestemming van Jonathan Cape.
Een passage uit Hemingways brief aan John Dos Passos op pagina 32 is overgenomen met de vriendelijke toestemming van de Ernest Hemingway Foundation.

Oorspronkelijke titel: *Hemingway's chair* (Methuen London)

Illustratie omslag: Mick Brownfield
Foto auteur: Jane Bown
Ontwerp omslag: Julie Bergen
Zetwerk: No lo sé prod.
Drukwerk: Wilco, Amersfoort
Bindwerk: Stronkhorst/Van der Esch, Groningen

ISBN 90 5501 218 1

'Sneeuw noch regen, hitte
noch nachtelijk duister belemmeren
deze ijlbodes bij het volbrengen
van hun voorgeschreven ronde.'

Op de gevel van het hoofdpostkantoor, New York.

Voor Helen

EEN

Marsh Cottage stond een klein eindje van de weg, een weg die doorliep naar de rand van een klif en daar ophield. Ooit had het weggetje naar een landtong geleid waarop een klein dorpje had gestaan, maar de zee had de zachte, zanderige klif weggevreten en het gehucht was al lang verdwenen. Nu voerde de weg, behalve naar Marsh Cottage, alleen nog naar een paar vakantiehuisjes. Hij was verwaarloosd en vol met kuilen en gaten.

Het huisje lag in een vlak landschap: aan de landkant strekte zich schraal grasland uit en aan de andere kant liepen drassige velden met zeegras door tot aan het water, een kleine kilometer verderop. Marsh Cottage was begin jaren dertig gebouwd en was verscheidene keren onder water komen te staan, maar niet zo lang geleden had de gemeenteraad de kust laten ophogen in een poging een paar extra stranden te creëren en daarna had het geen last meer gehad van springtij.

Marsh Cottage zag eruit als wat het was: het mislukte prototype van een nooit gebouwde woonwijk. Rode bakstenen muren van twee verdiepingen en een schuin leien dak, en aan de voorkant een halfronde erker zoals je die vaak zag in buitenwijken en daarnaast de voordeur. Naast het huis bevond zich een losstaande garage en een pad dat naar de achtertuin leidde en in de jaren zeventig was aan de achterkant een aanbouw van glas en witgeschilderd hout toegevoegd, die de oude keukendeur omlijstte.

Op die donderdagochtend begin september beukte een harde westenwind tegen de voorkant van het huis en daardoor maakte Marsh Cottage een extra kwetsbare indruk. Een dreigende, geelachtige lucht voorspelde nog slechter weer terwijl een man met een ijsmuts op zijn fiets uit de garage reed. Hij deed de garagedeur op slot, klopte op de zakken van zijn hemelsblauwe parka, controleerde of zijn fietsmandje goed vast zat, stapte voorzichtig op, zigzagde over de korte, hobbelige oprit en sloeg af naar het zuiden in de richting het stadje Theston, op ruim drie kilometer afstand. Martin Sproale had die rit bijna zijn hele volwassen leven lang iedere werkdag gemaakt, op een reeks verschillende fietsen. Hij was nu zesendertig en ruim één meter tachtig lang, en had een rond, zacht gezicht en rossig haar. Zijn huid was bleek en werd vaak geteisterd door uitslag en zijn handen waren lang en sierlijk.

Elaine Rudge, die samen met Martin op het postkantoor werkte, was nog thuis. Ze woonde in het centrum en liep altijd naar haar werk en bovendien hoefde zij de boel niet open te maken. Dat was Martins verantwoordelijkheid en daarom was hij steevast om klokslag half negen bij het kantoor. Ze stond voor de spiegel in de keuken met een haarspeld tussen haar tanden en concentreerde zich op haar uiterlijk en een cruciale quizvraag in de *Dick Arthur Ontbijtshow.*

'*Is de hoofdstad van Indonesië Djakarta, Mombasa of Rio de Janeiro? Is de hoofdstad...*'

De stem op de radio herhaalde de vraag en Joan Rudge, een slanke, energieke vrouw in een gewatteerde nylon ochtendjas, lachte geringschattend. 'Nou, 't is in elk geval niet Rio de Janeiro. Dat ligt in Brazilië.'

Elaine nam de speld uit haar mond en stak die in het haar op haar achterhoofd. 'Ik probeer te luisteren, ma.'

'Die vragen zijn echt een fluitje van een cent.'

'Je moet anders wel weten of 't nou Mombasa is of - wat was 't ook alweer?' vroeg Elaine terwijl ze een papiertje pakte.

'*Djakarta, Mombasa of Rio de Janeiro?*' herhaalde Dick Arthur beleefd.

''t Moet Djakarta zijn.'

''t Is in elk geval niet Rio de Janeiro,' herhaalde haar moeder. 'Ik weet zeker dat dat in Brazilië ligt. Daar is oom Howard uiteindelijk beland.'

Elaine beet een tijdje op haar onderlip en schreef toen 'Mombasa' op.

Ze richtte haar aandacht weer op de spiegel en deed een stapje achteruit. Ze had haar kleren vanochtend met extra zorg uitgekozen, want het was donderdag en dan gingen Martin en zij meestal iets drinken in de Pheasant. Haar roze katoenen blouse was eenvoudig maar toch geraffineerd, niet te strak maar heel vrouwelijk. Ze sloeg het kraagje eerst op en vervolgens weer neer. Ze was niet knap, dat wist ze. Ze was een stevige, goed geproportioneerde jonge vrouw, maar kon er op sommige momenten merkwaardig mooi uitzien, net als Ingrid Bergman wanneer ze haar neus precies goed fotografeerden. Haar dikke roodbruine haar had veel aandacht nodig, maar was die extra moeite waard. Toen ze wakker werd had ze een onheilspellend, pijnlijk plekje op haar onderlip gehad, maar bij nader onderzoek bleek het gelukkig slechts om een minuscuul puistje te gaan, dat ze gemakkelijk kon verbergen. Tenzij Martin een van zijn handtastelijke buien had. Laatst hadden ze 's avonds samen bij de strandhuisjes gezeten en had hij zijn vingers heel zacht over haar gezicht laten gaan en extra aandacht besteed aan haar lippen. Elaine was benieuwd hoe hij op dat idee was gekomen, maar had het niet durven vragen en was tot de conclusie gekomen dat hij het waarschijnlijk uit een tijdschrift of een van zijn boeken had. Ze had het eigenlijk niet zo prettig gevonden, omdat zijn vingertoppen naar postzegellijm roken.

De volgende vraag op de *Dick Arthur Ontbijtshow* ging over nachtdieren. '*Dat zijn dieren die alleen 's nachts op pad gaan*,' voegde Dick Arthur er behulpzaam aan toe, hoewel het grootste gedeelte van de vraag onverstaanbaar was doordat de bestelwagen van Frank Rudge het erf op reed. Door het raam zag Elaine hem een pijnlijk gezicht trekken terwijl hij het portier opendeed en zich voorzichtig uit de bestuurdersstoel liet glijden. Donderdag was veilingdag in Norwich en hij was al voor zonsopgang vertrokken. Paul, zijn nieuwste aanwinst via het Jeugdwerkplan, keek in het buitenspiegeltje of zijn korte blonde haar wel goed zat en tegen de tijd dat hij was uitgestapt had Elaines vader de achterdeur al open en pakte de eerste lange, platte kist met Spaanse sla.

Het postkantoor van Theston in het oude centrum was onderdeel van een nimmer voltooid stadsvernieuwingsproject uit de jaren dertig. Het was ontworpen door Cedric Meadows, de gemeentearchitect, die een jaar later met achterlating van een onbekend bedrag aan schulden naar Maleisië was vertrokken. Als Martin een goede dag had en North Square op fietste, vond hij de muren van rode baksteen, de asymmetrische, met natuursteen beklede toren, het steile puntdak en de pompeuze, gebogen trap die naar de massieve eiken voordeur leidde een in wezen magnifiek samenraapseltje. Op een slechte dag zag hij het postkantoor nauwelijks en werd zijn aandacht onwillekeurig getrokken door de neonlicht uitstralende en met affiches behangen etalage van de videozaak links en de rommelmarktachtige vrolijkheid van de liefdadigheidswinkel rechts.

Zoals hij al zestien jaar lang achtenveertig weken iedere ochtend deed, fietste Martin ook nu langs twee zijden van het plein en reed Echo Passage in. Als er geen vervelend geparkeerde auto's stonden, tilde hij dan langzaam zijn rechterbeen op, verplaatste zijn gewicht naar de linkertrapper en gleed geleidelijk remmend en sierlijk als een ballerina Phipps' Yard in, zodat hij exact naast het trapje dat naar de achterdeur van het postkantoor leidde tot stilstand kwam. Ernie Padgett, de huidige postmeester - een titel die hij geweigerd had op te geven toen postmeesters vier jaar geleden officieel waren omgedoopt tot managers - woonde boven het kantoor. Normaliter deed hij de boel open en zette vast thee, maar hij voelde zich de laatste tijd niet zo goed en het werk scheen hem niet meer te kunnen boeien. Hoewel het tegen de regels was had hij zijn assistent, Martin, een set sleutels gegeven en daar maakte Martin nu gebruik van.

Toen Elaine arriveerde stond voor de ingang al een groepje vaste klanten te wachten, met aan het hoofd Harold Meredith, een kleine, stevig gebouwde man met een wandelstok en kortgeknipt wit haar, dat vaak verborgen ging onder een tweed pet. Hij besteedde altijd veel aandacht aan zijn uiterlijk en zou er niet aan denken om van huis te gaan als hij niet correct gekleed was in een geruit colbertje en zijn oude das van de Militaire Administratie. Zijn bleke, gladde gezicht vertoonde weinig tekenen van ouderdom, hoewel hij over de tachtig was. Nadat zijn vrouw vijf jaar geleden was gestorven, was het postkantoor zijn tweede thuis geworden.

'U bent weer haantje de voorste, meneer Meredith,' riep Elaine vrolijk, want dat had hij graag.

'Ik voel me weer echt een haantje als ik jou zie,' was het rituele antwoord.

'Ik ben te oud voor u, meneer Meredith,' protesteerde Elaine. Ze knipperde met haar wimpers terwijl ze de trap op liep en op de bel drukte, zodat Martin haar zou binnenlaten.

Elaine en Martin vermeden iedere vorm van lichamelijk contact zodra ze op het postkantoor waren. Zelfs als ze samen waren in het kleine keukentje, raakten ze elkaar hoogstens per ongeluk aan. Elaine werd de laatste tijd geplaagd door steeds uitgebreidere fantasieën over hartstocht tijdens de koffiepauze, maar Martins gedrag bleef strikt professioneel en zodra hij in het gebouw was, was zijn enige relatie die met de klanten. Elke vraag, al was hij nog zo stompzinnig of vermoeiend, kreeg zijn volle aandacht en elk irrelevant stukje persoonlijke informatie werd als hoogst fascinerend behandeld. Zijn masker van professionele vriendelijkheid was zelfs bestand tegen mevrouw Harvey-Wardrell, die in de ogen van Elaine het meest weerzinwekkende schepsel op aarde was.

Pamela Harvey-Wardrell was de zelfgekozen koningin van de plaatselijke society, het toppunt van snobisme en een vrouw met zo'n gigantisch en onvoorstelbaar gebrek aan gêne dat ze, als ze arm en ongewenst was geweest, waarschijnlijk al jaren in een gesticht had gezeten. Zij was ook altijd vroeg uit de veren, want ze was een fanatiek vogelaarster en was vaak met zonsopgang te vinden op de slikken, waar ze met een verrekijker de rietkragen afspeurde. Ze was ruim één meter tachtig en vanuit de verte kon je haar, met haar geruite tweed pet, donkergroene waxcoat en bijpassende lieslaarzen, gemakkelijk voor een kleine boom houden.

Hoewel ze uren kon wachten op de verschijning van een strandloper of watersnip had ze geen geduld met mensen en deze ochtend was haar rusteloosheid haast voelbaar terwijl Martin langzaam en omstandig de complicaties van Pensioners' Income Bonds uitlegde aan Harold Meredith, iets wat hij min of meer wekelijks moest herhalen. Meneer Meredith luisterde aandachtig en knikte serieus.

'Wilt u soms een foldertje?' vroeg Martin.

Meneer Merediths ogen lichtten op. 'Ja, graag,' antwoordde hij.

Martin bukte zich naar het kastje onder de balie, wipte het deurtje open met zijn rechtervoet en pakte een stapeltje folders. Hij haalde er een af en gaf die aan meneer Meredith. 'Alstublieft. Informatiefolder over Pensioners' Income Bonds, Serie 2.'

'Wilt u 't later terug?'

'Nee, houdt u het maar, meneer Meredith.'

'Hoeveel kost dat?'

'Oh, lieve God...' klonk het luidkeels achter hem.

'Goedemorgen, mevrouw Harvey-Wardrell.' Martin glimlachte sussend.

Ze leek niet erg gesust.

'Ik heb vreselijke haast.'

'Ja, ik kom zo bij u. Daar kunt u 't antwoord op al uw vragen in lezen, meneer Meredith.'

'En hoeveel kost dat, Martin?'

'Geheel gratis, met complimenten van de posterijen.'

Meneer Merediths ogen werden waterig van emotie. 'Ik kan me nog herinneren dat je voor anderhalve penny een brief naar Hong Kong kon sturen,' zei hij enigszins irrelevant.

Mevrouw Harvey-Wardrell ademde dreigend uit. Ze droeg een zijden hoofddoek met paisleymotieven, een coltrui met dikke ribbels, een bodywarmer, een tweed rok, geruite sokken en zware veterschoenen en Martin had haar eigenlijk nog nooit zo vrouwelijk gezien.

'Ik had in de tijd dat ik nu al sta te wachten naar Hong Kong kunnen *lopen*,' snauwde ze en begon, gebruik makend van haar aanzienlijke gewichtsvoordeel, meneer Meredith weg te duwen bij het loket. Harold Meredith kende die tactiek en had zijn eigen manier om erop te reageren.

'Dank je, Martin,' zei hij opzettelijk traag. Hij raapte zijn diverse documenten bij elkaar, pakte zijn tweed pet, haakte zijn wandelstok van de rand van de balie en slenterde naar de schrijftafel aan de andere kant van het postkantoor. Daar stalde hij zijn papieren weer uit en probeerde een gesprek aan te knopen met Jane Cardwell, de vrouw van de dokter. Nadat dat mislukt was herlas hij de nieuwste brochures over pakketposttarieven, de regels voor export van levend vee en het doorzenden van post naar privé-adressen.

Mevrouw Harvey-Wardrell viel met de deur in huis. 'Wat ik wil,' verkondigde ze luid, alsof ze een bijeenkomst in de open lucht toesprak, 'zijn twee postwissels. Eentje voor Sebastian, die net geslaagd is voor Eton met ongeveer de hoogste cijfers die ze ooit op Waterdene hebben gezien, en eentje voor die schat van een Charlie, die lang niet zo snugger is maar die ik niet over 't hoofd mag zien. Hebben jullie iets toepasselijks, Martin?'

'Postwissels zijn allemaal hetzelfde.'
'Ik bedoel ook geen postwissel, maar zo'n soort cadeaubonachtig geval.'
'Nou, we hebben deze.' Hij haalde snel twee bonnen uit een la.
'Die zijn afzichtelijk,' zei mevrouw Harvey-Wardrell.
'Meer hebben we op dit moment helaas niet.'
'Ze hadden tientallen verschillende in Cambridge. Allerlei motieven.' Ze staarde geringschattend naar de twee bonnen die Martin op de balie had gelegd. 'Ik kan een jongen die met puberteitsproblemen worstelt toch moeilijk een bos viooltjes sturen?'
'Volgens mij zijn 't geraniums,' merkte Martin op.
'En wat moet dat voorstellen?'
Martin bestudeerde de bon. Hij wist het zelf ook niet zeker.
'Volgens mij is 't een schip in nood.'
'Een kunstenaar in nood, bedoel je zeker. Wie kiest die dingen uit?'
'Nou, meneer Padgett bestelt ze altijd.'
Mevrouw Harvey-Wardrell dempte haar stemgeluid tot een gefluister dat door het kantoor weergalmde. 'Hoe gaat het met hem?'
'Weinig verandering.'
Ze boog zich over de balie. Haar adem rook vochtig en muf, zoals een leegstaand huis.
'Hoe eerder hij plaatsmaakt voor een jonger iemand hoe beter, Martin. Geef mij maar twee schepen in nood.'

Iedereen zat op Ernie Padgetts pensionering te wachten. Hij was nu al drieëntwintig jaar postmeester van Theston en was daarvoor twintig jaar lang assistent-postmeester geweest. 'Padge', zoals iedereen hem noemde, nam al heel lang een centrale plaats in het leven van Theston in. Hij was twee keer burgemeester geweest en had net als zijn vriend Frank Rudge zo ongeveer sinds mensenheugenis met tussenpozen in de gemeenteraad gezeten. Een jaar of zes geleden hadden Padge en Frank plannen gehad om een projectontwikkelingsmaatschappij te beginnen, een tweemansmaffia om Thestons wankele economie nieuw leven in te blazen na de teloorgang van de plaatselijke visserij. Er werden grote investeringen beloofd, maar het enige dat daadwerkelijk van de grond kwam waren de verwachtingen en na veel verwijten over en weer was Frank Rudge uiteindelijk groenteboer geworden en was Padge postmeester gebleven.

Ervaren Padge-waarnemers - en daar waren er veel van, want de relatie tussen postkantoor en gemeenschap is innig en diepgaand - hadden vanaf dat moment een neergaande lijn bespeurd. Padge scheen zich steeds meer in zichzelf terug te trekken en was af en toe zelfs uitgesproken nors. Hij kreeg last van een chronische, blaffende hoest en klaagde dat de nieuwe computersystemen het bij lange na niet haalden bij zijn omvangrijke geheugen. Hij had ooit gepocht dat hij de serienummers van elk nieuw pensioenboekje dat over een periode van een half jaar was verstrekt kon onthouden. Hij vertrouwde steeds meer op Martin om hem door zijn laatste jaren heen te loodsen, tot hij zelf ook met pensioen kon, maar was te trots om dat openlijk toe te geven en Martin bleef in woord, zij het misschien niet in daad, slechts assistent-manager.

'Ze sturen er drie,' verkondigde Padge tijdens de lunchpauze.

'Drie wat?' vroeg Elaine, die opkeek van haar kruiswoordpuzzel en blij was dat ze even niet hoefde te piekeren over veertien horizontaal: 'Hebreeuwse profeet (5)'.

'Drie mensen van 't regionale hoofdkantoor.'

'Waarvoor?'

Padge tikte ongeduldig op de brief die hij in zijn hand hield.

'Voor 't - jeweetwel - 't afscheidsdiner.'

'Dus 't is toch een diner geworden, Padge?' vroeg Martin tussen twee happen brood met koude kip door. 'Ik had gehoord dat ze 't bij een broodje kaas zouden houden... je weet wel, afgeslankt en uitgekleed en klaar voor de privatisering.'

Martin wist dat hij een diner aangeboden zou krijgen. Hij had dat tenslotte zelf voorgesteld. Het hoofdkantoor had het bij een glaasje sherry en een cadeautje willen houden en nu wilden ze opeens onuitgenodigd meedoen aan een gelegenheid die eigenlijk een verrassing had moeten zijn. Padge keek nogmaals naar de brief.

'Maar toch, met z'n drieën,' zei hij met een vleugje trots. 'Dan moeten ze 't een belangrijke gelegenheid vinden.'

'Een cent.'

'Wat?'

'Voor je gedachten. Wat gaat er om in dat grote brein van je?'

Elaine en Martin zaten in de biertuin van de Pheasant Inn in Braddenham, een klein dorpje op zo'n kwartiertje rijden van Theston. Het rieten dak en de pittoreske, schots en scheve vakwerkgevel dateerden van het eind van de jaren zeventig, toen de pub herbouwd was na een brand. De biertuin was niet veel meer dan een open ruimte, een hobbelig stuk gras dat werd omringd door een snel groeiende haag van coniferen. Een stuk of zes metalen tafeltjes zochten beschutting tegen de muren van de pub en keken uit op wat schommels en een klimrek. De eigenaar van de pub, Ron Oakes, noemde dat steevast de speeltuin, maar de meeste stamgasten zagen het meer als een manier om oude tractorbanden te recyclen.

De herfst naderde echter en gezinnen met jonge kinderen kwamen nu alleen nog in het weekend. Binnenkort zouden de schommels met kettingen en hangsloten worden vastgezet en zouden de wind en de regen hun aanval op de verf van het klimrek inzetten.

Als het weer dat toeliet, ging Elaine liefst in de biertuin zitten. Ze wist uit ervaring dat het moeilijk was om de aandacht van een man vast te houden zodra je een pub binnenging. Binnen kwam hij andere mannen tegen en begonnen ze te discussiëren over dingen die haar absoluut niet interesseerden, zoals voetbal of vissen of auto's of het gestaag dalende niveau van vrijwel elk onderwerp dat je maar kon opnoemen, behalve dat van gesprekken in pubs.

Elaine was vooral geïnteresseerd in intermenselijke relaties. Dat was zo'n onuitputtelijk en fascinerend onderwerp, een fenomeen dat je het hele jaar door kon bestuderen, vierentwintig uur per dag en zeven dagen per week. Mannen hadden het al over hartstocht en vreugde en wanhoop als ze over een of andere voetbalwedstrijd spraken, maar voor Elaine waren zulke emoties te belangrijk om verspild te worden door sportcommentatoren. Ze was op en top romantisch. Ze hunkerde en voelde en smachtte met een intensiteit die ze nooit met iemand anders had kunnen delen. Ze had vriendjes gehad en die hadden gezegd dat ze van haar hielden, maar ze wist dat ze net zoveel van windsurfen of skelteren hielden en ze wilde meer zijn dan alleen een opwindend avondje uit. Martin was anders. Hij hield niet van drukte en hij was niet geïnteresseerd in sport.

Hoewel Martin nog steeds terughoudend en slecht op zijn gemak was als hij over zijn gevoelens praatte, was Elaine ervan overtuigd dat hij in wezen dezelfde gevoelens koesterde als zij. Dat was ook de reden waarom ze zich tot hem aangetroken voelde en waarom ze die relatie volhield. Het was tenminste een relatie. Tot vorig jaar kerst waren ze gewoon twee mensen geweest die naast elkaar aan het loket zaten in een postkantoor. Nu raakte hij haar gezicht aan en pakte hij soms haar hand.

Elaine keek hoe hij een soort innerlijke strijd met zichzelf voerde. Hij stak zijn onderlip vooruit en kneep zijn ogen half samen.

'Je bent erg stil.'

'Ik dacht aan de toekomst,' zei hij.

'Geen wonder dat je stil was. Welk deel?' vroeg Elaine.

'Welk deel?'

'Van de toekomst.'

'Oh...' Hij glimlachte humorloos. 'Het eerstvolgende deel.'

'Kom ik daar ook in voor?'

Ze wist dat die vraag hem zou irriteren en dat klopte. Hij nam langzaam een slokje bier en zette zijn glas neer voor hij antwoord gaf.

'Eerlijk gezegd niet, nee. Alleen ik en een groot overheidsbedrijf.'

'Beginnend met een P?'

'Hoe weet je dat?'

'Er zijn er niet veel over,' zei ze.

Martin glimlachte wrang.

'Kunnen jullie niet goed meer met elkaar overweg, jij en de Posterijen?' vroeg ze.

Martins frons werd nog dieper. Een licht briesje blies zijn pluizige rode haar door de war. 'Geen idee. Dat is 't nou juist. Ik heb gewoon geen *idee*. Padge gaat over twee weken met pensioen en niemand heeft me geschreven of contact met me opgenomen. Ik bedoel, je zou toch denken dat ze nu wel iets van zich zouden hebben laten *horen*.'

'Ach, je weet hoe ze zijn op 't hoofdkantoor. Ze hebben zoveel aan hun hoofd.'

'Te veel om zich druk te maken om ons?' Martin was verontwaardigd. 'We werken voor een overheidsbedrijf. 't Doet er heel veel toe wie de leiding heeft.' Er klonk oprechte woede door in zijn stem en dat sprak Elaine aan.

'Je krijgt die baan heus wel, dat weet ik,' zei ze.

'Dat weet *jij*, ja, maar weten *zij* 't ook? Ik ben goed in m'n werk. Er is niets dat ik niet weet over 't runnen van een postkantoor, maar dat is tegenwoordig niet meer genoeg. 't Is nu één en al managementstraining en dat soort onzin. Ik vond die cursus in Ipswich vreselijk. Rollenspel en businessplannen maken. Ik stond constant met m'n mond vol tanden.'

Elaine vond niets zo opwindend als een woedende man die een zwakheid opbiechtte. Ze greep haar halfvolle glas piña colada gedecideerd beet . 'Hoor 'ns, laten we dit opdrinken, dan terugrijden via Omar, twee vis met friet halen en die opeten aan de haven. 't Is een schitterende avond.'

Ze keek naar Martin. Zijn neusharen moesten nodig geknipt worden.

'Kus me,' zei ze.

Martin liet zijn blik vlug door de tuin gaan.

'Niet hier.'

'Nee, hier.' Ze wees op de zachte, witte huid onder aan haar hals. 'Hier.'

Ze stak haar kin omhoog en boog zich naar hem toe.

'Toch vind ik dat ze 't schriftelijk hadden moeten bevestigen. Dat zouden ze in elke andere bedrijfstak wel hebben gedaan.' Hij boog zich naar haar toe en drukte zijn lippen lichtjes tegen haar hals, die naar zeep rook.

Elaine zuchtte. ''t Zou leuk zijn als je dat ook 'ns kon doen zonder eerst om je heen te kijken.'

'Ik moet aan m'n positie denken. Vooral als ik dadelijk manager ben.'

''t Zou ook leuk zijn om iets te kunnen drinken uit onze eigen bar in onze eigen woonkamer, zodat we niet elke donderdag hiernaar toe hoeven gaan.'

Martin knikte verstrooid. 'Ik denk dat ik contact opneem met de bond. Vragen wat de juridische positie is.'

Elaine haalde een fles eau de cologne uit haar tas.

'Volgend jaar word ik dertig, Martin.'

‘Ze zijn vast verplicht om je vooraf in kennis te stellen,’ zei hij.
‘Je weet wat ik bedoel.’ Ze depte wat eau de cologne achter haar oren en in haar hals. ‘Ja toch, Martin?’
Martin keek haar behoedzaam aan. ‘Je wilt vast niet getrouwd zijn met een assistent-manager.’
‘Nee, dat klopt.’ Ze boog zich over het tafeltje en kuste hem op zijn wang. ‘Maar ik zou ’t niet erg vinden om getrouwd te zijn met een manager.’

TWEE

Toen Martin 's avonds thuiskwam, voelde hij zich een beetje misselijk. Vis was niet Omars specialiteit en had altijd een lichte shoarma-bijsmaak. Hij zette zijn fiets in het schuurtje, ging naar binnen met achter zich de smeulende nagloed van de zonsondergang, deed de deur dicht en liep de trap op. Zijn moeder verscheen in het halletje, vergezeld door televisiegeluiden.

'Ben jij dat?' riep ze.

'Nee, de hertog van Kent.'

Ze leek tevreden en ging terug naar de woonkamer. Kathleen Sproale was tegen de zestig. Ze had een lang, triest gezicht, grijzend haar en diep gelegen bruine ogen. Vroeger had ze naailes gegeven aan de plaatselijke meisjesschool, maar nadat haar man negentien jaar geleden plotseling was gestorven, had ze zich steeds meer teruggetrokken. Ze zat nu voornamelijk thuis en verdiende wat bij met het maken van gordijnen en af en toe een trouwjurk.

Martin duwde de deur naar zijn kamer open. Hij had vroeger wel overwogen om hem op slot te doen, maar zijn moeder was behalve hijzelf de enige die er ooit kwam en zij scheen het niet erg te vinden. Elaine was er ook één of twee keer geweest, maar haar bezoekjes waren geen succes geweest.

Martin deed de deur dicht.

Hij maakte zijn medicijnkist van het Italiaanse leger open, Milaan, circa 1917, en zocht op de volle plank naar de fles grappa. Hij had er twee, maar koos de donkere, geurige Amarone. Hij schonk een glaasje in en proostte naar de enorme, zorgvuldig op hardboard geplakte zwart-witfoto die van de schoorsteenmantel tot aan het plafond reikte en bijna een hele wand in beslag nam.

'*Salute*, Papa.'

Ernest Hemingway keek naar Martin. Hij dronk niet, maar schreef. Of liever gezegd, hij pauzeerde even tijdens het schrijven. Hij stond, zoals hij het liefst werkte. Zijn linkerarm rustte op een schuin houten schrijfbord, dat weer op een ladenkast met sierlijke, gekrulde handgrepen lag. Onder zijn half gebalde vuist lagen diverse vellen schrijfmachinepapier op klein-folioformaat die bedekt waren met zijn handschrift en zijn rechterhand, die zich net onder zijn middel bevond, hield losjes een potlood beet. Hij droeg een dik, geruit sporthemd met kleppen over de borstzakken. Zijn gezicht was nog steeds indrukwekkend en werd omringd door wit: boven door golvend haar dat naar voren was gekamd om zijn kale plek te verbergen en van onderen door een keurig bijgeknipte baard, die enigszins naar links groeide. Zijn ogen hadden iets ouds en triests, of dat vond Martin tenminste.

Van de vele foto's die hij bezat (Hemingway met vissen, olifanten, schrijfmachines, flessen, filmsterren, kinderen, soldaten, geweren, stierenvechters), was dat de enige waarop de Grote Man niet leek te poseren of te acteren. In plaats daarvan had hij de haast opzettelijk kwetsbare uitdrukking van iemand die niet zozeer bekeken als wel begrepen wil worden, die na een leven lang zelf de touwtjes in handen te hebben gehad aan onbekende toeschouwers vraagt om er getuige van te zijn wat er gebeurt als een legende oud en ziek en eenzaam wordt. Dat was de reden waarom die foto een ereplaats had in Martins kamer. Hij schiep een sfeer van intimiteit en gaf Martin het gevoel dat hij mogelijk iets voor zijn held had kunnen betekenen - niet als gewone plaatjeskijker die hem deelde met de rest van de wereld, maar heel misschien als de enige die hem werkelijk begreep.

Martin had niet veel literatuur gehad op school. Zijn talenten, voor zover je daarvan kon spreken, lagen meer op exact gebied en dat had zich weerspiegeld in zijn vakkenpakket. Hij was niet goed in sport en kon dus ook niet van die kameraadschap genieten (hoewel hij de officiële scorer van het schoolcricketteam was geweest), maar had met afgunst naar de jongens gekeken die dat wel waren. Die leken veel meer plezier te hebben. Ze wisten meer over dingen die er werkelijk toe deden, zoals hoe je vrienden moest maken. En bijna niemand had exacte vakken gedaan. Tijdens het eerste semester van zijn eindexamenjaar had Martin een besluit genomen en zich opgegeven voor een cursus Algemene Ontwikkeling, waartoe ook een optie Engelse Literatuur behoorde.

Het boek dat ze moesten lezen was Hemingways *For Whom the Bell Tolls*. Martin was zeventien en dat jaar stierf zijn vader. Net toen de curcus begon bleef hij drie weken van school, maar hij nam het boek mee naar huis en begon het te lezen en geleidelijk verdrong de kracht van het verhaal zijn verdriet. Hij volgde Robert Jordan over de bergen en door de valleien van Spanje. Jordans 'rode, zwarte, moorddadige' woede werd een uitlaatklep voor de woede die Martin voelde om zijn eigen verlies en een tijd lang was Hemingways held de enige die hij kon vertrouwen. Daarna had hij alles verslonden wat Hemingway had geschreven: tien romans en meer dan zestig korte verhalen. Veel later kwam het verlangen om ook meer te weten over de schrijver zelf en door het lezen van zijn brieven en de dikke biografieën van Carlos Baker (die hij goed vond) en Kenneth S. Lynn (die hij verafschuwde) en die van Myers, Reynolds, Mellow, Anthony Burgess en anderen ontdekte hij dat Ernest Hemingway en Robert Jordan in feite één en dezelfde waren. Dat wakkerde zijn belangstelling alleen maar aan.

Ondertussen begon hij zijn kamer te vullen met aandenkens. Theston was niet bepaald een paradijs voor verzamelaars en hij moest het meestal met replica's stellen, zoals zijn collectie hoeden in Hemingway-stijl die achter de deur hing of dingen die erop leken, zoals een affiche voor een stieregevecht, Pamplona 1971, authentiek maar vijftig jaar te laat, of een draagbare schrijfmachine, Corona nr. 3, niet precies dezelfde als Hemingway had gebruikt maar een iets later model, dat nauwelijks was veranderd. Hij had ook een Italiaans gasmasker uit de Eerste Wereldoorlog weten te bemachtigen, een kapmes (mogelijk Cubaans), een stootzak, een jachttrofee met koedoehoorns en een Duitse legerkoppel zoals Hem in zijn latere leven vaak had gedragen.

'Ik heb thee gezet. Wil je ook een kopje?' riep zijn moeder, die hem herinnerde aan de rituelen van het alledaagse leven. 'Ik heb 't in de keuken gezet, Martin!'

Martin schudde treurig zijn hoofd. Theeleuten, moeders, postkantoorpersoneel, opdringerige verloofdes. Bekrompen mensjes met bekrompen geesten. Wanneer zouden ze beseffen dat je het leven alleen ten volle kon leven door de confrontatie aan te gaan met het gevaar? Aan de andere kant had hij inderdaad dorst na die zoute friet.

Hij dronk zijn grappa op, zette het glas met een klap neer, gaf een zwiep naar de lichtknop en ging naar buiten.

'Ik kom eraan,' riep hij.

DRIE

Ernie Padgetts 'belangrijke gelegenheid' vond plaats op een vrijdag, een donkere dag vol stormwaarschuwingen en regenvlagen. Boelijns kletsten tegen de masten van dobberende jachten en de stormkegel zwaaide in de wind voor het gebouw van de kustwacht. Meer dan tweehonderd mensen hadden zich in de kerkhal van Theston gewurmd. Het was inmiddels half september en het plaatsje was terugveroverd op de toeristen. Het was een goed seizoen geweest en hoewel de winkeliers en pensionhoudsters hadden geklaagd omdat ze het zo druk hadden, hadden ze ook het nodige geld opgepot, hoewel ze dat nooit aan elkaar zouden toegeven. Vandaar dat er glimlachende gezichten te zien waren onder de ballons en slingers en door het weer werden de gesprekken extra geanimeerd.

Martin hoorde een zware stem achter zich galmen: 'Uitstekende opkomst, Sproale.'

Het was lord Muncaster, die niet vaak op het postkantoor kwam maar wel zijn gezicht liet zien als er iets officieels te doen was in de stad en dan zijn feodale welwillendheid over alles en iedereen liet uitstralen, hoewel het geen geheim was dat hij nauwelijks drie maanden geleden een opmerkelijk onfeodale deal had gesloten door zijn zestiende-eeuwse landhuis te verkopen aan een Engels-Saoedische verzekeringsmaatschappij en het vervolgens weer van hen te huren, onder de neus van monumentenzorg.

'Ik moet zeggen dat dit allemaal verdomd fidele lui zijn. Ik bedoel, dit is toch echt de ruggegraat van Engeland...' Hij staarde naar de menigte, met warme, menslievende ogen die vochtig waren van de wazige sentimentaliteit waarmee alleen echt wereldvreemde mensen behept zijn.

Martin mompelde iets eerbiedigs en liep snel verder. Zijn voornaamste doel was om oogcontact te houden met de drie gasten van het hoofdkantoor. Twee herkende hij, zijn plaatselijke baas en de regionale manager, maar de derde niet. Ze stonden bij elkaar, alle drie gekleed in sobere pakken, en sprongen eruit in de heterogene massa plaatselijke genodigden. Op het moment voerden ze een moeizaam gesprek met Padge, die constant hoestte in de warme, rokerige hal. Aan hun gezichten viel duidelijk af te lezen dat ze geen van drieën luisterden naar wat de bijna gepensioneerde postmeester zei en dat het hen ook niet interesseerde. Elaine liep naar Martin en kneep in zijn hand.

'Goh, wat ben je warm.'

Martin trok zijn hand snel terug.

'Sorry, ik wilde je niet laten schrikken. Ze boog zich naar hem toe en hij rook iets aan haar adem. Iets sterkers dan Bulgaarse rode of witte wijn.

'Er staat gin in de keuken,' fluisterde ze. 'Ik heb een glaasje genomen. Oh, help! Sorry!' Toen ze een stap achteruit deed om het effect van die mededeling beter te kunnen zien, bleef haar hak in een broekomslag haken en morste ze haar zojuist gevulde glas Balkan Cabernet op Alan Randall, de kranten- en snoepverkoper. Randall slaakte een korte, nijdige kreet. Hij was een kwieke vrijgezel van middelbare leeftijd die er dankzij veel lichaamsbeweging en een zonnebank jonger uitzag. Zijn uiterlijk was belangrijk voor hem en hoewel de meeste wijn werd opgevangen door zijn keurig geperste blauwe blazer, breidde zich ook een kleine maar opvallende rode vlek uit over het duifgrijze terylene dat zijn linkerdij omhulde.

'Ik haal wel een doekje.'

'Zout!' siste Randall.

Opgelaten en met een rood hoofd holde Elaine naar de keuken.

Martin hoorde iemand luid zijn keel schrapen, gevolgd door geroep om stilte. Zoals meestal in een drukke, lawaaierige zaal duurde het een tijdje voor die boodschap tot de rand van de menigte was doorgedrongen en tegen die tijd had de huidige burgemeester, een aannemer genaamd Ken Stopping, zijn brede schouders gerecht, een bril met hoornen montuur opgezet en was, met behulp van een onheilspellende stapel kaartjes, aan een uitgebreide en zwaarwichtige speech begonnen.

'... vele jaren lang...'

'Sssst!' siste iemand bij de deuropening van de keuken, waaruit flarden van Elaines klaaglijke beschrijving van het wijnincident opklonken, die wedijverden met het nauwelijks verstaanbare gerommel van Stoppings stem.

'... en dat zal Padge waarschijnlijk beamen...'

'Bravo! Bravo!' riepen de mensen die hem verstaan hadden en ietsje later ook degenen die dat niet hadden gedaan.

Terwijl Stopping zorgvuldig door de carrière van de bijna gepensioneerde postmeester ploegde, ontstond er een zekere rusteloosheid in de zaal. Niemand luisterde echt. Stoppings opmerkingen waren zo neutraal en weloverwogen dat hij het over elke inwoner van Theston van boven de zestig had kunnen hebben die zijn hele leven in het plaatsje had gewoond. Zelfs mevrouw Padgett maakte een verveelde indruk. Dokter Cardwell, jong, energiek en ooit tweede in de Wijnproever van het Jaar-competitie van Suffolk, geeuwde schaamteloos. Barry Burrell, de dominee, even jong en energiek, betrapte zichzelf erop dat hij aandachtig naar de lange, goed zichtbare dijen staarde van Maureen Rawlings, een schrijfster die nog niet zo lang in Theston woonde, terwijl zij op haar beurt op haar tenen ging staan om de atletische jongste afgevaardigde van het hoofdkantoor beter te kunnen bekijken.

Maureens man, Quentin, die af en toe als journalist werkte, trok aan zijn verwilderde haardos en staarde zuur om zich heen. Cuthbert Habershon, de notaris en plaatselijke rechter van instructie, staarde gebiologeerd naar het plafond, alsof hij bad om een goddelijk teken dat zijn eigen pensionering, over ruim drie maanden, niet vergezeld zou gaan van een speech door Ken Stopping. Uiteindelijk wist Martin de aandacht te trekken van een van de hoge pieten van het hoofdkantoor en glimlachte zo vriendelijk en samenzweerderig als hem gepast leek. Hij wilde niet de indruk wekken dat hij ervan uitging dat alles al in kannen en kruiken was, maar wel dat hij er klaar voor zou zijn als het eenmaal zover was. De man, die grijzend haar had, glimlachte hartelijk terug en Martin wendde zijn blik snel af. Hij begon last te krijgen van de warmte en schuifelde naar de bar.

Meneer Meredith was er ook en schonk nogal trillerig een glas wijn in.

'Ik heb z'n vader nog gekend,' zei hij, enigszins irrelevant.

Op dat moment werd er opnieuw om stilte geroepen en lieten de mensen die het dichtst bij de burgemeester stonden hernieuwde belangstelling blijken.

'... tuinschuur... groene vingers... van ons allemaal...'

De mensen gingen aan één kant opzij en iedereen staarde vol verwachting naar de deur. Er verstreken een paar seconden die wel een eeuwigheid leken te duren en toen reed Norman Brownjohn van de ijzerwarenzaak het geschenk van de bevolking van Theston naar binnen - een glanzende, splinternieuwe Arcrop Major lichtgewicht kruiwagen, die voor honderd pond aan tuingereedschap bevatte. Dat was niet Martins idee geweest, want hij wist dat Padge heel wat minder fit was dan hij liet blijken. Een looprek zou misschien beter van pas zijn gekomen.

Het refrein van 'For he's a jolly good fellow' klonk echter hartelijk en gemeend en tegen de tijd dat ze Padge hadden overgehaald om ook iets te zeggen, waren er eindelijk een paar zakdoeken te voorschijn gehaald.

Padge deed zijn uiterste best om zich te concentreren. Hij ademde voorzichtig in, hoestte niet en voelde zich opgelucht.

'Nou, ik weet gewoon niet wat ik moet zeggen...' begon hij.

'Voor 't eerst in je leven, Padge!' riep een vrouw achter in de zaal.

'Ssst!'

'Ik heb achtenveertig jaar naar deze dag uitgekeken, maar nu 't zover is wou ik dat ik 't kon uitstellen.'

Het leek alsof Padge zichzelf het meest verrast had met die uitspraak, en de gasten die dichtbij stonden, zagen zijn ogen volschieten. Er klonk een zacht koor van 'aaah' waaruit waardering maar ook een geïmpliceerde voorkeur voor wat luchtigere opmerkingen bleek.

'Niet dat ik niets meer om handen zal hebben. Ik heb m'n roos -'

'Moet je Head and Shoulders gebruiken!' riep iemand die al het nodige ophad luid. Gekreun en gelach.

'En ik heb m'n groenten... en ik heb Brenda.'

'In die volgorde!' schreeuwde Brenda Padgett vrolijk en de zaal barstte in opgelucht gelach uit.

Padge deed er even het zwijgen toe, haalde diep adem en vervolgde: 'Maar niets zal ooit de plaats kunnen innemen van de warmte en vriendelijkheid die ik altijd in het postkantoor heb ervaren. Aan beide zijden van het loket.'

'Bravo! Bravo!'

'We krijgen vaak van alles naar ons hoofd geslingerd, vooral als we 's zaterdag tussen de middag sluiten, maar ik had geen opgewekter en ijveriger personeel kunnen hebben.'

Martin voelde zijn wangen rood worden toen veel mensen zich omdraaiden en hem aankeken. Hij friemelde aan het tafellaken. Padge vervolgde: ''t Was een voorrecht en een groot genoegen om jullie postmeester te mogen zijn en ik wens m'n opvolger heel veel succes.'

Het applaus leek eindeloos te duren. Ten slotte keek Martin aarzelend op, als een soldaat na een bombardement, en zijn blik kruiste die van de grijzende man van het hoofdkantoor, die even enthousiast klapte als iedereen en naar Martin glimlachte.

'Brenda en ik verheugen ons erop om jullie terug te zien in 't postkantoor, alleen zullen wij nu ook netjes in de rij staan voor 't loket. Heel erg bedankt allemaal!'

Nadat het applaus was weggestorven stond de man die Martin had aangekeken op. Hij was van gemiddelde lengte en zijn fraaie pak met krijtstreepje wees op iemand die zich meer bezighield met beleidsbepaling dan met afscheidsfeestjes. Hij was ongeveer even oud als Martin, halverwege de dertig, maar door zijn achterover gekamde, vroeg grijze haar zag hij er ouder uit. Martin zag tot zijn ongerustheid dat hij een lui linkeroog had dat niemand rechtstreeks scheen aan te kijken en Martin verkeerde in zo'n wankele en nerveuze gemoedstoestand dat hij direct begon te twijfelen aan de hartelijke glimlach die hij eerder ontvangen dacht te hebben. Misschien was die helemaal niet voor hem bedoeld geweest. De man schraapte zijn keel en zei:

'Dames en heren, voor we aan dit heerlijke diner beginnen zou ik graag wat willen zeggen uit naam van de Britse Posterijen, Afdeling Dienstverlening. Allereerst hoe trots we erop zijn dat we zo lang de werkgever van Ernie Padgett zijn geweest.'

Martin snoof sarcastisch – toen Padge bij de Posterijen kwam werken, was die kerel waarschijnlijk nog niet eens geboren. 'Ik ben Maurice Vickers, Hoofd Ontwikkeling van de Regio Zuid-Oost en vermoedelijk kennen velen van u John Devereux, de Regionale Coördinator.'

Devereux was een oudere man, met het postuur van een tank, dun, donker haar en sluwe oogjes. Niet iemand om vertrouwd mee te zijn, dacht Martin terwijl het beleefde applaus wegstierf.

Te oordelen naar de onverwachte inspecties waar hij het personeel in North Square graag mee verraste, was hij hard en stug.

'We zouden graag iets willen toevoegen aan alle dankbetuigingen die Ernest vandaag al mocht ontvangen,' vervolgde Maurice Vickers. 'Hij is altijd een rots in de branding geweest hier in Theston en daarom hebben we een klein blijk van waardering voor hem. Geen gouden horloge, want dat doen we tegenwoordig niet meer en wie wil trouwens zien hoe de tijd voorbij gaat?'

Hij gebaarde naar zijn jongste metgezel, een man van achter in de twintig, blond, slank, lenig en goed verzorgd. Maureen Rawlings vond hem de mooiste man die ze in lange tijd in Theston had gezien. Hij overhandigde een doos aan Vickers, die bleef doorpraten terwijl hij het deksel eraf haalde en het beschermende zijdepapier wegtrok.

'Dit is een massief zilveren replica van het splinternieuwe logo van de Afdeling Dienstverlening, ontworpen in Peterborough en speciaal gegoten in Zweden, en het doet me groot genoegen om dit aan te bieden aan jou, Ernest Padgett, als blijk van waardering voor je achtenveertig jaar trouwe dienst aan Theston en de Posterijen.'

Devereux en de jongeman klapten enthousiast. Ernie Padgett staarde onzeker naar het zware voorwerp, een interessante zij het uiteindelijk toch minder geslaagde poging om uit de letters AD een symbool vol kracht, vaart en energie te smeden.

'Smelt 't om, Padge!' riep een van de drinkers, die voor deze ene keer het gevoel van vrijwel alle aanwezigen vertolkte. De zaal bulderde van het lachen en Vickers glimlachte flauw. Hij kon weinig anders doen en Martin had een beetje medelijden met hem. Uiteindelijk kalmeerden de genodigden en werd Vickers serieuzer.

'Ik weet dat velen van u zich zorgen maken om de toekomst. Om de vraag of uw postkantoor nog wel een rol zal spelen in een veranderende wereld...'

Martin likte langs zijn lippen. Zijn mond was kurkdroog.

'Nou, ik kan u verzekeren dat de Posterijen nieuwe stijl Theston niet de rug zullen toekeren. Ik kan u zelfs meedelen dat we plannen hebben voor Theston, grote plannen. Plannen om een moderner, sneller, efficiënter bedrijf te creëren, dat onze klanten het allerbeste aan moderne communicatiemogelijkheden zal bieden nu het millennium nadert.'

'De helft van de mensen hier zal 't millennium niet eens meer meemaken,' riep mevrouw Harvey-Wardrell luid van achter uit de zaal.

'We willen gewoon dat de bevolking van Theston het allerbeste krijgt.'

Martin voelde onwillekeurig een duizelig makende golf van opwinding.

'En om aan te tonen dat we menen dat we zeggen, wordt een van onze talentvolste jonge medewerkers overgeplaatst naar Theston: Nick Marshall.' Hij gebaarde naar de jonge Adonis naast hem en Martin had het gevoel alsof zijn maag plotseling ineenschrompelde. De woorden van Vickers leken langs hem heen te zweven, alsof hij van grote afstand toekeek.

'Als uw nieuwe manager wordt hij belast met het opzetten en runnen van het postkantoor nieuwe stijl, uiteraard in nauwe samenwerking met...' hij keek voor het eerst op een briefje, 'de huidige assistent-manager, Martin Sproale, die voor de nodige continuïteit zal zorgen tijdens deze opwindende fase. Geloof me, Theston zal zeker een rol blijven spelen in de zich snel ontwikkelende toekomst van ons netwerk. Dank u.'

VIER

De dag daarop was een zaterdag en het postkantoor sloot om één uur. Martin wilde niet al te veel zwelgen in zelfmedelijden en na de boel te hebben afgesloten, besloot hij om niet iets met de anderen te gaan drinken zoals gewoonlijk, maar ruim negen kilometer landinwaarts te fietsen naar de tweedehands boekwinkel van Arnold Julian in Atcham. Sinds die aankondiging van gisteren had hij heel veel medeleven moeten verduren, dat allemaal goed bedoeld was maar hoogstens de scherpste kantjes van zijn wrok had afgesleten. Zijn loket was bestookt met betuigingen van eeuwige trouw, terwijl het regionale hoofdkantoor hem alleen bestookt had met gefaxte instructies over wat er allemaal nog geregeld moest worden voor meneer Marshall op één oktober arriveerde. Martin kon zich die stroom van medelijden eigenlijk alleen maar laten welgevallen en zich voorbereiden op wat ongetwijfeld het ergst zou zijn. Het was alsof je de lotto had gewonnen op de dag van je executie.

Van een afstandje zag de vertrouwde, twee verdiepingen hoge gevel van de boekwinkel er even aantrekkelijk uit als altijd. De wingerd die de muren bedekte was nu vuurrood en uit een van de schoorstenen kringelde een dunne rookpluim. Van dichterbij maakte het pand een heel wat minder uitnodigende indruk. De bladderende groene voordeur was potdicht en de vele met de hand geschreven kaartjes die her en der op de etalageruit waren geplakt, vormden een soort epos van ongastvrijheid.

Gesloten
Geen fietsen plaatsen
Geen ongeadresseerd drukwerk
Deur klemt
Openingstijden: uitsluitend
donderdag, vrijdag en zaterdag
Op sommige donderdagen gesloten

Degenen die zich door die waarschuwingen lieten afschrikken, wisten niet dat de deur bijna nooit op slot was en dat je alleen even hoefde te duwen om hem open te krijgen. Als hij met een ruk openging klonk een ielig belletje en zodra de onverschrokken klant eenmaal binnen was, bleef hij eerst een hele tijd alleen, omgeven door hoge, stille stapels boeken en een lichte geur van schimmel. Twee schemerlampen en een zwak peertje aan het plafond versterkten het weinige daglicht dat door de met wingerd begroeide ramen wist te dringen. Een aantal minuten later verscheen Arnold Julian dan plotseling, alsof hij uit het niets was opgedoken, een lange, donkere geestverschijning die net zo goed vijfenvijftig had kunnen zijn als honderddrie. Hij bewoog zich altijd geruisloos en in het schemerduister was het niet gemakkelijk om te zien wat voor kleren hij aanhad, behalve zijn onafscheidelijke zwarte trui, die lang en slobberig was en als een soort lijkkleed om hem heen hing. Meneer Julian voelde nooit de behoefte om een gesprek aan te knopen. Meestal keek hij alleen zwijgend toe, alsof hij de klant uitdaagde om in de winkel te blijven.

De indeling was even klantonvriendelijk. De boeken stonden niet in alfabetische volgorde en hoewel er ooit een ruwe poging was gedaan om ze in te delen naar onderwerp, was dat al lang verleden tijd en stonden exemplaren van *Lorna Doone* en *De Slag om Stalingrad* nu schouder aan schouder met kookboeken op de plank gemerkt 'Modern Toneel.'

Dat was allemaal opzettelijk en Arnold Julians manier om poseurs, aanstellers en andere frivole dilettanten af te schrikken. Zodra hij er eenmaal van overtuigd was dat hij met een echte liefhebber te maken had, werd alles mogelijk.

Arnold Julian had vroeger buiten in rekken een selectie minder esoterische boeken uitgestald en daar had Martin jaren geleden, toen hij net met het opbouwen van zijn Hemingway-verzameling was begonnen, een gevlekt exemplaar vol ezelsoren van *The Green Hills of Africa* gevonden. Hij had het herkend als Scribners goedkope editie uit de oorlogsjaren, die zeldzaam was in Engeland. Julian was zo onder de indruk geweest dat hij Martin had meegenomen naar de achterkant van de zaak en nog drie uitgaven uit diezelfde reeks had opgesnord.

Vanochtend deed Julian verontschuldigend. Er was weinig

bijzonders te melden op boekengebied, maar hij had wel een paar curiositeiten bemachtigd: een exemplaar van de *Toronto Daily Star* van 27 januari 1923, dat Hemingways verslag van zijn interview met Mussolini bevatte, en het eerste nummer van *Esquire*, herfst 1933, met Hemingways artikel 'Marlin off the Morro'. 'Geschreven toen hij in 't Ambos Mundos Hotel logeerde,' zei Martin opgewonden.

Arnold Julians lange, elegante vingers sloegen voorzichtig de pagina's om. 'Zo te zien wel, ja.'

Martin knikte. 'Z'n eerste artikel voor *Esquire*, in het allereerste nummer.'

Julian staarde ernstig naar het omslag. '*Esquire*,' mompelde hij langzaam, alsof hij dat woord nog nooit eerder had gehoord. 'Nou ja, hij zal wel om geld verlegen hebben gezeten.'

'Hij sloeg een marlijn van zevenhonderdvijftig pond aan de haak ter hoogte van Morro Castle en wist hem anderhalf uur en over een afstand van bijna zeven zeemijl vast te houden, maar uiteindelijk slaagde 't beest er toch in om te ontsnappen. Ze zeggen dat dat hem geïnspireerd heeft tot 't schrijven van *The Old Man and the Sea*.' Martin tikte op het blad en schudde bewonderend zijn hoofd. 'Dat is echt een zeldzaamheid.'

'Helaas is 't ook niet goedkoop.'

'Vijfentwintig?' vroeg Martin.

'Zeventig, ben ik bang. En dat is gewoon wat ik ervoor betaald heb.'

Martin werd rood. De boekhandelaar knikte meelevend en streek een hoekje van het tijdschrift glad. Hij genoot van Martins passie en kende de beperkingen van een postkantoorsalaris.

'Ik moet echt goed zoeken om je nog ergens mee te kunnen verrassen. En op dat niveau zijn er geen koopjes meer.' Hij stak zijn hand uit en duwde een vroeg-Victoriaanse editie van *Tristram Shandy* die ietsje uitstak netjes terug.

'En die *Star*...?'

'Vijftig.'

Martin floot.

Zachtjes en zonder Martin aan te kijken zei Julian: 'Allebei voor honderd?'

'Nou... ik zal kijken wat ik kan doen. Ik zal een manier moeten bedenken. Ik had gehoopt dat ik inmiddels wat meer geld zou hebben, maar 't ziet ernaar uit dat dat nog even op zich laat wachten. Wil je ze voor me vasthouden?'

'Ik zal m'n best doen.'

Martin knikte dankbaar en liep snel naar de deur, om zijn teleurstelling te verbergen.

'Er is nog een verzamelaar geïnteresseerd.'

Martin bleef staan, met zijn hand op de deurknop. 'Iemand anders?'

'Er is navraag gedaan. Ik heb de prijs verdubbeld, waarop de persoon in kwestie weer vertrok.'

'Wat zocht hij?'

'Zij. Een dame. Een Amerikaanse. Alles wat met Hemingway te maken had.'

'Een Amerikaanse?'

Julian knikte. 'Onmiskenbaar.'

'Was ze van plan om terug te komen?'

'Dat liet ze wel doorschemeren.'

'Juist ja. Nou, bedankt.'

Veel meer kon hij niet zeggen. Hij had nog nooit een rivaal gehad, niet in deze contreien. Niet als het om Hemingway ging. Dealers reisden stad en land af op zoek naar Hardy en Wordsworth en George Orwell en zelfs A.A. Milne, maar niet de Meester. Laat dat maar aan de Amerikanen over. Terwijl hij terugfietste pakten zich plotseling donkere wolken samen en voordat hij thuis was begon het al te regenen.

Papa noemde het zijn 'zwarte put'-buien. De diepe depressies waarin hij van tijd tot tijd wegzonk. Martin had zijn uiterste best gedaan om zich daarin in te leven, maar kon er helaas niet omheen dat hij zelfs op de ergste dagen op het postkantoor, zelfs als de bejaarden die hun pensioen kwamen halen tot buiten op straat stonden of die keer dat hij de balans opmaakte en tot de ontdekking kwam dat ze tweehonderddrieënvijftig pond te kort kwamen, nooit iets had gevoeld van 'die gigantische, godverdommese leegte' die Hemingway had beschreven in een brief aan zijn collega schrijver John Dos Passos. Maar nu de regen die zaterdag tegen zijn slaapkamerraam kletterde en de wolken steeds lager en grauwer over de velden dreven, bemerkte hij tot zijn wrange verbazing dat er een gevoel van 'zwarte putterigheid' aan zat te komen.

Toen hij er eens wat beter over nadacht, leek dat nogal oneerlijk. Hij wist dat zijn leven niet spectaculair was. Hij was voorzichtig en grondig en nauwgezet en eiste weinig van anderen. En nu was dat plotseling niet meer voldoende. Hij hield van het postkantoor van Theston en hij hield van Hemingway en het zag ernaar uit dat hij op beide gebieden opeens een rivaal had.

Martin deed de oude kleerkast open die vroeger op de kamer van zijn ouders had gestaan, koos een van de twee dikke Amerikaanse sporthemden uit die hij twee jaar geleden per postorder bij L.L. Bean in Maine had gekocht en trok het aan over zijn onderhemd. Het was wijd en van wol, met schildpadknoopjes en sierspijkers op de borstzakken. Hij stopte er zoveel mogelijk van in zijn broek, liep naar de kist met het rode kruis, pakte een halve fles wodka en nam een glas en een fles tonic uit het kastje daaronder. Hij zette zijn stoel bij de vouwtafel die hij op een veiling van een Afrikaanse safari-uitrusting uit de jaren vijftig op de kop had getikt en ging achter de Corona Portable nr. 3 zitten om zijn gevoelens op papier te zetten. Dat waren de beste momenten, die momenten achter zijn schrijfmachine, met een blanco vel papier en een borrel voor zich. Hij wist dat hij er dan net zo bijzat als de Meester er vaak bij had gezeten.

Martins vingers zweefden boven de donkere, ronde toetsen, maar zijn gedachten zaten muurvast. Buiten hoorde hij het zachte, schorre gekwaak van rotganzen die op weg waren naar de riviermonding. Hij keek op zijn horloge. Kwart voor vijf. Zijn moeder kon hem nu elk moment roepen om te zeggen dat er thee was. In de ogen van zijn moeder bestond de hele dag uit een opeenvolging van tijdstippen die nauwgezet in acht moesten worden genomen. Tijd voor ontbijt, middageten, thee, tijd voor een koekje, tijd voor een bad, tijd om te gaan slapen. Misschien kwam dat wel omdat ze vroeger lerares was geweest. Of met een postbode was getrouwd geweest.

Martin deed zijn uiterste best om zich te concentreren. Hij sloot zijn ogen en stelde zich voor dat hij op de warme, winderige veranda van de Finca Vigia zat, Hemingways huis op Cuba, of in een luxueuze suite van het Palace Hotel in Madrid of in een hoekje van Harry's Bar aan de Gritti in Venetië, maar het enige dat hij voor zich zag waren de beregende ramen van een warme, zweterige slaapkamer in Suffolk. Hij nam een slok wodka, voelde zich ietsje beter, concentreerde zich opnieuw op zijn schrijfmachine en probeerde zich te dwingen om zijn gemoedstoestand vast te leggen, duidelijk en beknopt, zoals het een schrijver betaamde.

Maar nu klonken er beneden stemmen, vaag maar storend. Hij dronk het glas wodka leeg, draaide het papier wat rechter in de typemachine en deed nog een poging. Tevergeefs. Er was één fundamenteel probleem: hij voelde zich niet rot meer, want hoe langer hij nadacht over hoe rot hij zich voelde, hoe nauwer hij zich met Papa verbonden voelde. Hoe nauwer hij zich met hem verbonden voelde, hoe opgewekter hij werd en dan was er weer minder om over te schrijven. Hij probeerde het nog één keer, maar werd nu gestoord doordat er aarzelend op de deur werd geklopt. Een even aarzelende stem riep zijn naam.

'Martin? Martin... ben je er?'

'Wie is daar?'

'Elaine.'

Er was een periode geweest, nadat Martin en zij meer waren geworden dan alleen collega's, waarin Elaine regelmatig een bezoek had gebracht aan Marsh Cottage. Vaak bleef ze gewoon in de keuken zitten en dronk dan koffie met Martin en Kathleen. Maar soms, als zijn moeder naar de voorkamer ging om tv te kijken, hadden zij de keuken voor zich alleen. Dan rommelde Martin in de kastjes, haalde een oude fles zoete sherry te voorschijn en namen ze een glaasje. Eerst ging het allemaal nogal formeel, maar dan begonnen ze tegelijkertijd te praten en zich te verontschuldigen en weer te praten, in vreemde, losse zinnen, tot Kathleen binnenkwam om een slaapmutsje te maken en het tijd was om te gaan.

Het was zo'n anderhalf jaar geleden begonnen. Jack Blyth, de zoon van de makelaar, was geslaagd voor zijn rechtenstudie en had besloten dat Elaine Rudge dan nog zo'n lieve meid mocht zijn, maar dat ze toch niet voldoende was om hem aan een gat als Theston te binden. Hij had een baan aangeboden gekregen op het advocatenkantoor van zijn oom in Chester en was met de eerste de beste trein vertrokken. Na een jaar vaste verkering was Elaine opeens weer zoekende geweest. Op saaie dagen op het postkantoor was ze zich altijd al bewust geweest van Martins aanwezigheid, maar nu begon ze een sterke fysieke aantrekkingskracht te voelen als hij langs haar heen reikte om de datumstempel of een jachtbewijs te pakken. Ze was er vrij zeker van dat hij nog nooit iets met een vrouw had gehad. Sommigen van haar vriendinnen giechelden als ze het over hem hadden, alsof het feit dat hij vijfendertig was en nog steeds bij zijn moeder woonde maar één ding kon betekenen, maar Elaine was ervan overtuigd dat dat te simpel geredeneerd was. Zodra ze liet blijken dat ze in hem geïnteresseerd was, betrapte ze hem erop dat hij haar uit zijn ooghoeken aanstaarde en per ongeluk expres over haar vingertoppen streek als ze hem zakjes met wisselgeld gaf. Hij kreeg de gewoonte om hardop hun horoscopen voor te lezen uit de ochtendkrant. Op een dag kwam hij binnen met een boek over astrologie, waarin stond dat mensen die onder hun sterrenbeelden geboren waren, Steenbok en Weegschaal, absoluut niets met elkaar gemeen hadden. Hij had een vuurrood hoofd gekregen en dat was de eerste keer geweest dat ze echt samen gelachen hadden.

Er was nooit iets tussen hen voorgevallen, tot hij op een avond had gevraagd of ze mee wilde gaan naar zijn kamer. Dat was op paasmaandag geweest. Ze hadden de hele dag over het kustpad gewandeld, tot bijna in Hopton. Hij had altijd beweerd dat zijn kamer zo rommelig was dat hij hem niet aan een dame kon laten zien, maar op de terugweg, toen ze weer in de buurt van Marsh Cottage waren, had hij toegegeven dat de werkelijke reden een stuk gecompliceerder was en dat ze hem waarschijnlijk zou uitlachen. Ze lachte hem niet uit toen ze zijn kamer zag. Ze was alleen maar opgelucht dat hij geen treinspotter of seriemoordenaar was. Wat haar nog het sterkst trof, was dat het de kamer was van een totaal andere man dan de Martin die zij kende. Niet van iemand die timide en stil en aarzelend was, maar van een man van de wereld, die van uiterlijk vertoon hield. Er stonden meer dan honderd boeken, waarvan vele in mooie, gebonden uitgaven. Verder zag ze een harpoen, een grote stapel jazzplaten, een schrijfmachine, asbakken uit Parijse cafés, bokshandschoenen en Afrikaanse maskers. Aan de ene muur hing een enorm, vuurrood en gouden affiche voor een stieregevecht en aan de andere de grootste foto die ze ooit had gezien. Ze had Martin gevraagd waarom hij zo'n trieste foto op zijn kamer had hangen.

Martin was eerst verlegen geweest en had hakkelend getracht om het uit te leggen, maar tot haar nog grotere verbazing had hij een fles wodka gepakt en twee glazen ingeschonken. Dat had hem gekalmeerd en hij had verteld wie die man was en wat hij voor hem voelde. Zo had ze Martin nog nooit horen praten. Ze hadden nog meer wodka gedronken en zij had haar schoenen uitgedaan en was lekker op de lage bank gaan liggen, onder de sombere blik en wapperende cape van de toreador. Martin had per se gewild dat ze een toost zouden uitbrengen op alle romans die die man had geschreven - tien in totaal. Dat had een leuk, gek idee geleken maar al na een paar toosts was hij vrij onverwacht naar haar toegelopen, was naast haar neergeknield en had glimlachend met zijn vingers over haar gezicht gestreken. Vervolgens had hij haar gekust, wel op haar mond maar met zijn lippen stevig op elkaar. Zij had haar mond geopend om hem erin te laten, maar het leek alsof hij niet goed wist wat hij verder moest doen.

Elaine had zich daardoor niet laten afschrikken en zich omhoog gehesen, zodat hij ruimte had om haar te omhelzen, maar daardoor had ze hem uit zijn evenwicht gebracht en hij was gevallen, had haar glas omgestoten en wodka op haar tas gemorst.

Martin had zich doodgeschaamd en de volgende dag op het werk met geen woord over het voorval gesproken. Elaine had zich een beetje triest gevoeld, omdat ze het prima zou hebben gevonden als Martin met haar gevrijd had, maar ze wist niet hoe ze dat moest zeggen zonder goedkoop te klinken en een tijdje was hun relatie nogal moeizaam geweest.

Een paar maanden later, na een lange zomerdag en te veel zon en bier, waren ze weer onder die toreador beland en deze keer was Martin attent en liefhebbend geweest, maar haar genot had het zijne alleen maar vergroot en het was allemaal alweer voorbij geweest voor hij de kans had gehad om zich uit te kleden. Martin was de kamer uitgegaan en zij was daar blijven liggen, omhoog starend naar de fonkelende, donkere ogen van El Cordobes en de hete, wrede belofte van de Spaanse zon. Even later was ze naar huis gereden.

Hun verhouding bleef dus min of meer aan de startbaan gekluisterd, gehinderd door mist. Elaine liet de dingen op hun beloop. Ze wist dat hij zich nog steeds tot haar aangetrokken voelde en dat alles vroeg of laat op zijn pootjes terecht zou komen. Maar gisteravond, na het afscheidsfeestje van Padge, was hij vertrokken zonder een woord te zeggen en toen ze vanochtend een meelevende hand op zijn arm had gelegd, had hij die bruusk teruggetrokken.

'Mag ik binnenkomen?' vroeg ze door de deur heen.

Martin keek snel om zich heen. Er was geen tijd meer om iets te op te ruimen, maar hij zette nog wel even de fles wodka weg voor hij opendeed.

Elaine stak voorzichtig haar hoofd om de deur.

Martin, die op het werk altijd zo netjes en verzorgd was, leek haast te bezwijken onder het gewicht van een monsterlijk, grijs met rood geruit overhemd dat uit zijn broek puilde. Zijn gezicht was ook rood en hij stond nogal opgelaten voor zijn oude typemachine, alsof hij iets wilde verbergen.

'Was je aan 't schrijven?'

Martin haalde zijn schouders op. 'Niets noemenswaardigs.'

Er stond een glas naast de typemachine en die aanblik riep onaangename herinneringen op. De hele kamer had trouwens iets benauwends.

'Heb je zin om een eindje te gaan rijden?' vroeg Elaine zo nonchalant mogelijk.

'Een eindje rijden?' herhaalde hij.

''t Regent niet meer. Zo te zien wordt 't een mooie avond.'

Ze reed naar het noorden, langs de kust, in haar oude en snel roestende Fiat Uno. Door de stortregen waren de gebruikelijke parkeerplaatsjes verlaten en toen ze stopten bij de Point, halverwege Theston en Hopton, waren ze moederziel alleen. Ze bleven een tijdje in de auto zitten, zonder iets te zeggen.

De regen was afgedreven naar zee en had plaatsgemaakt voor een rommelige, winderige hemel vol grauwe wolkenflarden. Elaine staarde een tijdje naar de lucht, tot ze onmogelijk nog langer kon zwijgen.

'Ik wilde even alleen met je zijn. Gewoon om te weten wat je dacht.'

Martin was blij dat hij wodka had genomen en geen whisky of tequila. Nu stonk zijn adem tenminste niet.

Elaine joeg hem niet op. Ze wist dat hij gedronken had. Waarschijnlijk wodka, want zijn adem stonk niet.

'Waarom mocht ik niet met je praten?' vroeg ze.

Martin staarde naar zee. Hij stak zijn hand uit en knipte het handschoenenkastje open, waar een paar heel oude zuurtjes in lagen. Zo oud dat Elaine hem er niet eentje aanbood. Uiteindelijk zei Martin, kortaf en met tegenzin: 'Er viel niks te zeggen. Ik had die baan moeten krijgen. Ik heb hem niet gekregen. 't Is niet 't einde van de wereld.'

'Maar wel een vuile streek.'

'Dat soort dingen gebeurt nou eenmaal,' zei hij. 'Onderdeel van een groter proces, snap je? We moeten met de nieuwe ontwikkelingen meegaan. Iedereen, niet alleen ik.'

'Ze zeggen dat die Marshall heel goed is.'

'Oh, hij zal best verdomd goed zijn. In onvrijwillige euthanasie.'

'Hoe bedoel je?'

'Kom nou, Elaine. Je weet toch wat er door 't hele land gebeurt? Postagentschappen op franchisebasis, postkantoren die worden gesloten of die wegtrekken uit dure panden. Afslanking in afwachting van de privatisering. Al dat geleuter over nieuwe tijdperken die aanbreken! Ze verlaten gewoon 't zinkende schip. De tijd dat 't postkantoor op 't beste plekje van de stad moest zitten is voorbij. Kijk maar naar Atcham. Daar zit nu een verzekeringsmaatschappij in 't oude postkantoor en 't nieuwe postagentschap is weggemoffeld in een of andere sportzaak.'

Al pratend klikte Martin het handschoenenkastje steeds open en dicht. 'Misschien kunnen we er beter 'ns over nadenken waar *wij* de rest van onze carrière willen doorbrengen. Wat dacht je van achter in die zaak van Brownjohn? Ze kunnen ons vast wel kwijt tussen de kunstmest en de plastic emmers. Of misschien bij Omar. Vis, friet en kinderbijslag.'

'Weet je...' Elaine was blij dat hij eindelijk kwaad werd en koos haar moment zorgvuldig uit. 'Er is nog een andere mogelijkheid.'

Martin gromde geringschattend. 'Putjesschepper?'

Er reed een auto voorbij, met banden die sisten op het glimmende, natte wegdek.

'Je weet dat pa wil stoppen met werken?'

'Groot gelijk. Daar denk ik zelf ook hard over na.'

Twee krijsende meeuwen scheerden laag over de auto, landden op het hek en begonnen naar elkaar te pikken.

''t Punt is dat hij graag wil dat 't bedrijf in de familie blijft,' vervolgde Elaine. 'En aangezien ik enig kind ben...'

Martin knikte, maar bleef door de beregende voorruit naar de kleurloze zee staren.

''t Punt is...' Elaine keek hem aan en pakte zijn hand, zoals je dat ook zou doen met een bejaard familielid dat gerustgesteld moest worden.

''t Punt is dat ik de zaak zo kan krijgen als ik dat zou willen. 't Is niet echt een fortuin waard, maar heel wat beter dan werken in een postkantoor en... en ik *zou* 't ook graag overnemen, maar...' Elaine wendde haar blik af en keek uit het zijraampje, '... maar eigenlijk heb je er twee mensen voor nodig.'

Er volgde een stilte.

'Nou?' Ze wachtte af.

'Nou...'

''t Zou een... oplossing kunnen zijn voor een hoop problemen. Ik bedoel, we moeten misschien een beetje omscholen, maar we kunnen allebei goed met mensen omgaan. Ze vinden ons aardig, omdat we met ze praten. We zouden voldoende klanten hebben.'

'Je bedoelt 't postkantoor de rug toekeren?'

'Waarom niet? 't Heeft jou tenslotte ook de rug toegekeerd.'

Martin fronste zijn voorhoofd en speelde met de klep van het handschoenenkastje.

'Ik kan niet zomaar weggaan. Ik wil niet dat de mensen zeggen dat ik niet loyaal ben.'

Elaine kon haar oren niet geloven. 'Na wat ze je hebben aangedaan?'

Martin knikte. 'Ik kan ze toch niet in de steek laten?'

Elaine haalde diep adem. Het had haar veel moeite gekost om haar zegje te doen, maar ze probeerde kalm te reageren.

'Nou, denk er 'ns over na. Meer vraag ik niet. Denk er 'ns over na. En laat dat stomme handschoenenkastje met rust!'

VIJF

Onvermijdelijk werd het één oktober en het personeel van het postkantoor - Martin, Elaine, Arthur Gillis, John Parr en Shirley Barker, de parttimer - verzamelde zich in het grote, holle vertrek dat vroeger de sorteerruimte was geweest, tot Postbestelling en Dienstverlening aparte onderdelen waren geworden. Nu was het een soort kantine, met een keukentje, een toilet en een tafel om aan te lunchen en daar zouden ze kennis maken met hun nieuwe manager. Het was maandagochtend half negen en om negen uur gingen ze open.

Arthur Gillis was vijfenvijftig en de oudste van het stel. Hij was goed gebouwd, misschien een tikje te zwaar, met een groot, vierkant, rood hoofd en stug, golvend, donker haar dat nu grotendeels grijs was. Hij was op het postkantoor komen werken na eerst vijfentwintig jaar als militair bij de intendance te hebben gediend. Hij had veel gereisd en liet dat weten en de klanten hadden even moeten wennen aan zijn bruuske manier van doen, maar hij was conscientieus en efficiënt en nog nooit één dag ziek geweest. John Parr daarentegen was een opgewekte, nerveuze jongeman met lang, blond haar in een paardestaart. Hij had een onbedwingbare zenuwtrek en knipperde constant met zijn ogen. Misschien als tegenwicht nam hij nooit één ding serieus en bestookte zijn collega's onophoudelijk met moppen, grappen en fantasieën, voornamelijk over zijn reusachtige, lankmoedige vrouw Cheryl, die ook beroemd was omdat ze Thestons eerste vrouwelijke parkeerwachter was geweest. Iedereen werd af en toe gek van Parr, maar vooral Shirley Barker, een tuttige, humorloze vrouw van begin vijftig die blijkbaar al haar levensvoldoening ontleende aan het verzorgen van een hond en twee bejaarde ouders. Ze kwam alleen op zaterdagochtend en 's zomers en met kerst, als het extra druk was.

Elaine had net koffie gezet en het geluid van roerende lepeltjes rinkelde zacht door de hoge, lege ruimte.

'Weten jullie...' begon John Parr maar niemand kwam dat ooit te weten, want op dat moment kwam Nick Marshall met grote passen binnen, als een enthousiaste jonge hond die net had geleerd hoe hij zelf een deur kon openmaken. Zijn gezicht had een gezonde gloed en zijn netjes gekamde, dikke blonde haar was duidelijk pas gewassen. Zijn gelaat was ietsje te breed om van klassieke schoonheid te kunnen spreken, maar was wel knap en goed geproportioneerd. Zijn neus was recht en krachtig, zijn mond breed en vastberaden en zijn grote, korenbloemblauwe ogen stonden ietsje te dicht op elkaar. Hij kreunde vol geveinsde afschuw en streek met zijn hand door zijn haar.

''t Spijt me vreselijk, iedereen, 't spijt me. Te laat, op m'n eerste werkdag!'

Martin keek op de klok. Het was nog niet één minuut over half negen.

Marshall wreef in zijn handen, alsof het koud was. 'Ben ik de koffie misgelopen?'

Tot haar grote verbazing voelde Elaine dat ze een kleur kreeg. Ze zette zich snel af tegen de tafel waarop ze leunde, zodat ze onbedoeld een bruuske indruk maakte. 'Ik schenk wel een kopje in.'

'Ik was verdwaald op de hei,' legde Marshall uit toen Elaine hem passeerde.

'Was je aan 't fietsen?'

'Hardlopen.'

Dus dat was het. Hij was een hardloper. Martin wist dat er een reden was waarom hij meer dan alleen normale wrok had gevoeld toen hij Marshall voor het eerst zag. Martin had vroeger ook gelopen maar vier jaar geleden, tijdens die koude winter, was hij ermee gestopt en nooit meer begonnen. Een kleine nederlaag, die echter nog steeds stak. Fietsen was nu zijn enige vorm van lichaamsbeweging.

'Elke ochtend?' vroeg hij.

Marshall grijnsde. Zijn tanden waren lang en regelmatig, zij het ietsje te puntig om volmaakt te zijn. 'Als 't even kan wel.'

'Dapper, hoor.'

'Ik neem ook vaak een loopje met dingen,' zei Parr. 'Maar dat is niet helemaal hetzelfde!'

Marshall negeerde hem en vervolgde op kameraadschappelijke toon: 'Ik wil geen buikje krijgen, snap je.' Hij slaagde erin om onschuldig te glimlachen terwijl vijf paar ogen naar zijn platte, gespierde buik staarden, die duidelijk geen enkele spanning zette op de band van zijn fraai gesneden broek.

Hij pakte een beker koffie aan van Elaine. 'Dank je –'

'– Elaine,' voegde Elaine eraan toe, toen ze merkte dat hij aarzelde.

'Ja, ik weet dat je Elaine heet...' Hij stak zijn hand uit. 'Elaine Rudge... nietwaar?'

Enigszins opgelaten schudde ze zijn hand, die zacht en warm was. Hij liep verder.

'En u bent Arthur Gillis.'

'Meneer Gillis. Dat klopt,' zei Arthur. Hij was nogal een pietje precies wat dat soort dingen betrof, maar gaf Marshall desondanks een stevige hand.

Met veerkrachtige, haast springerige passen ging Marshall het personeel af. Dat gaf zijn manier van lopen iets roofdierachtigs, zodat zelfs zo'n schijnbaar onschuldig ritueel als handjes schudden en oogcontact maken iets agressiefs kreeg. Hij maakte eerst kennis met de anderen en bewaarde Martin behendig tot het laatst.

'En Martin, wiens reputatie ik al ken.'

Martin glimlachte wantrouwig.

Marshall nam een slokje koffie en keek de anderen aan.

'Mijn naam is Nick Marshall en ik heb het voorrecht jullie nieuwe manager te zijn. Ik heb m'n opleiding gevolgd in Bletchley en was hiervoor assistent-manager van een hulpkantoor in Luton. Jullie begrijpen dus wel dat ik heel blij ben dat ik hier ben.'

'O ja. M'n reclasseringsambtenaar komt ook uit Luton.' John Parr werd genegeerd door zijn collega's en Marshall liet zich niet van de wijs brengen.

'Deze eerste week wil ik jullie gewoon wat beter leren kennen, dus als jullie 't niet erg vinden houd ik me voorlopig op de achtergrond...'

'Dat heeft m'n vrouw ook geprobeerd, maar geen enkele achtergrond was groot genoeg.'

'... zodat ik kan zien hoe jullie werken, de klanten kan ontmoeten, een idee krijg van 't reilen en zeilen in dit kantoor en de stand van zaken kan evalueren. Ik zou ook graag vóór vrijdag met iedereen een persoonlijk gesprek willen hebben, maar dat regel ik wel.'

Hij besefte dat dat laatste stukje informatie meer wantrouwen dan goodwill had gekweekt en trakteerde alle medewerkers op een brede, hartelijke glimlach. Hij zette zijn beker koffie neer met het gebaar van iemand die niet van plan was om hem nog op te pakken en wreef opnieuw in zijn handen.

'Ik merk al dat er hier een fantastische teamspirit heerst en ik ben trots dat ik daar nu ook deel van uitmaak. Oké, aan de slag!' Hij gaf iedereen opnieuw een stevige hand, Elaine haalde de koffiebekers op en Martin vouwde zijn krant op en liep naar het kantoor om de gebruikelijke voorbereidingen te treffen.

Hij deed zijn geldla open en controleerde die zorgvuldig alvorens wisselgeld in het bakje te doen. Hij telde zijn voorraad kijkgeldformulieren en visaktes en jachtbewijzen en telefoonkaarten en luchtpoststickers en wegenbelastingformulieren en postwissels en formuliertjes voor aangetekende stukken en toeristenkaarten. Hij legde zijn register naar zich neer - een geïndexeerd zwart grootboek waarvan de omslag aangekoekt was door vijf jaar kleverige vingers en waarin hij zijn eigen voorraadje postzegels, spaarzegels en lijsten met tarieven bewaarde. Hij wierp een blik op de nieuwste dienstmededelingen en controleerde of zijn lijst met gestolen cheques die geblokkeerd moesten worden compleet was. Hij zag dat de opnameperiode voor spaarobligaties van meer dan tweehonderd pond verlengd was tot achtentwintig dagen en keek of er een postzak in het frame achter hem zat, klaar om pakjes in te kunnen doen. Hij stelde zijn datumstempel in op één oktober, keek of zijn horloge gelijk liep aan de hand van de oude, elektrische Newmark-wandklok, liep om de balie heen en maakte de voordeur open.

Maandag was een van hun 'dolle dagen'. Het was de dag waarop kinderbijslag kon worden opgehaald en er stond constant een rij vrouwen voor het loket, variërend van opgejaagde, alleenstaande moeders die waren gekomen met de bus die Theston tweemaal daags aandeed tot kordate, druk bezette echtgenotes van plaatselijke zakenlui. Zoals gewoonlijk werd de rij echter aangevoerd door Harold Meredith, die deze ochtend zogenaamd naar het postkantoor was gekomen om een vraag te stellen over zijn invaliditeitspensioen.

Terwijl Martin de relevante informatie opzocht, boog meneer Meredith zich vertrouwelijk naar hem toe.

'Ik wil wedden dat je dit nog niet wist, Martin. Die ouwe Mellor, die postmeester was voor Padge, had een eigen toilet, achter in 't gebouw. Dat wist je vast niet, hè? Hij had zelfs ander toiletpapier dan de rest van 't personeel. Veel zachter.'

'Ik heb 't nagekeken, meneer Meredith,' zei Martin, wiens engelengeduld hem soms zelf verbaasde, 'maar 't wordt alleen uitbetaald op woensdag. Is dat erg?'

'In die tijd waren 't echt nog post*meesters*. En wat zijn 't nu... hè?'

'Managers, meneer Meredith.'

De mensen achter hem schuifelden ongeduldig met hun voeten.

'Ben jij ook manager?' vroeg meneer Meredith.

'Nee, ik ben geen manager.'

'Gelukkig maar.'

'Meneer Marshall is de nieuwe manager.'

'Wie?'

'Meneer Marshall, uit Luton.'

'Noemen ze ze tegenwoordig marshalls?'

'Nee, hij is de manager. Hij *heet* Marshall.'

Meneer Meredith wendde zich tot de mensen achter hem, alsof hij twijfelde aan zijn gezond verstand.

''t Begint hier met de dag meer op 't Wilde Westen te lijken.'

Op dat moment deed John Parr, die nog in dichte rookwolken gehuld was na een haastig sigaretje, ook zijn loket open en slonk de rij die bij Martin stond spectaculair.

John Parr knipperde wild met zijn ogen en stak zijn handen op.

'Oké! Oké! Ik weet dat ik onweerstaanbaar ben... Wie is eerst?'

Een slanke, opvallend uitziende, donkere vrouw met een intelligent gezicht, een kleine baret van zwart kasjmier en een sigaret, was de anderen te vlug af en legde een dikke envelop op de balie.

'Hoeveel is Amerika?' vroeg ze met een verrassend diepe, haast mannelijke stem. En een duidelijk Amerikaans accent.

'Meer dan je kunt betalen, liefje.'

Parr lachte onaanstekelijk en de vrouw glimlachte kort en verbaasd.

Hij knipperde met zijn ogen. 'Leg maar op de weegschaal, liefje.' Haar glimlach werd een frons.

Nu Harold Meredith het grootste gedeelte van zijn toehoorders was kwijtgeraakt slaakte hij een diepe zucht, deed zijn pensioenboekje dicht en stopte het zorgvuldig in een plastic hoesje, dat hij even zorgvuldig in de binnenzak van zijn tweed jasje deed.

'Nou, ik kan hier niet de hele ochtend blijven rondhangen. Ik heb tegenwoordig werk, weet je.'

John Parr boog zich naar Martins loket. 'Laat me raden. Uitsmijter bij een nachtclub.'

'Dat komt aardig in de buurt, meneer Parr. Ik word uitsmijter bij de kerk.'

'Ik dacht dat ze juist probeerden mensen de kerk *in* te sleuren en niet eruit.'

Harold schudde ernstig zijn hoofd. 'Er zijn de laatste tijd nogal wat dingetjes gestolen. Dominee Burrell heeft gevraagd of ik twee uur per dag achterin wil zitten om een oogje in 't zeil te houden.'

Het onmiskenbare stemgeluid van Pamela Harvey-Wardrell rees boven het geroezemoes uit. 'Ik hoop dat dat nieuws nog niet tot de onderwereld is doorgedrongen, anders komen ze dadelijk met busladingen tegelijk.'

Meneer Meredith wist dat het tijd was om te gaan. Hij pakte zijn wandelstok en zijn tweed pet, die hij altijd ondersteboven op de balie legde als hij met Martin praatte.

'Nou, ik ga maar weer 'ns.'

Er volgde een korte pauze na het vertrek van meneer Meredith en voor er weer een document door het loket werd geschoven en Martin benutte die door even naar de donkere vrouw bij John Parrs loket te staren. Ze rookte. Tegenwoordig rookten nog maar heel weinig vrouwen in het postkantoor en hij keek gefascineerd toe hoe ze een diepe trek nam en de rook moeiteloos en zelfverzekerd binnenhield. Haar concentratie was volledig en terwijl ze wachtte op haar wisselgeld, merkte Martin dat hij geboeid wachtte tot ze de rook weer zou uitblazen. Toen dat uiteindelijk gebeurde, was het prachtig om te zien. Een arrogante hoofdbeweging en de rook werd hoog en ver uitgeblazen, in de richting van het pakjesloket. Martin bleef staren en hoopte vurig dat ze die sigaret opnieuw naar haar mond zou brengen, zodat hij nogmaals kon zien hoe haar lange nek zich elegant uitrekte.

'Ik heb de pagina al opgeslagen,' zei een trillende stem.

Martin glimlachte vlug tegen een piepklein oud dametje met een hoofddoekje. Ze staarde hem aan. 'Sorry, juffrouw Loyle.'

Hettie Loyle was de helft van een ééneiige tweeling. Zij en haar zus waren inmiddels beiden in de tachtig en vormden een soort komisch duo. Hun humor was scherp en vaak bijtend en ze hadden weinig echte vrienden in Theston.

'Zat je weer naar de vrouwtjes te kijken, Martin?' vroeg ze.

Hij lachte smalend, maar kreeg desondanks een kleur.

'Weet je wat ze zeiden toen *ik* jong was?'

Martin schudde zijn hoofd. 'Ik zou 't niet weten, Hettie.'

Ze grijnsde breed en ontblootte een perfect gebit. 'Je ogen puilden uit als de ballen van een buldog!'

Martin schudde zijn hoofd en Hettie Loyle lachte opgetogen.

Martin had het controlestrookje afgestempeld, het boekje teruggegeven en was bezig het geld uit te tellen toen John Parr een grote bruine envelop naar hem toeschoof.

'Zou je die in de postzak willen gooien, Mart? Cheryl was gisteren in een romantische bui en ik kan m'n rug niet meer bewegen.'

'Amerikaanse?' vroeg Martin, met een hoofdknik in de richting van de vertrekkende klant.

'Ja, ze leek net een heks.'

Martin grimaste. Hij pakte de envelop en wilde die snel in de grijze, in de gevangenis gemaakte zak achter hem gooien toen zijn oog op het gedrukte adreslabel viel, dat in uit de toon vallende, gotische letters vermeldde: 'Het Hemingway Genootschap van New Jersey.'

Hij draaide het pakje om en daar stonden naam en adres van de afzendster, in grote blokletters en paarse inkt. 'Ruth Kohler, Everend Farm.'

Achter hem zei een stem: 'Problemen, Martin?'

Martin keek om. Nick Marshall stond achter hem. Martin wist niet hoe lang hij daar gestaan had, maar hij had iets in zijn hand dat verdacht veel op een zaktelefoon leek.

'Hmmm?'

'Zijn er problemen met dat pakje? Je besteedde er nogal veel tijd aan.'

Martin gooide het pakje vlug in de zak.

'Nee, 't was... voor Amerika bestemd. We krijgen niet veel Amerikanen.'

'En dus leek 't je verstandig om de spelling te controleren?'

Marshall glimlachte en het leek Martin beter om dat ook maar te doen.

'De rij wacht,' zei Marshall, met een professioneel schouderklopje.

De dag daarop was Martin om half zeven nog steeds aan het werk. Dinsdag was balansdag en dan controleerden alle postkantoren in het land na sluitingstijd hun voorraad en kassa's. Ze hadden in Theston maar één pc en Martin en Elaine waren de enigen die daarmee konden werken. Martin was die avond alleen, afgezien van Marshall, die constant om hem heen draaide, cijfers controleerde, inkomsten checkte en een hoop vragen stelde. Toen de laatste bedragen eindelijk waren ingevoerd en alles klopte, voelde Martin zich opgelucht. Het was niet gemakkelijk geweest met zijn nieuwe baas erbij en hij had steeds verkeerde toetsen aangeslagen. Nu voelde hij de hand van de jongere man opeens lichtjes op zijn schouder rusten. Zijn huid rook vaag naar citroen.

'Martin...?'

'Ja, meneer Marshall?'

'Zeg alsjeblieft Nick. Heb je donderdagavond wat?'

'Donderdag?' Donderdag betekende voor hem nog maar één ding: na het werk met Elaine naar de Pheasant.

'Donderdag?' herhaalde Martin onzeker.

'Dan kunnen we 'ns een praatje maken.'

'Nou-'

'Ik haal je na 't werk wel op. Dan kunnen we ergens een biertje gaan drinken. Ken je de Pheasant Inn? Ik heb gehoord dat die hier in de buurt nog 't meest op een goeie plattelandspub lijkt. We kunnen buiten zitten. Van de mooie nazomer genieten.'

'Waarom moest je nou zo nodig ja zeggen?' vroeg Elaine.

''t Was *zijn* suggestie.'

Het was woensdag en Elaine had Martin overgehaald om tijdens de lunchpauze een eindje met haar te gaan wandelen. Er stond een straffe, zuigende wind terwijl ze het plein overstaken en er dreven dikke grijze stormwolken over waar strepen zonlicht als regenvlagen tussendoor vielen.

'Je had kunnen zeggen dat je donderdag al iets anders had,' zei ze verwijtend.

'Hij geeft je niet echt de tijd om dingen uit te leggen.'

Ze liepen in de richting van de kerk.

'En waarom kan hij niet gewoon op 't werk met je praten, net als met de rest?'

Dat wist Martin nog niet. 'Heeft hij al met jullie gepraat?'

'Ja. En hij had niks nieuws te zeggen. Goeiemiddag, juffrouw Loyle.'

Viv Loyle was de meest excentrieke van de twee zussen, al zat er weinig verschil tussen. Ze ging regelmatig naar de kerk, maar welke kerk maakte niets uit. De ene week zat ze tussen de methodisten en de volgende tussen de katholieken. Ze had zelfs een keer haar dagje vrij reizen benut om naar een moskee in Bedford te gaan, gewoon om te benadrukken dat God niet bekrompen was.

'En hoe is 't met 't knapste paartje in Theston?' vroeg ze plagerig.

'Alleen goede vrienden, juffrouw Loyle.' Dat was Elaines vaste antwoord en het klonk vandaag bruusker dan gewoonlijk. Viv Loyle gierde van het lachen, zwaaide met haar vinger en stapte de weg op, precies voor een aanstormende vrachtwagen. Er klonken piepende remmen, wat niets nieuws was in Theston, en kroppen sla rolden her en der over straat.

'Wanneer heeft hij dan met je gepraat?' vroeg Martin aan Elaine.

'Gistermiddag, ik weet niet precies meer hoe laat.'

'Daar heb je niks over gezegd.'

'Ik wilde 't je morgenavond vertellen,' zei ze. 'Als we naar de Pheasant gingen.'

'Nou, 't spijt me.'

Het leek alsof Elaine op het punt stond om iets te zeggen, maar ze schudde haar hoofd en deed er het zwijgen toe. Een nogal dikke vrouw van middelbare leeftijd, wier nylon jack opbolde in de wind zodat ze een soort Michelin-mannetje leek, waaide over de stoep naar hen toe.

'Hallo, Elaine! Hallo, Martin!' kirde ze.

'Hallo, May,' riep Elaine. 'Hoe gaat 't met *meneer* Pimlott?'

'Nog geen haar beter. Hij moet twee keer per nacht omgedraaid worden.'

'Oh, arme man.'

'Arme man! Wij liggen waarschijnlijk eerder onder de groene zoden dan hij. Daag!'

Bij de kerk woei het nog harder en Elaine moest haar haar uit haar ogen strijken toen ze bleef staan en zich omdraaide.

'Martin?' zei ze. 'Mag ik je iets vragen?'

Martin stak zijn handen diep in de zakken van zijn parka.

'Hou je van me?'

Hij haalde uit met zijn voet en een klein steentje ketste weg.

'Er gebeurt op 't moment zoveel, Elaine.'

'Maar niet tussen ons.'

'Hoor 'ns...'

Ze viel hem in de rede. 'Wij hebben geen toekomst meer op dat postkantoor, Martin. Marshall is alleen in zichzelf geïnteresseerd. Hij geeft niks om mensen zoals wij. Wij zijn vervangbaar. Hij wil ons gewoon zoveel mogelijk uitbuiten en als wij niet voldoen, zoekt hij iemand anders. Let op m'n woorden.'

Ze stonden nu uit de wind, maar haar ogen traanden nog steeds. Ze wendde haar gezicht af, haalde een paars tissue uit haar tas en snoot haar neus. Ze haalde diep adem en keek hem weer aan.

'Denk aan wat ik laatst tegen je gezegd heb, Martin. In de auto.'

ZES

Het was donderdag en Martin voelde zich al de hele dag onbehaaglijk. Zelfs fysiek onbehaaglijk. Hij kon zijn boterhammen niet door zijn keel krijgen, wat niets voor hem was. Vrouwen gingen hem boven zijn pet. Hij had de werken van de Meester uitgepluisd in een poging een verklaring te vinden voor Elaines gedrag, maar niet één van de vrouwen in Hemingways boeken leek op Elaine.

Hij moest toegeven dat Papa vreemd en bruusk en dominant kon zijn tegenover vrouwen (net als tegenover mannen). Hij had het liefst dat ze mysterieus en geestig waren of anders loyaal en onderdanig en Elaine paste in geen van beide categorieën.

'Klaar?'

Het was kwart voor zes. Het werk voor die dag zat erop en Nick Marshall hield de achterdeur van het postkantoor open terwijl Martin aan zijn aktentas friemelde.

'Die heb je niet nodig,' verzekerde Nick hem.

'Kun je me hier weer afzetten? Om m'n fiets op te halen?'

'Ja, 'tuurlijk. Ik moet sowieso terug om een vergadering bij te wonen.'

'Oh ja?'

Marshall grijnsde vlug en rechtte zijn schouders. 'Proberen wat meer klanten te werven.'

Terwijl hij zenuwachtig in de kuipstoel van Marshalls Toyota Carina ging zitten, betrapte Martin zich erop dat hij toch een zekere opwinding voelde. Marshall verdiende het salaris van een manager en Martin wist maar al te goed dat dat zestienduizendhonderdvijftig pond per jaar was. Desondanks scheen hij een luxe leventje te leiden. Hij had zelfs een autotelefoon en behalve zijn zaktelefoon lag er ook een fles champagne op de achterbank.

Langzaam ontspande Martin zich. Hij keek hoe de pensions langs de boulevard plaatsmaakten voor nieuwe woonwijken en vervolgens voor boerderijen en dichte, donkere bossen en werd overvallen door een nieuw en onbekend gevoel. Hij voelde zich belangrijk.

'Waar wil je zitten?'

'Maakt niet uit,' zei Martin. Het was te koud om buiten te zitten.

Marshall ging hem, met twee pinten in zijn hand, voor naar een hoektafeltje in wat vroeger een afgescheiden deel van de bar was geweest en dat Ron Oakes nu van vloerbedekking, gordijnen en opgezette vogels had voorzien en de Broedplaats had genoemd. Martin had vaak aan datzelfde tafeltje gezeten met Elaine.

'Dus jij en Elaine zijn een stel?'

Martin fronste zijn voorhoofd en werd rood. 'Oh... eh... tja, we... eh...'

Nick Marshall spande zijn nekspieren. 'Ik zag jullie tussen de middag. Tijdens de lunchpauze, toen jullie een eindje gingen wandelen. Je hebt 't niet slecht getroffen, Martin. Ik kan me ergere collega's indenken om de hele dag naast te zitten. Proost!'

Hij glimlachte goedkeurend en hief zijn glas. Martin deed hetzelfde en vroeg zich af waar Marshall geweest was toen hij hen had gezien en, nog belangrijker, wát hij had gezien.

Nick Marshall zette zijn glas neer en keek Martin recht aan. 'Ben je tevreden met de toestand zoals die nu is?'

Martin schoof slecht op zijn gemak heen en weer en maakte een geluid dat hopelijk de indruk zou geven dat hij diep nadacht.

'Op het postkantoor,' vervolgde Marshall.

'Op het postkantoor?'

'Waar je werkt,' voegde Marshall er behulpzaam aan toe. 'Zijn er dingen die je graag zou willen veranderen?'

Martin voelde een lichte aanval van paniek. Hij had geen flauw idee hoe hij die vraag moest beantwoorden. Of waarom Marshall hem gesteld had. Hij herstelde zich een beetje en koos voor een behoedzame aanpak. 'Nou, misschien doen we alles nog een beetje te traditioneel.'

Dat leek Marshall te bevallen. Hij schoof zijn stoel dichter naar Martin toe en boog zich verwachtingsvol voorover, met één elleboog op tafel en zijn onderarm overeind. Hij stak zijn hoofd naar voren en Martin bedacht dat hij wel iets weghad van die waterspuwers aan de kerk. 'Martin,' vroeg hij, 'waarom ben je bij de Posterijen gaan werken?'

In wezen had Martin dat gedaan omdat hij vond dat hij het aan zijn moeder verschuldigd was om in de buurt te blijven wonen nadat zijn vader was gestorven. En bovendien was er geen ander werk geweest.

'Omdat dat toekomst had,' zei hij, in de hoop dat dat overtuigend zou klinken.

Tot zijn opluchting knikte Marshall enthousiast. 'Exact! Je bent bij de Posterijen gegaan omdat je grote mogelijkheden zag. Niet om postzegeltjes te verkopen in de winkel van iemand anders.'

Martin was blij om dat te horen. 'Dat gebeurt veel in deze streek. Franchising,' zei hij.

'Nou, in Theston gaat 't anders. Hier laten de Posterijen zien waartoe ze in staat zijn.'

'Ik ben blij dat te horen, meneer Marshall,' zei Martin.

'Nick,' antwoordde Nick Marshall hartelijk.

'Ik ben blij dat te horen, Nick,' herhaalde Martin.

'Ik bedoel, waar hebben we 't eigenlijk over?' riep Marshall enthousiast uit. 'De Posterijen maken deel uit van 't openbare leven. Deel van onze nationale identiteit. Ze maken deel uit van ons erfgoed en ik verdom 't om achterover te leunen terwijl ze de vernieling in worden geholpen, zoals met de spoorwegen, de kolenindustrie en de scheepsbouw is gebeurd.'

Martin had zich zelden of nooit opgewonden gevoeld als het om zijn werk ging. Dat was gewoon geen emotie die je met een postkantoor associeerde, maar nu voelde hij zijn hart warempel een tikje sneller slaan. Net als iedereen op het kantoor in Theston en voor zover hij wist ook alle leden van de bond, had hij er even roerloos bijgezeten als een konijn in het licht van de koplampen terwijl de Posterijen langzaam werden uitgekleed. Telecommunicatie was een onafhankelijk bedrijf geworden, briefpost was gescheiden van pakketpost en toen waren post en pakketpost weer gescheiden van dienstverlening en dat hadden ze allemaal braaf geslikt. Daarna volgden sluiting van onrendabele postkantoortjes en franchising en dat hadden ze even braaf geslikt. Ze hadden van het slechte nieuws van anderen geleefd maar hun ogen gesloten voor het feit dat dat lot hen ook kon treffen. Martin nam een grote slok bier en zette zijn glas neer. 'Je kunt een man vernietigen, maar je kunt hem nooit verslaan,' verkondigde hij.

Marshall keek hem verbouwereerd aan.

'Ernest Hemingway,' legde Martin uit. '*The Old Man and the Sea.*'

Marshalls ogen versmalden zich en lichtten toen op. 'Oh ja! Met Humphrey Bogart?'

Martin schudde zijn hoofd. 'Spencer Tracy.'

'Die bedoel ik. 't Was ongeveer een maand geleden op tv, maar die zin heb ik niet gehoord.'

Martin nam nog een pint, maar Marshall hoefde niet meer, zogenaamd omdat hij moest rijden maar in werkelijkheid, vermoedde Martin, omdat hij niet echt van bier hield en alleen de moeite had genomen om naar Braddenham te rijden om Martin op zijn gemak te stellen.

Ze reden terug over smalle landweggetjes. Op een bepaald moment schoot een eindje verderop een paniekerige fazant flapperend en krijsend de heg uit. Marshall gaf gas, maar het beest klapwiekte net op tijd weg en landde fladderend in het veld naast de weg.

'Shit!' zei Marshall. 'Dat was een lekkere bout geweest!'

Het was bijna half acht toen ze weer in North Square stopten. Nick Marshall deed de koplampen uit, maar liet de motor lopen.

Hij wendde zich tot Martin, die ongemakkelijk in de passagiersstoel zat, met zijn parka klem tussen de deur. Nick spande zijn slanke, gespierde schouders. 'Ik heb echt van ons gesprek genoten. We hebben veel gemeen, weet je. We zijn enthousiast en jong. We willen iets bereiken.'

Martin plukte hulpeloos aan de zoom van zijn jas.

Marshall knikte naar de stenen massa van het postkantoor, draaide zich weer om en keek Martin aan. 'Laten we er geen doekjes om winden. We weten allebei dat dat 't middelpunt van de stad hoort te zijn. Daarom hebben ze 't daar neergezet. Laten wij ervoor zorgen dat dat ook zo blijft, oké?' Terwijl Marshall dat zei werd zijn rechtermondhoek geteisterd door een reeks kleine zenuwtrekjes, alsof er een fundamenteel conflict bestond tussen zijn woorden en zijn gedachten.

'Daar ben ik 't helemaal mee eens. Absoluut,' antwoordde Martin, die probeerde hem niet aan te staren.

Marshall stak zijn hand uit en leek zijn mond weer in bedwang te krijgen. Onbeholpen gaf Martin hem een hand.

'Zo mag ik 't horen. Ik kan weinig beginnen zonder jouw hulp.'

Martin voelde zijn zelfvertrouwen groeien. 'Je kunt op me rekenen,' zei hij. De volmaakte afscheidszin, als hij in plaats van het deurhendeltje niet in de asbak had gegrepen.

''t Is dat dingetje eronder.'

'Oh! Oké. Bedankt. En bedankt voor 't bier.' Martin trok aan de deurhendel.

'Nee, je moet hem omlaag trekken.'

'Aha!' Martin lachte wanhopig en rukte aan de deur.

'Je drukt met je elleboog op de vergrendeling. Probeer 't nu nog 'ns.'

Martin had het bloedheet, maar de buitenlucht was koel toen hij er uiteindelijk in slaagde om uit te stappen. Nadat Marshall was weggereden bleef hij nog even staan en staarde naar het gebouw waarin hij de helft van zijn leven had doorgebracht. Marsh Cottage, eenzaam en winderig, zou hij altijd met de ziekte en dood van zijn vader associëren. North Square was zijn echte thuis.

Zeven

Ruth Kohler sloeg haar voeten om de poot van de oude keukentafel, waarvan het blad enigszins hobbelig was na tientallen jaren afnemen en schrobben, en herlas de brief die ze geschreven had.

Lieve Beth en Suzy,

De omgeving is hier prachtig, hoewel een groot deel van de begroeiing zich momenteel in mijn houtmand bevindt (m'n Engels gaat vooruit, vinden jullie ook niet?), klaar om me te redden van de bevriezingsdood. Het is pas oktober, maar ik heb al twee kleine bospercelen opgestookt. Je zou denken dat centrale verwarming, net als gezinsplanning, al rond de Eerste Wereldoorlog gemeengoed was, maar ik kan jullie verzekeren dat het Everend Farm Cottage nog niet heeft bereikt. De twintigste eeuw heeft sowieso weinig invloed gehad op Everend Farm Cottage. Elektriciteit wordt angstig naar binnen gevoerd door een gat in de muur, een 'butagas'-boiler explodeert met atoomkracht en straalt het ene moment helderder dan duizend zonnen om het volgende ogenblik ineen te schrompelen tot een zwart gat. Er is telefoon op de boerderij en ik denk dat de dichtstbijzijnde fax zich in Parijs bevindt. Wat vreselijk romantisch, hoor ik jullie al zeggen en vermoedelijk hebben jullie gelijk. Hemingway zou hier ongetwijfeld tot zijn beste werk zijn gekomen en het wemelt van de vogels. Eenden, patrijzen, fazanten. Alles wat hij het liefst neerknalde.

Ik heb het grootste gedeelte van de afgelopen drie weken besteed aan het bedenken van een titel. *Het Hemingway Project* staat goed boven een beursaanvraag, maar is de doodsteek voor een boek. Uiteindelijk schoot me toch iets aardigs te binnen: *Ernest Aanbeden.* Dat is uit dat citaat van Dashiell Hammett, je weet wel – 'Ernest heeft nooit een vrouw op papier kunnen zetten. Hij stopt ze alleen maar in zijn boeken om hem te aanbidden.'

Dat is misschien ietsje te speels voor een wetenschappelijke uitgave en ik zal er waarschijnlijk een toepasselijke, droge ondertitel aan toevoegen; *Ernest Aanbeden: Tegenstrijdigheden, Correlaties en Rolpatronen in het Leven en Werk van E.H.* of iets dergelijks.

Wat vinden jullie? Mij bevalt het wel. Het heeft een vleugje modieuze ironie en hopelijk sust het al die macho-recensenten in slaap. Al die recensenten? Wie probeer ik voor de gek te houden?

Ik heb een auto gekocht! Niks exotisch, hoor. Hij heet Cherry (geen wonder dat ze die niet verkopen in Trenton!), maar is felgeel. Hij is parmantig en voorzien van een raar ding genaamd een versnellingspook! Het landschap is hier laag en golvend en helemaal niet indrukwekkend, tot je bij de zee komt, die het land blijkbaar met een snelheid van zo'n dertig centimeter per jaar opslokt. 't Is leuk om te weten dat tegen de tijd dat ik vertrek, Engeland drie decimeter korter zal zijn! Er liggen overal kleine dorpjes verscholen en het dichtstbijzijnde stadje is Theston. Rommelig, maar iedereen is heel vriendelijk. De kerk is *schitterend* en heel oud en heeft een koorhek dat nog ouder is dan Atlantis. Ik overweeg serieus om weer in God te gaan geloven. In elk geval voor een jaar.

Wat kan ik jullie nog meer vertellen? M'n kleine laptop staat in de erker (op het zuiden) en knippert naar me met zijn groene oog. Ze hebben katten op de boerderij en een dikke rooie zit al een tijdje naar me te lonken en wil vriendjes zijn. Ik probeer om binnen net zo snel dingen te laten groeien als buiten, maar mijn groene vingers zijn blauw van de kou en misschien moet ik wel een meidoorn of een hoekje van het suikerbietenveld naar binnen halen. Wat de sociale contacten betreft: die staan op een laag pitje. Meneer Wellbeing (ik zweer het!), de boer, komt zó uit een roman van Thomas Hardy en is nauwelijks te verstaan. Zijn vrouw is een beetje een kenau. Ik zal m'n best moeten doen om AARDIG te zijn, nietwaar?

Ik mis jullie en iedereen.
Oneindig veel liefs vanuit Everend,
Ruthie.

Ze nam een slokje koffie. Die was lauw. Ze hield niet van lauwe koffie en ze hield er niet van om in haar eentje koffie te drinken. Tijdens de koffiepauze aan de faculteit Engels kwam iedereen bij elkaar, mopperde over geldgebrek en roddelde over afwezige collega's. Het was altijd een lawaaierig, gezellig intermezzo, in tegenstelling tot de lesuren, die alleen lawaaierig waren. Hier dronk ze haar koffie in doodse stilte, wat veel minder aantrekkelijk was dan ze verwacht had. Een boerenhuisje in Engeland had altijd een grote rol gespeeld in haar wensdromen, maar op dat moment zou ze alle groene akkers en met eiken omzoomde weggetjes van Suffolk graag verruild hebben voor een uurtje in het winkelcentrum van Quakerbridge.

Ruth deelde een flat in het centrum van Trenton met Suzy Weiss en Beth Lucas. De een was assistent-hoogleraar en de ander weervrouw op tv. Haar appartement stond bekend als de Jungle, vanwege Ruths voorliefde voor planten die door het huis heen kropen, klommen, slingerden en kronkelden.

Als ze thuis was, leek die flat heel gewoon. Vrij dicht bij de universiteit, maar ook bij het centrum. Het voordeel van een grote woonkamer met een grenen vloer en hoge ramen op het zuiden woog maar net op tegen de herrie en het stof van het verkeer dat beneden langs raasde.

Desondanks was hij nu van haar. En van haar alleen. Hij was niet meer gehuurd. Waarom was ze dan zo kort nadat ze hem gekocht had weer vertrokken? Omdat ze er prat op ging dat ze vrij en onafhankelijk was, dat ze geen banden had en dat door zo'n verlofjaar had willen bewijzen?

Ze stond doelbewust op, neuriede wat en liep vanuit het kleine keukentje met zijn bakstenen vloer naar de lage woonkamer met het balkenplafond en de oude leren banken. Ze had de haard nog niet aangemaakt en de kamer, waarin altijd een nauwelijks merkbare maar onuitroeibare muffe lucht hing, was nog niet gezellig. Ze liep naar het bureau waaraan ze werkte, een geloogd grenen koopje dat ze in een plaatselijke antiekzaak op de kop had getikt, en deed de radio aan. Een somber stuk van Mahler dreunde door de kamer. Ze probeerde een praatzender, maar daar ging het over stervensbegeleiding. Ze zette de radio uit, pakte een envelop, adresseerde hem, plakte er zegels op, deed haar brief erin en pakte een sigaret.

Behalve de aanvallen van heimwee die haar af en toe plaagden, was er nog een reden waarom ze zich zo kregelig voelde. Dat had te maken met haar werk. Hemingways vrouwen, die zij als onderwerp voor haar studie had gekozen, hadden eigenlijk maar weinig te maken met het Engelse platteland. Hemingway was dan misschien een anglofiel, maar hij ontmoette zijn Britse vrienden liefst op zo groot mogelijke afstand van Engeland. Hij had weliswaar vele gedenkwaardige Engelse personages gecreëerd, maar die bevonden zich steevast in Frankrijk of Italië of Spanje of Afrika. Het Engeland van de rustieke kronkelweggetjes, pubs en tearooms was veel te knus voor meneer H. Terwijl ze haar sigaret opstak, dankbaar inhaleerde en de lucifer uitschudde, bedacht ze onwillekeurig dat die hele onderneming misschien een vergissing was geweest en dat ze haar verlofjaar beter had kunnen doorbrengen in Parijs of Venetië of zelfs in Havana. Het gaf niet waar, als het maar niet hier was, waar alles keurig en pittoresk was maar nergens een greintje hartstocht viel te bespeuren.

ACHT

'Ik vind dit maar niks,' klaagde Harold Meredith. Hij klopte op het extra sterke veiligheidsglas van het anti-overvalscherm. 'Kun je me horen?'

'Ik ben bang van wel, meneer Meredith,' verzekerde Martin hem.

Nick Marshall had nog geen maand de leiding over het postkantoor van Theston en de eerste veranderingen waren nu al doorgevoerd. De ouderwetse weegschalen waren vervangen door digitale modellen, die vrijwel onmiddellijk het exacte gewicht en bijbehorende tarief opgaven. Alles werd voorzien van streepjescodes, van formulieren voor aangetekende stukken tot pensioenboekjes, en Marshall had scanners aangeschaft, zodat transacties sneller gingen en de inventarisatie minder tijd in beslag nam. En nu was het gekraste en vergeelde glas voor de loketten vervangen door een splinternieuw veiligheidsscherm, dat van de balie tot aan het plafond reikte.

Martin had voorzichtig positief gereageerd. Ondanks zijn eerdere bedenkingen, was hij gevleid dat Marshall hem als een bondgenoot beschouwde bij zijn strijd om Thestons status op te waarderen. Dat was een verfrissende verandering na al die jaren met Padge, die wel had geklaagd en gemopperd maar halsstarrig had geweigerd om zich aan te sluiten bij de bond of te reageren op de vragenlijsten die ze stuurden.

Martin wilde alleen dat de hotemetoten zouden ophouden met pielen met een systeem dat uitstekend werkte, dat ze de Posterijen niet langer als een soort politieke voetbal zouden gebruiken maar zouden aanvaarden dat ze, zoals Marshall het uitdrukte, 'deel van ons erfgoed' waren en nog heel lang zouden blijven.

'Hoe moet ik u dat boekje geven?'

'Leg het gewoon in die la.'

'Gaat niet. Er zit iets overheen.'

'Dat zal ik voor u weghalen.' Martin schoof het deksel weg. 'Alstublieft.'

Met tegenzin, alsof hij voor het laatst afscheid nam van een dierbare, legde meneer Meredith zijn pensioenboekje in de roestvrijstalen bak. Martin schoof het deksel dicht en knelde bijna de uitgestrekte hand van meneer Meredith af.

'Is dat vanwege Aids?' Meneer Meredith staarde hem vragend aan.

Martin haalde snel zijn scanner over de streepjescode en er klonk een tevreden pieptoon.

'Nee, nee, alleen om ons wat beter te beveiligen.'

'Tegen wie?'

'Bloeddorstige bejaarden, meneer Meredith,' riep John Parr die zich naar hem toe boog. 'Mensen die uit zijn op wraak.'

Martin controleerde of datum en handtekening op het strookje stonden, onder het wantrouwige oog van Harold Meredith.

''t Komt door die nieuwe kerel, hè?'

Martin pakte zijn datumstempel bij het houten handvat en liet hem eerst met een klap neerdalen op de bon en vervolgens op de controlestrook. Nadat Marshall hem had verteld over digitale scanners die in staat waren een pensioenkaart te lezen, de details te controleren in de database, de transactie uit te voeren en automatisch het verschuldigde bedrag uit te tellen, was Martin zich er meer dan ooit van bewust hoe omslachtig het ouderwetse proces was.

'Het aantal gewapende overvallen op postkantoren is vorig jaar met vijfentwintig procent gestegen, meneer Meredith.'

Hij scheurde de controlestrook van de bon, deed zijn geldla open en begon het bedrag uit te tellen.

'Hoeveel gewapende overvallen zijn er hier in Theston geweest?' vroeg meneer Meredith.

'Daar gaat 't niet om.' Martin legde een briefje van vijftig pond, drie briefjes van vijf en negentig pence in de bak, samen met het pensioenboekje. ''t Kan hier elk moment ook gebeuren.' Hij schoof het deksel dicht.

'Wat moet ik nu doen?' vroeg Meredith.

''t Geld pakken.'

''t Staat toch niet onder stroom, hè?'

'Alleen dat briefje van vijftig pond.'

'Ik wil helemaal geen briefje van vijftig pond. Wat moet ik met een briefje van vijftig?'

Martin haalde het biljet vermoeid uit de bak. ''t Is gewoon eenvoudiger voor ons, dat is alles.'

Martin verving het biljet van vijftig door eentje van twintig, twee van tien en twee van vijf.'

'Wat moet ik met een briefje van vijftig, beste jongen? Ik ben te oud om nog trouwringen te kopen.' Hij gniffelde. 'Ja toch?'

Martin glimlachte zwakjes. 'Ik was er met m'n hoofd niet bij.'

'Wat? Ik hoor niks door dat ding heen.'

John Parr keek hem na en grijnsde. Martin deed het briefje van vijftig weer bij de andere en schoof zijn geldla dicht. John Parr snoof, trok met zijn gezicht, knipperde met zijn ogen en boog zich naar Martin. 'Nu weet je waarom ze dat scherm hebben geplaatst, Mart. Om te voorkomen dat *wij* de klanten neerknallen.'

NEGEN

Na lang volhouden had Ruth een eerste sprankje vriendschap voelen ontstaan tussen mevrouw Wellbeing en haar. Ze heette Rose en was pas vrij laat met Ted Wellbeing getrouwd, na hem eerst verpleegd te hebben tijdens een langdurige ziekte. Ruth had in het begin gedacht dat ze preuts en vitterig was en Rose, zo bleek, was tot de overhaaste conclusie gekomen dat Ruth een losbandige vrouw was die was ondergedoken na een of ander schandaal. Hun wederzijdse opluchting toen bleek dat ze het bij het verkeerde eind hadden, had een band geschapen. Rose Wellbeing had zich voorgenomen dat Ruth een leuke man moest ontmoeten. Ze vond het gewoon verkeerd dat een aantrekkelijke vrouw van vijfendertig nog steeds niemand had en begon Ruth de plaatselijke krant te brengen, waarin ze interessante evenementen had omcirkeld, zoals folkmuziekavonden, naaiklasjes en zelfs vergaderingen van de Bond van Plattelandsvrouwen. 'Je kunt toch gewoon *zeggen* dat je een plattelandsvrouw bent?' Ruth had dat steeds zo beleefd mogelijk afgeslagen.

Theston Fair leek het perfecte antwoord. Volgens aloude traditie werd de eerste zaterdag in november gereserveerd voor een jaarlijks festival waarin het feit werd gevierd dat koningin Victoria het plaatsje in november 1893 stadsrechten had verleend en omdat dat dit jaar precies honderd jaar geleden was, zouden de festiviteiten nog uitbundiger zijn dan gewoonlijk. Dat mocht je absoluut niet missen, verzekerde Rose haar, en bovendien was het een uitstekende gelegenheid om de plaatselijke mannen te bekijken zonder dat dat al te veel opviel. Desondanks werd ze op de dag in kwestie nogal nerveus wakker. Terwijl ze haar kleren uitkoos, besefte ze dat ze weliswaar veel vrienden en vriendinnen had gehad in Amerika, maar dat ze daar nooit moeite voor had hoeven doen. Ze waren voor een groot gedeelte collega's geweest. En eigenlijk voor het overgrote deel vrouwen. Ze voelde zich nooit echt op haar gemak met mannen. Die waren zo onvoorspelbaar.

Het ene moment vrienden, maatjes en makkers en het volgende één en al urgente, onbedwingbare driften. Haar therapeute had gezegd dat dat ook aan haar lag, dat haar even onbedwingbare driften haar feilloos naar de verkeerde mannen dreven.

Ze glimlachte bij die gedachte en bekeek zich in de badkamerspiegel. Donkere, olijfkleurige huid (van moederskant), zwart, dik haar dat ze achter haar oren had gespeld en waar nodig een kapper aan te pas moest komen, donkergroene ogen die haar verontrustend intens aanstaarden, een smalle, onregelmatige neus die wel iets weghad van een landtong die omlaag liep naar zee, een brede mond met smalle lippen en een nogal mooie kin (van vaderskant). Haar nek was heel gewoon en onopvallend, haar schouders zetten de lijnen van haar gezicht voort en waren hoekig en scherp, haar borsten waren rank en mooi. Soms wond dat donkere, geheimzinnige lichaam haar op, maar meestal beschouwde ze het als iets dat snel bedekt moest worden. Iets dat niet ontbloot mocht worden in het volle licht, zoals een fotorolletje.

Een paar uur later was ze in Theston. Ze droeg haar zwarte baret en zwarte laarzen, een honkbaljack en een pas gestreken zwarte spijkerbroek. Ze zette de gele Cherry op de tijdelijke parkeerplaats op Victoria Hill, deed hem op slot en liep in de richting van het feestgedruis.

Het leek wel alsof iedereen in Theston op de kermis werkte of er rondslenterde. De trottoirs van High Street en Market Street waren omzoomd met kraampjes waar van alles en nog wat werd verkocht, van oude spoorwegborden tot biologisch-dynamische kaas en langs de boulevard stonden allerlei attracties. In Jubilee Park was een groot kermisterrein en op Victoria Hill werden vliegerwedstrijden gehouden.

Quentin Rawlings, die ooit correspondent van Reuter in Parijs was geweest en wiens publikaties nu beperkt bleven tot korte, verontwaardigde artikelen in de *East Suffolk Advertiser*, stond in de tuin van zijn overgroeide Victoriaanse huis, gekleed in baret en Bretonse visserstrui. Hij had de leiding over de jeu de boulescompetitie en vierde wat hij een dag van Gallische xenofobie noemde.

Alan Randall, naar eigen zeggen verkoper van de laatste handgemaakte bonbons in Theston, zorgde voor de poppenkast en had dit jaar een vinnige ruzie met de mensen van de Bloedtransfusiedienst, die de euvele moed hadden gehad om hun trailer op de speelplaats van de school te parkeren, die hij als zijn privé-aula beschouwde.

De Zeeverkenners gaven demonstraties reanimeren in de kerkhal en er stond een caravan van de rekruteringsdienst van het leger op de parkeerplaats van British Home Stores.

Barry Burrell, de dominee, liet in de kerk van St. Michael and All Angels Harold Meredith achter om de onbetaalbare veertiende-eeuwse kerkschatten te bewaken (Avondmaalsbord en -beker, die samen met het koorhek vermeld werden in de kunstreisgids van Pevsner) en hield zich bezig met de organisatie van de Cricketende Christenen, die volgens traditie ongeacht het weer veertig overs strandcricket speelden tegen een team van vertrouwde gedetineerden uit de plaatselijke gevangenis.

North Square was echter het middelpunt van de feestelijkheden. Daar bevonden zich de beste plaatsjes, die in beslag werden genomen door de befaamdste kraampjes: het zo-goed-als-nieuwe klerenstalletje van de Rudges, de stand met zelfgemaakte wijn van dokter Cardwell en zijn vrouw en Maureen Rawlings' Specerijenbazaar.

Onder aan de trap naar het postkantoor was een podium gebouwd waar overdag een jazzband speelde en 's avonds de Keith Stackpole Experience en Ruth Kohler werd onweerstaanbaar naar dat kloppende hart van het festival getrokken.

Wat ze allemaal om zich heen zag leek uiterst on-Engels. Iedereen scheen met iedereen te praten. Ondanks het kille, grauwe weer heerste er een uitbundige sfeer en alle mensen gingen op in de festiviteiten, maar zelf voelde ze zich nogal buitengesloten. Ze zou veel gegeven hebben voor een snelle Bloody Mary, maar uit de pubs die ze passeerde klonk lawaaierig, weinig uitnodigend mannengelach en daarom besloot ze het maar bij koffie te houden. Ze staarde net aarzelend door de deuropening van de Theston Tea Shoppe toen ze achter zich een stem hoorde.

'Gaat u naar binnen?'

Ze keek om en stond oog in oog met een vrij jonge man met een bleke huid, pluizig, roodachtig haar en een rond, onopvallend gezicht. Hij was buiten adem en had een kleur. Ze verontschuldigde zich en deed een stap opzij.

'Sorry, ik sta al een tijdje te twijfelen.'

Hij werd nog roder en Ruth schrok, in de veronderstelling dat ze per ongeluk iets stoms had gezegd.

'U was op 't postkantoor, nietwaar?' flapte hij eruit.

'Ja, ik... eh... ik ben op 't postkantoor geweest,' gaf ze toe.

'Daar werk ik.'

'Oh ja?'

'Ja... achter 't loket.'

'Aha.'

Hij scheen meer behoefte te hebben aan dat gesprek dan zij, maar Ruth had verder niemand om mee te praten en deed daarom haar best.

'Ik hou van Engelse postkantoren. 't Is er altijd zo ontspannen.'

'Zeker in een plaatsje als dit. Je leert iedereen kennen. En iedereen kent ons.'

Er viel een stilte. In tegenstelling tot het gemiddelde Engelse postkantoor leek de man die haar had aangesproken verre van ontspannen. Hij likte langs zijn lippen, trok zijn neus op en wierp steeds snelle blikken op de mensenmassa. Hij wekte de indruk dat hij eigenlijk familiair had willen zijn maar niet durfde en ze vroeg zich af of hij haar misschien voor iemand anders had aangezien.

'Zoekt u iemand?'

'Ik... oh... eh... nee. Ik moest alleen iets halen voor m'n vrienden.'

'Nou, ik zal u niet langer ophouden.'

Ruth glimlachte, verbrak het oogcontact en draaide zich om. Dat stimuleerde hem blijkbaar tot het nemen van een beslissing, want hij haalde diep adem.

'Ik zag een adres op uw envelop.'

Ruth draaide zich om en voelde zich defensief worden.

'Per ongeluk zag ik die naam.'

'Die naam?'

'Ik weet dat 't eigenlijk niet hoort, maar m'n blik viel erop.'

'Nou, 't is misschien een vreemde naam in Engeland, maar in Amerika komt hij vrij veel voor.'

'Nee... nee... niet *uw* naam.'

Op dat moment stak een korte, pezige man met een oude ijsmuts op het plein over en riep al van een afstand: 'Hoe zit 't nou met die koffie, Martin? Ik sta hier al sinds vóór achten.'

De jongere man maakte een sprongetje van schrik. 'Komt eraan, Frank.' Hij schoot de tearoom in. De oudere man bekeek Ruth met onverholen belangstelling en stak zijn hand uit.

'Frank Rudge.'

Zijn hand was gespierd. Zijn vingers waren dik en zijn huid zo ruw en hard als boomschors.

'Ruth Kohler,' zei ze.

'Amerikaanse?'

Ze knikte.

'Op vakantie?'

'Ik werk hier een jaar.'

'In *Theston*?'

'Niet ver hier vandaan. Ik heb een huisje gehuurd op Everend Farm.'

'Waarom in godsnaam?'

'Om een boek te schrijven.' Ze glimlachte. 'Met zo min mogelijk afleiding.'

'Wat voor boek?'

'Over Ernest Hemingway.'

Rudge fronste zijn voorhoofd.

'De schrijver,' voegde ze eraan toe. 'En de vrouwen in zijn leven.'

Plotseling verscheen een brede grijns op het gelaat van Frank Rudge, waardoor zijn gerimpelde, verweerde huid in alle mogelijke richtingen plooide.

'Dan moet je volgende boek maar over mij gaan.' Hij lachte, hoewel het niet helemaal spottend bedoeld leek te zijn.

Op dat moment kwam de man met wie Ruth eerst had gepraat de bomvolle tearoom uit met twee plastic bekertjes.

'Sorry, Frank.'

Frank glimlachte minzaam. 'Je had je echt niet zo hoeven haasten.'

Hij knikte in de richting van Ruth. 'Ruth woont een jaartje op Everend. Ze is hier om een boek over Hemingway en z'n vrouwen te schrijven. Ik neem de koffie wel.'

Ondanks haar protesten haalde Martin ook een bekertje koffie voor Ruth. Hij had de indruk dat ze met haar ziel onder haar arm liep en nam haar daarom mee naar het kraampje van de Rudges aan de andere kant van North Square, om haar voor te stellen aan de rest van de familie.

De vriendschap tussen de Sproales en de Rudges was negentien jaar geleden ontstaan, toen Martins vader was gestorven. Frank Rudge was destijds voorzitter geweest van de Suffolk Eagles, een liefdadige organisatie die geld inzamelde voor plaatselijke projecten. Ze hadden direct met hulp en steun voor het gezin klaargestaan en Frank beschouwde het nog steeds als zijn taak om een oogje in het zeil te houden wat Kathleen en Martin betrof. Hij had altijd een zwak gehad voor Martins moeder en had in het begin geprobeerd haar over te halen om weer in Theston te gaan wonen, maar nu hij haar beter kende respecteerde hij haar wens om met rust te worden gelaten.

Elaine kende Martin al vanaf haar elfde en hoewel Frank het nooit zou toegeven, deed het hem stilletjes toch genoegen dat ze nu met elkaar omgingen.

Martin stelde Ruth een tikje opgelaten voor. Joan Rudge gedroeg zich tegenover haar net als tegenover iedereen - open, recht door zee en enigszins bot. Ze zei dat ze nog nooit van Ernest Hemingway had gehoord, vroeg of hij een golfer was en begon direct aan een verhaal over haar beste vriendin, die op vakantie was geweest in Florida, tot Frank haar bruut in de rede viel. Hij wees erop dat Ruth absoluut geen behoefte had aan verhalen over het land waar ze net vandaan kwam en dat ze juist meer te weten moest komen over Groot-Brittannië's glorieuze erfgoed.

Het interieur van een typisch Engelse pub leek hem de volmaakte plaats om met dat leerproces te beginnen. Hij liet zijn vrouw en dochter achter om op het stalletje te passen en leidde Ruth en Martin via Market Street in de richting van de Codrington Arms.

Het liep tegen twaalven. De carnavalsoptocht was inmiddels van start gegaan en slingerde zich door de straten. Om de weg over te steken moesten Frank, Ruth en Martin tussen de langzaam voortrollende praalwagens zigzaggen, waarop wankele tableaux vivants belangrijke momenten uit de geschiedenis van Theston uitbeeldden.

Er waren opmerkelijk weinig van dergelijke momenten geweest en hoewel het hoofd van de plaatselijke middelbare school de annalen op creatieve wijze had verrijkt met fictieve zeeslagen, stadsbranden, pestepidemieën, moorden en bezoeken van Winston Churchill, hadden de grote banken en bedrijven die geschiedkundige tekortkomingen gretig benut en Miss NatWest Bank en de Geschiedenis van Prudential Assurantiën vulden de historische leemten dankbaar op.

Alle wagens werden even enthousiast begroet. Trotse moeders zwaaiden naar kinderen die als piraten waren verkleed en opgelaten kleine broertjes floten naar zussen met netkousen aan, die deden alsof ze zeemeerminnen waren. Het was lawaaierig, chaotisch, bizar en op de een of andere manier ook allemaal erg onschuldig.

Frank baande zich een weg door de menigte, maar bij de ingang van de Codrington Arms werd hem de weg versperd door Gordon Parrish, die al jaren ober was in het Market Hotel. Hij droeg een lange, wit satijnen jurk, gouden pumps met open hielen, een valse neus en een sluike zwarte pruik die tot op zijn schouders kwam.

'Mijn God, wat moet dat voorstellen?' vroeg Frank, die zich langs hem heen trachtte te wringen.

'Barbra Streisand,' zei Gordon ijzig. 'De bekende diva.' Hij schudde met een collectebus.

'Ik zou 't anders willen noemen,' mompelde Frank maar hij zocht toch in zijn zakken en stopte een pond in Gordons bus.

''t Is voor de zeelui,' zei Gordon, knipperend met zijn valse wimpers.

'Hij zat vroeger bij de koopvaardij,' riep Frank tegen Ruth terwijl ze naar binnengingen.

De grote bar zat stampvol, met mannen die als wortel waren verkleed en politievrouwen in minirokjes en Neptunus en zijn zes waterige trawanten, die nog gauw een laatste pint achterover sloegen voor ze op de praalwagen van P&O Ferries klommen.

'De Engelse pub is een van de grootste glories van ons land,' verkondigde Frank Rudge terwijl aan het uiteinde van de bar een bewusteloos lichaam neerzeeg aan Ruths voeten, maar niemand kon hem horen en Frank wurmde zich door de massa naar een kleiner barretje achterin, waar het rustiger was.

De eerste die ze daar zagen was John Parr. Hij scheen de enige in Theston te zijn die alleen dronk en toen hij hen zag knikte hij snel en leegde zijn glas.

'Zo zo. 't Halve postkantoor hangt hier verdomme aan de bar,' merkte Frank op. Plagerig voegde hij eraan toe: 'Ik heb meneer

Marshall nog niet gezien, maar ik denk dat hij de voorkeur geeft aan een wijnbar. Heb jij je maatje vandaag al gezien, Martin?'

Martin spreidde zijn armen. 'Nieuwe baas,' legde hij uit aan Ruth. 'Houdt niet van bier.'

Frank Rudge keek haar aan. 'Je had de heisa 'ns moeten meemaken toen z'n aanstelling bekend werd.' Hij knipoogde naar Martin. 'En nu zijn 't boezemvrienden.'

'Hij had erger kunnen zijn.' Martin wendde zich tot John Parr. 'Vind je ook niet, John?'

Parr drukte zijn sigaret uit. 'Ik ga,' mompelde hij.

'Oh, kom nou toch, John!' Martin pakte hem bij zijn arm en trok hem terug naar de bar. 'Morgen is een vrije dag.'

John Parr rukte zich los en knipperde snel en heftig met zijn ogen. 'Dank je zeer, Martin, maar ik heb voortaan heel veel vrije dagen.'

Er klonk venijn door in zijn stem en zowel Ruth als Frank draaiden zich om.

Martin keek hem gekwetst en verbaasd aan. 'Wat is er, John?'

John Parr snoof minachtend. 'Doe alsjeblieft niet alsof je 't niet weet!'

'Alsof ik wat niet weet?'

John Parr staarde Martin met half samengeknepen ogen aan, lachte grimmig en liep naar de deur.

'Ons wonderkind vindt dat we te veel personeel hebben.' John Parr deed de deur open en vanuit de grote bar klonk luid gejuich en bulderend gelach op. Hij stak zijn hand in zijn jaszak, haalde een brief met een vertrouwde kop te voorschijn en zwaaide daarmee naar Martin.

'Ze hebben 't me tenminste via de post laten weten.'

TIEN

De straten van Theston waren schoongeveegd. De praalwagens stonden op parkeerterreinen en achterplaatsjes te wachten om gedemonteerd te worden en alleen de snoeren met gekleurde lichtjes in North Square moesten nog verwijderd worden. De hele stad was vermoeid en vrijwel iedereen lag nog te slapen. Slechts hier en daar was een teken van leven te bespeuren: een paar mensen die 's ochtends vroeg de hond uitlieten, zeevissers die hun spullen inpakten na de hele nacht de wacht te hebben gehouden en wat verdwaalde toeristen die een zondagskrant kochten. Die vroege vogels werden beloond met een ongewoon mooie herfstochtend. De zon scheen laag door een wazig wolkendek, mistflarden dreven boven de slikken en de atmosfeer was koel en verstild.

Martin Sproale was ook vroeg opgestaan. Hij had dingen te doen in Theston en ondanks het feit dat het zondag was, had hij de deur van Marsh Cottage niet veel later dan op een normale werkdag achter zich dichtgedaan. Hij stond nu in Jubilee Park en keek naar een partijtje tennis.

Slechts twee van de zes courts waren bezet. Op eentje was een jong echtpaar aan het inslaan, met nogal lukrake klappen en veel verontschuldigingen, maar op het andere naderde een felle strijd zijn climax. Nick Marshall serveerde en zijn tegenstandster was een jonge vrouw in een lichtgrijs trainingspak. Ze was een stuk kleiner dan hij, misschien één meter vijfenvijftig of zestig, maar had toch heel goed zijn zus kunnen zijn. Haar gezicht was ietsje voller en haar neus korter en een tikje omhooggekeerd, maar ze had hetzelfde blonde haar, kort en nu nat van het zweet. Ze speelde rustig maar vol waakzame energie. Marshall, geheel in het wit, afgezien van een blauw met gele schouderstreep, serveerde grommend van inspanning. Zijn eerste service was diep en laag en de bal stuitte en draaide weg, zonder dat zijn tegenstandster erbij kon.

'Vijftien – nul,' riep hij. Zijn volgende serve werd goed geretourneerd en scheerde laag over het net, maar Marshall stond al te wachten en plaatste een volley in de andere hoek.

'Dertig - nul!' riep Marshall, met het toenemende plezier van iemand die op zo'n moment graag de score hoort.

Zijn daaropvolgende service raakte het net. Hij maakte zich bittere verwijten en wist zijn tweede serve precies op de middellijn te plaatsen.

'Veertig - nul! Matchpoint...'

Zijn tegenstandster ging op de baseline staan, maakte zich gereed en wachtte met bewonderenswaardig geduld terwijl Marshall zich diep bukte en één been uitstrekte als een balletdanser. Hij hield die houding een hele tijd vol, kwam toen langzaam overeind, gooide de bal op, haalde lenig en soepel uit en sloeg een derde en laatste ace.

Hij balde zijn vuist, stompte in de lucht en liep naar de uitgang, terwijl hij de twee overgebleven ballen op zijn racket liet stuiten.

Martin had die hele vertoning gadegeslagen vanuit het hokje dat de spelers als geïmproviseerde kleedkamer gebruikten. Toen Marshall van de baan kwam haalde Martin diep adem, zette zijn ijsmuts af en stapte op hem af.

'Nick?'

Marshall draaide zich om en keek hem verbaasd aan. 'Martin. Tennis jij ook?'

'Nee, dat niet. Maar ik weet dat jij altijd op zondag speelt.' Hij schraapte zijn keel. 'Ik... eh...'

Marshall zag waarschijnlijk dat hij onzeker naar zijn partner keek.

'Dit is Geraldine. Geraldine Cotton, Martin Sproale. Hij werkt bij mij op 't postkantoor.'

Geraldine streek met haar hand door haar haar en glimlachte, met half samengeknepen ogen in het lage zonlicht.

'Hoe maakt u het?' zei ze met een neutraal accent, waarin misschien heel lichtjes iets van de omgeving van Londen te bespeuren viel. Martin gaf haar een hand. De hare was opmerkelijk koel, als je bedacht wat ze net achter de rug had.

'Kan ik... kan ik je even spreken, Nick?' vroeg Martin.

Marshall streek met zijn arm over zijn voorhoofd en grijnsde naar zijn partner. 'Ik zei toch dat m'n personeel fanatiek was?' Hij trok de zweetband van zijn hoofd en keek naar Martin. 'Natuurlijk. Ik zie je later wel, Gerry.'

Geraldine leek zich niet druk te maken. Ze zwaaide naar de twee mannen en liep naar een van de drie auto's die geparkeerd stonden onder de laatste, vaalgele bladeren van een kastanje. Martin volgde Nick naar zijn Toyota en schraapte nogmaals zijn keel.

'Ik heb je gisteren niet gezien op de kermis, Nick.'

'Nee, ik kon niet. Ik moest naar Londen. Relaties, snap je. Bovendien hou ik niet van mensenmassa's.' Hij tuitte zijn lippen.

''t Is 't grootste evenement van 't jaar in Theston. Er zijn altijd een hoop klanten.'

Marshall wierp hem een blik toe.

'Nou, dan is 't maar goed dat jij er wel was, Martin. Mijn vertrouwensman ter plaatse.' Hij maakte de kofferbak open en haalde een zwart met zilveren trainingspak te voorschijn. Martin vatte de stier bij de horens.

'Ik voelde me niet bepaald je vertrouwensman toen ik John Parr ontmoette, Nick.'

'Hoezo?'

'Hij was niet echt vrolijk.'

'Nou, dat is weer 'ns wat anders.'

Marshall trok het jack van zijn trainingspak aan.

'Waarom heb je 't niet tegen me gezegd?' vroeg Martin.

De rechterkant van Marshalls mond begon heel licht te trillen. Hij spande zijn wangspieren om die zenuwtrek te onderdrukken, maar toen hij antwoord gaf had hij het onwillige spiertje nog steeds niet in bedwang.

'Hoor 'ns, als je bedoelt wat ik denk dat je bedoelt: 't klopt dat ik tegen Devereux heb gezegd dat we naar mijn mening konden bezuinigen. Hoe dat ingevuld moet worden is zijn beslissing, Martin. Ik doe aanbevelingen, maar ik ben niet bevoegd om mensen te ontslaan. Dat weet jij ook.'

'Nou, wie 't ook gedaan heeft, John Parr staat op straat.'

'Hij kan altijd ergens anders heen gaan.'

'Hij is hier geboren en getogen. Z'n familie woont hier.'

'Nou en? Ik ben geboren en getogen in Bristol.' Marshall liet het jack over zijn brede schouders glijden en deed het zorgvuldig goed. 'Ik heb in Londen gewerkt en in Luton en nu werk ik hier.'

Martin voelde plotseling een kille bries en besefte dat hij, in zijn haast om naar de tennisbaan te fietsen, vergeten was zijn handschoenen aan te trekken. Marshall legde zijn handen tegen de auto, strekte zijn armen en rekte zijn rechterbeen op tot Martin de aderen zag kloppen in zijn slapen. Hij ontspande zich, haalde diep adem en herhaalde dat met zijn andere been.

'Hoor 'ns, Mart, 't spijt me als ze besloten hebben om Parr de laan uit te sturen, maar ik heb nooit gezegd dat we geen... oef!... offers zouden moeten brengen. Ik vraag om investeringen en probeer mijn wensen boven aan de lijst te krijgen maar dan... oef!... moet daar wel iets tegenover staan. Ik moet ze duidelijk maken dat we 't hier voortvarend aanpakken.'

Hij ging weer op zijn andere been staan en hield die houding vol tot het duidelijk oncomfortabel werd.

'Dat veiligheidsscherm was een... oef!... grote investering. De wachtlijst voor digitale weegschalen is maanden. Wij hebben ze binnen drie weken gekregen omdat ze...oef!...vertrouwen hebben in m'n plannen voor Theston. Plannen waarbij ik... oef!... jouw hulp nodig heb en trouwens die van iedereen.'

'Behalve die van John Parr.'

Er kwam een auto aan over de lange oprit. Ze draaiden zich allebei om en keken ernaar. Marshall pakte een kleine rode handdoek uit zijn kofferbak en veegde daar al pratend zijn voorhoofd mee af.

'Martin, ik heb gekeken hoe jullie werken en onder ons gezegd en gezwegen zouden jij, Elaine en ik dat hele kantoor prima kunnen runnen.'

Hij stak zijn hand op om Martins protest in de kiem te smoren.

'Ik zeg niet dat we dat moeten doen, maar 't zou *kunnen*, met behulp van twee of drie parttimers. Dat betekent een grote besparing en dat wil iedereen. Wie er nou achter zo'n loket zit doet er minder toe.'

Martins handen klemden zich om zijn ijsmuts. 'Daar vergis je je in, Nick,' protesteerde hij. 'De mensen zien hier graag dezelfde gezichten, ze zien graag plaatsgenoten. Misschien zouden ze liever niet op vakantie gaan met John Parr, maar hij is wel een van hen en ze zien hem daar graag zitten. Als je die goodwill verspeelt, kunnen we 't wel schudden.'

Marshall ademde diep uit en wreef zijn haar droog met zijn handdoek.

'Martin, je schiet nooit iets op met stilzitten. We hebben 't over een heel speciaal postkantoor in een heel speciaal plaatsje. Achtduizend inwoners, aan de kust, op nog geen honderdvijftig kilometer van de drukste havens van Europa. Dat betekent een geweldig potentieel, dat op 't moment niet benut wordt omdat de mensen bang zijn, meer niet. Ze hebben iemand nodig die 't voortouw neemt, Mart, iemand die zegt: "Hoor 'ns, maak je geen zorgen, 't is heus niet voorbij. 't Begint pas."'

Hij maakte een weids gebaar naar de rommelige, onopvallende verzameling rode bakstenen muren en bruine daken die zich naar het oosten uitstrekte.

'Ik wil hier dingen bereiken, zodat mensen van buiten oog krijgen voor dit stadje. Ik wil dat ze zeggen: "Hé, in Theston is 't ook gelukt dus waarom bij ons niet?" Er zijn hier maar weinig mensen die zo'n uitdaging aankunnen, Mart. Jij bent daar één van. John Parr niet.'

Martin wilde antwoord geven, maar Marshall vervolgde: 'Je hebt potentieel. Je kunt dingen bereiken. En ik vind dat je je moet gedragen alsof *jij* dat ook gelooft, net als ik.'

Martin deed een stap opzij omdat er een auto aankwam. Hij voelde zich verward. Hij was 's ochtends van huis gegaan met de bedoeling om Nick Marshall aan de tand te voelen over een heel eenvoudige kwestie, maar Marshall had het onderwerp totaal veranderd en Martin wist niet meer waar hij nu eigenlijk voor gekomen was.

Er stopte een stokoude Volvo naast hen, bestuurd door een zwaargebouwde man van in de veertig, met een bezorgde frons op zijn voorhoofd, krullend, donker haar, één of twee onderkinnen en een lange, George Orwell-achtige snor die laag op zijn bovenlip groeide. Dat was Quentin Rawlings. Na zijn vertrek bij Reuter had Rawlings zijn gezin vanuit Londen meegesleept naar Theston en zich sindsdien vrijwel uitsluitend beziggehouden met de voltooiing van zijn autobiografie, *Wie Het Beter Weet*, waarvan bijzonder weinig exemplaren over de toonbank waren gegaan. Behalve zijn bijdragen aan de plaatselijke krant stuurde hij soms artikelen over het milieu aan de *Independent*, die ze even hard weer terugstuurde. Zijn vrouw Maureen, die onder het pseudoniem Beverley Bull uiterst lucratieve en licht pornografische historische romans schreef voor de markt in het Midden-Oosten, bleef nog even in de auto zitten, gebiologeerd door een laatste, verleidelijke glimp van Nick Marshalls dijen terwijl hij zijn joggingbroek over zijn slanke billen liet glijden en het taillekoordje aantrok.

De blik van Rawlings kruiste die van Martin en hij riep: 'Tennis jij ook, Martin?'

Martin schudde bruusk zijn hoofd. Het was al moeilijk genoeg om te proberen Marshall te volgen zonder ook nog eens imbeciele vragen over tennis te moeten beantwoorden. Oké, dus hij tenniste niet. Dat was toch geen misdaad tegen de mensheid, god nog toe!

'Misschien komt 't er nog 'ns van,' riep hij.

'Fantastisch spel!' schreeuwde Rawlings alvorens zich met tegenzin tot zijn twee adolescente zoons te wenden, die gemelijk uitstapten. 'Kom op!'

Er werd veel met portieren geslagen en Martin keek hoe ze naar de baan liepen.

'Ik voel me echt niet goed, pa,' zei een van zijn zoons.

'Wat ben je toch een watje,' zei de ander.

Hun stemmen stierven weg. Marshall, die nu volledig was aangekleed, wreef zijn gezicht krachtig droog en sloeg de achterklep dicht.

'Martin, 't spijt me van Parr. Ik zal zorgen dat dat niet meer voorkomt. Erewoord.'

Hij stapte in en startte vrijwel onmiddellijk. Hij stak zijn hand op, maar Martin keek tegen de zon in en kon niet zien of hij nou zwaaide of zijn spiegeltje goed deed. Marshall keerde snel en reed knerpend het grindpad uit, terwijl hij met één hand zijn gordel omdeed. Martin bleef hem nakijken tot aan het hek, waar hij linksaf sloeg en wegreed van het stadje.

Het bleek dat het leven op het postkantoor nauwelijks ontregeld werd. Nick Marshall hielp vaker achter het loket, deed zijn best om het de rest van het personeel naar de zin te maken en nam een nieuwe parttimer aan om te helpen tijdens de drukke periode voor kerst. Ze heette Mary Perrick en was achter in de vijftig, een dikke, moederlijke oud-lerares. Het was de drukste tijd van het jaar en niemand had eigenlijk tijd om medelijden te hebben met John Parr, behalve eens in de maand als hij zijn uitkering kwam halen.

Desondanks was er iets veranderd. De luie koffiepauzes en gezellige lunchuurtjes uit de tijd van Padge moesten het veld ruimen voor een strakker en zakelijker schema. Marshall stak zijn irritatie om wat hij 'non-produktieve tijd' noemde niet onder stoelen of banken. Hij maakte duidelijk dat een pauze van tien minuten ook tien minuten hoorde te duren en niet langer en had een gedetailleerd rooster opgehangen in de kantine, maar nu John Parr er niet meer was, was niemand bereid om te lachen om de absurditeit van het Individuele Vrijetijdsschema met zijn barse, onvriendelijke sommatie: 'M. Sproale. Periode 9 tot 17 november. Aanvang pauze: 15.20 uur. Einde pauze: 15.30 uur.'

Op een ochtend in begin december, voor het kantoor openging, riep Marshall hen allemaal bijeen. Hij droeg een trui in plaats van zijn gebruikelijke pak, zijn haar was pas geknipt en hij leek net een schooljongen. Hij drukte zijn handen tegen elkaar en zei: 'Goed nieuws. Ons hoofdkantoor heeft beloofd dat direct na kerst 't P50 Advance-systeem wordt geïnstalleerd.' Hij glimlachte en keek vol verwachting om zich heen.

'Wat wil dat zeggen, voor een simpele ziel als ik?' vroeg Arthur Gillis.

'Dat wil zeggen dat al 't loketpersoneel in Theston met ingang van 27 december de beschikking heeft over een eigen computerterminal.'

Arthur Gillis wierp een blik op Martin en sloeg zijn ogen ten hemel.

'Alle gecomputeriseerde transacties zijn verbonden met een modem - je beschikt veel sneller over informatie, de klant hoeft niet zo lang meer rond te hangen en de balans opmaken duurt ongeveer tien minuten in plaats van twee uur. Alle grote kantoren werken er al mee.'

'Zijn die dingen eenvoudig te bedienen?'

'Nou, ik verwacht niet dat je 't tussen half negen en negen eventjes onder de knie krijgt, Arthur.'

'Godzijdank.'

'Eind deze week brengen ze er vast een paar en ik stel voor om zaterdag na sluitingstijd een trainingssessie te houden, om eventuele problemen glad te strijken.' Hij zag het gezicht van Arthur Gillis. 'Kijk niet zo, Arthur. 't Zijn geen monsters.'

'Nee, maar m'n vrouw wel en er zwaait wat voor me als ik zeg dat ik zaterdagmiddag moet werken. Over twee weken is 't al kerst.'

Er verscheen een merkwaardige uitdrukking op Marshalls gezicht. Zijn mondhoeken trokken even samen, alsof hij iets vies had ingeslikt. 'Weet je wat, Arthur? Ik laat zaterdag wel iemand invallen. Dan heb jij de hele ochtend om boodschappen te doen.'

Gillis maakte een onverwacht dankbare indruk. 'Nou... nou, als dat zou kunnen zou ik 't heel erg op prijs stellen, Nick.'

Elaine stak haar hand op. 'Neem me niet kwalijk, Nick, maar wie moet dan invallen?'

Marshall keek naar het rooster aan de wand. 'Eens even kijken.'

Hij knikte bedachtzaam en zei tegen Elaine: 'Heb *jij* je kerstinkopen al gedaan?'

Elaine schudde gedecideerd haar hoofd. '*Ik* kom niet. Dat is m'n eerste vrije zaterdag van de maand. Je maakt zeker een geintje?'

Arthur Gillis kwam tussenbeide. 'Hoor 'ns, laat maar. Ik vraag wel of Pat de inkopen doet.' Hij probeerde er het beste van te maken. 'Ze vindt 't niet erg, als ik haar maar geld geef!'

Maar Elaine was verontwaardigd en niet van plan om het daarbij te laten. 'We hoeven die trainingssessie alleen maar naar een andere dag te verplaatsen,' zei ze. 'Ik bedoel, waarom niet op maandag?'

Marshall stak zijn hand op en keek van Elaine naar Arthur. Zijn mondhoek trok lichtjes.

'Maak je maar niet druk. Jullie hebben je vrije zaterdag allebei hard nodig. Ik zorg wel voor een parttimer om in te vallen. Oké?'

'Alweer een?' vroeg Elaine wantrouwig. 'Waar wou je die vandaan halen?'

Hij klemde zijn kaken op elkaar en streek vlug met zijn hand door zijn haar. 'Laat dat maar aan mij over.'

Later die dag zaten Martin en Elaine samen in de kleine, overvolle woonkamer van de Rudges. Ze woonden in een bescheiden, Victoriaans rijtjeshuis van twee verdiepingen dat vroeger een vissershuisje was geweest. Het stond in een doodlopende straat tussen de boulevard en de hoofdstraat, vlakbij de fraaie, veertiende-eeuwse kerk. Frank en Joan Rudge waren allebei niet thuis. Frank had een buitengewone vergadering van de gemeenteraad en Joan was naar Marsh Cottage om wat stoelovertrekken op te halen bij Kathleen Sproale.

Martin en Elaine aten allebei een diepvriesmaaltijd en keken naar *Inspecteur Morse*. Martin was blij dat ze nog zulke goede programma's maakten, want dat betekende dat ze bij elkaar konden zijn zonder met elkaar te hoeven praten. Hun gesprekken waren tegenwoordig nogal geforceerd. Elaine wilde niet dat hij over Nick Marshall sprak en als hij überhaupt iets over het werk zei, leverde dat een verbitterde reactie op.

Martin keek haar aan. Elaine ging helemaal op in de serie. Ze boog zich voorover en staarde met gefronst voorhoofd naar het scherm. Die concentratie had iets aantrekkelijks. Haar handen waren om haar ellebogen geklemd en haar rug was nu zo lang en recht dat hij op het punt stond om haar trui uit haar broekband te trekken, haar gladde, zachte huid te voelen en met zijn vingers om haar middel te strijken.

Toen klonk echter de eindtune en begon de reclame en stond Elaine op. Ze stak de rest van haar kleverige lasagne naar hem uit. 'Ik kan 't niet allemaal op. Wil jij 't?'

'Nee, dank je. Ik denk dat ik maar 'ns terugga.'

Martin stond op. In de keuken schraapte Elaine de inhoud van het aluminiumbakje op een schoteltje en gooide het in de vuilnisbak. 'Terug naar je meneer Hemingway,' zei ze.

Martin gaf geen antwoord. Hij pakte zijn blad en nam het mee naar de keuken.

'Hoe is 't om een rivaal te hebben?' vroeg ze toen hij de keuken binnenkwam.

'Hoe bedoel je?'

'Die Ruth. Ze vond je nogal interessant, laatst op de kermis.'

Martin drukte met zijn voet op het pedaal van de afvalemmer en gooide zijn eigen bakken erin. Hij haalde zijn schouders op. 'Ze is me te intellectueel. Echt zo'n geleerd type. Waarschijnlijk schrijft ze een verhandeling in vijf delen over z'n linker teennagel.'

'Ze schrijft toch over z'n vrouwen? Dat zei ze tenminste tegen pa.' Elaine pakte de waterkoker, merkte dat hij leeg was en deed er wat water in.

'Had hij veel vrouwen?' vroeg ze.

'Papa?'

'Nee, grapjas, Hemingway.'

Martin lachte. 'Ik *bedoel* ook Hemingway. Zo werd hij 't liefst genoemd. Papa. Hij had een bloedhekel aan z'n echte naam. Aan Ernest.'

Elaine kon er niet om lachen. 'Nou, had hij veel vrouwen?'

'Oh, zeker. Daar was geen tekort aan. Ze wierpen zich gewoon aan z'n voeten. Ingrid Bergman, Marlene Dietrich, Ava Gardner. Hij is vier keer getrouwd geweest. Maar een hoop was ook gewoon grootspraak. Hij beweerde vaak dat hij met Mata Hari naar bed was geweest toen hij voor de allereerste keer in Europa was, tot iemand hem erop wees dat ze destijds al een jaar dood was.' Martin glimlachte bij die gedachte. 'Hij hield van overdrijven.'

Elaine pakte een beker van een haakje die ze vorig jaar op vakantie had gekocht en die aantoonde hoe moeilijk het was om Ventnor af te beelden op een klein, rond stuk porselein.

'Je weet veel van hem.'

Martin knikte. 'Dat klopt.'

Elaine schroefde een pot oploskoffie open en deed een lepel in de beker. 'Die Amerikaanse zou waarschijnlijk best je hulp kunnen gebruiken bij dat boek van haar.'

Martin schudde zijn hoofd. 'Ze heeft mij heus niet nodig.'

Elaine deed het deksel weer op de pot. 'Waarom niet? Je weet alles van hem wat er maar te weten valt. Neem me niet kwalijk.' Ze wrong zich langs hem heen om de waterkoker aan te zetten en hij voelde haar borsten langs zijn rug strijken. 'Misschien heb je dat wel nodig. Iemand met wie je iets gemeen hebt. Iemand die niet altijd tegen je zit te zeuren.'

De waterkoker begon te sissen en te borrelen.

'Ik wil niemand anders.

Elaine keek hem aan met haar grote, heldere, lichtbruine ogen.

'Bewijs dat dan.'

ELF

De opengevouwen brief lag op een stapel slordig neergekrabbelde aantekeningen die Ruth had gemaakt over Pauline Pfeiffer, de tweede mevrouw Hemingway.

Marsh Cottage, North Theston
Zaterdag

Beste Ruth,

Ik hoop dat je het niet erg vindt dat ik je zo noem, maar ik heb je achternaam niet gehoord. Waarschijnlijk was ik te zeer ondersteboven van het feit dat ik nog een Hemingway-fan had ontmoet! Hoewel ik me beslist geen expert zou willen noemen, heb ik toch heel wat over onze gezamenlijke vriend opgestoken en iemand suggereerde dat dat misschien van pas zou kunnen komen bij het samenstellen van je boek. Ik heb van onze ontmoeting genoten en het lijkt me heel leuk om nog eens met je te praten. Je kunt thee drinken in het Market Hotel. Tien december om vier uur zou me goed uitkomen. Stuur s.v.p. een berichtje naar het hierboven vermelde adres (*niet* naar het postkantoor).

Hoogachtend,
Martin J. Sproale.

Ze had die brief bijna een maand geleden ontvangen en omdat ze zich schuldig voelde nadat ze zo kortaf tegen hem had gedaan op de kermis, had Ruth zijn aanbod geaccepteerd. Tien december om vier uur had toen nog ver weg geleken, maar nu was het over een uurtje zo ver.

Ze wreef in haar ogen en staarde naar het kleine, blauw met zilveren scherm. Ze had de afgelopen weken hard gewerkt en was wat meer gewend geraakt aan de koude oostenwind. Ze had ook minder last van de eenzaamheid nu ze de moeilijke eerste hoofdstukken over Ernests relatie met zijn moeder achter de rug had en gezelschap had gekregen van Hadley en Ezra en Scott en Zelda en Gertrude Stein en James Joyce en Sylvia Beach en al die andere mensen die blijkbaar zo moeiteloos zo'n opwindend bestaan hadden gehad in het Parijs van de jaren twintig. En nu was er een nieuwe, aantrekkelijke, enorm begeerlijke en levensgevaarlijke figuur ten tonele verschenen in de vorm van de jonge, welgestelde modejournaliste Pauline Pfeiffer.

Het was Ruths taak om erachter te komen hoe, waarom en wanneer Pauline zo onweerstaanbaar was geweest voor Hemingway, een getrouwde man met een klein zoontje. Gewapend met brieven, hotelregisters, kranteknipsels, stadsplattegronden en haar eigen intuïtie achtervolgde ze het paar nu al dagenlang door Parijs, over boulevards, door parken en naar galeries. Ze had hen van salons gevolgd naar bars en restaurants en nachtclubs, als een privé-detective die aan een echtscheidingszaak werkte. Wat ze ontdekte was triest, want ze was gesteld geraakt op Hadley, de huidige mevrouw Hemingway, en op hun kleine zoontje Bumby. Maar het was ook opwindend, want de manieren waarop een vrouw een man wist te lokken en vast te houden hadden Ruth altijd gefascineerd.

Nu moest ze Pauline echter achterlaten in een slaapkamer in het Venetia Hotel in Montparnasse, waar ze op Ernest wachtte, en zelf naar het Market Hotel in Theston gaan, om een loketbediende te ontmoeten die nauwelijks één samenhangende zin kon uitbrengen maar die oude rotzak als een soort held vereerde. Ze zette haar laptop uit. Hemingway had heel wat op zijn geweten.

Hoewel ze keurig op tijd was zat Martin er al, in een hoekje van de gezelschapszaal. Hij was beter gekleed dan de vorige keer en droeg een grijze flanellen broek en een bruin tweed jasje met vreemde suède schouderstukken. Zijn haar was kort en netjes gekamd en zijn gezicht glom in het licht van de overdadig versierde schemerlamp die naast hem opreeds. Enigszins geïrriteerd bedacht ze dat hij zich waarschijnlijk speciaal voor haar had opgedoft.

Hij stond snel op toen ze binnenkwam. Zij excuseerde zich omdat ze op tijd was en hij omdat hij te vroeg was.

'Ik ben direct vanaf m'n werk gekomen,' legde hij uit.

'Werken jullie op zaterdag?' vroeg ze.

'Alleen 's ochtends. Maar vanmiddag hadden we een extra training.'

'Zit je bij een sportploeg?'

'Nee, niet dat soort training. Computertraining.'

'Je bent wel fanatiek.'

Martin lachte kort. 'We hadden geen keus.'

'Hoe ging 't?'

'Ach, voor mij viel 't nog wel mee. Voor de ouderen, die echt geen flauw benul hebben, is 't een stuk moeilijker. Maar... je moet met je tijd meegaan.'

Ruth liet zich in een fauteuil zakken en keek vlug om zich heen. 'In tegenstelling tot dit hotel.'

Martin grijnsde onbehaaglijk. De meeste tafeltjes waren bezet. Er werd een hoop thee gedronken en er klonken luide stemmen. Hij trok aan de knoop van zijn das. Hij had het vreselijk warm.

'Ik hoop dat je 't hier niet al te erg vindt,' zei Martin, die wist dat hij een vergissing had begaan.

'Ik vind 't hier leuk,' loog ze. 'Lekker vol.'

Martin knikte. Vol met de verkeerde mensen. Het was een duur hotel, dat veel bezocht werd door de plaatselijke elite. Hij had zelf al een staaltje van mevrouw Harvey-Wardrells arrogantie te verwerken gehad. Hij had in de lounge gezeten toen ze arriveerde en zodra hij buiten haar stem hoorde, had hij zijn aandacht op een verlichte vitrine met Doulton-porselein gericht, in de hoek die het verst van de ingang was verwijderd.

'Ik heb een invalide in de auto,' verkondigde ze tegen de lounge in het algemeen. 'Ik heb hulp nodig.'

Er viel een stilte. Haar binnenkomst had ongeveer hetzelfde effect gehad als die van een eenzame revolverheld en al het personeel had dekking gezocht.

'Hallo?'

Martin had zich nog dichter tegen de vitrine aangedrukt en had ongelooflijk aandachtig naar het uitgestalde porselein gestaard in de hoop dat hij zich, door een onwaarschijnlijke concentratie, ook werkelijk in een van die soepterrines zou kunnen overplaatsen, maar helaas.

'Hela! Jij... jij daar!'

Martin wist dat er geen ontsnapping mogelijk was.

'Jij daar!' riep ze. 'Portier!' Hij keek om en zag haar intimiderende, maar al te vertrouwde gedaante, in meters leer en bont gehuld.

Toen ze hem had herkend, had ze vluchtig haar excuses gemaakt, maar desondanks was Martin gedwongen geweest om de voorkant van een rolstoel te grijpen en een corpulente bankier de twee of drie treden naar de ingang op te sjouwen. De man, op wiens scharlakenrode gezicht een vriendelijke glimlach schuilging, had Martin een pond in de hand gedrukt, dat Martin snel in de collectebus voor blinden had gedaan.

Mevrouw Harvey-Wardrell en haar metgezellen zaten nu aan een tafeltje bij het raam en kregen overdreven veel aandacht van Gordon Parrish, de ober. Martin kende Gordon Parrish goed. Hij was een soort levende legende onder het personeel, een doorgewinterde anarchist die aan zo ongeveer iedereen die hij bediende een bloedhekel had. Hij pochte altijd dat hij in de soep pieste en schapekeutels door de müsli mengde. Hij was verscheidene malen gearresteerd wegens potloodventen en één keer, zo ging het gerucht, wegens het molesteren van koeien, maar hij slijmde met zoveel succes tegen de rijke gasten van het hotel dat velen hem beschouwden als de trouwe bediende die ze zelf nooit hadden gehad en hem rijkelijk beloonden.

'Gordon,' hoorde hij mevrouw Harvey-Wardrell vier tafeltjes verderop vertrouwelijk zeggen, 'dit zijn twee van m'n oudste vrienden - Freddie heeft jaren bij Hambros gezeten en er is *niemand* in de kunstwereld die Diana niet kent - en daarom willen we niet zo'n weerzinwekkende toeristenthee. Kun je iets speciaals voor ons opsnorren?'

Gordon, die ooit een condoom in een cassoulet had gestopt, knipte als een scheermes, wreef in zijn handen en beloofde dat hij iets héél speciaals zou opsnorren. Daar twijfelde Martin niet aan.

'Ken je die mensen?' vroeg Ruth.

Hij knikte. 'De meesten wel. Ze komen allemaal op 't postkantoor.'

Ruth liet haar blik nogmaals door de zaal vol in tweed gehulde mannen en zwaargeboezemde matrones gaan. ''t Is net een scène uit *The Lady Vanishes*.'

'Veel verdienen hun geld in Londen. In 't weekend spelen ze graag de landheer en op maandag is 't weer terug naar de termijnmarkt.'

Ruth bukte zich en pakte haar volumineuze, zwarte leren tas met zilveren sierspijkertjes, een cadeau van een Marokkaan met wie ze ooit vluchtig iets had gehad. Ze pakte haar sigaretten. 'Vind je 't erg als ik rook?'

Martin keek verschrikt om zich heen. 'Ik geloof dat er een of andere regel is.'

Ruth glimlachte zo minzaam als ze maar kon en stopte het pakje terug. 'Laat maar,' zei ze. 'Wij zijn de verschoppelingen der aarde.'

Martin glimlachte onbehaaglijk.

Sarah, de nieuwe serveerster, kwam op haar gemak naar hen toe. Ze had blozende wangen, heldere, constant ronddwalende ogen en een zwarte jurk die strak om haar achterwerk spande. 'Thee voor twee?' vroeg ze.

Martin knikte en keek naar Ruth.

'Kan ik koffie krijgen?' vroeg Ruth.

Sarah krabbelde 'koffie' op haar blocnote en vroeg: 'Maar u wilt wel thee?'

Ruth keek haar niet-begrijpend aan.

Sarah slaakte een zucht en herhaalde haar vraag. 'Wilt u uw koffie *met* uw thee?'

'Ik wil m'n koffie graag met m'n koffie, als dat zou kunnen.'

Nu was het Sarahs beurt om in verwarring te zijn.

Ruth wendde zich hulpeloos tot Martin. 'Ben je wettelijk verplicht om hier thee te drinken?'

Martin kwam tussenbeide en legde uit wat het verschil was tussen thee die je dronk en thee beschouwd als maaltijd. Ruth was dankbaar en Sarah vertrok.

Aan het tafeltje van de Harvey-Wardrells klonk een verheugde kreet: 'Gerookte zalm! Perfect gewoon!'

'Schotse?' vroeg Freddie vanuit zijn rolstoel.

'De zuidpunt van Loch Tay,' bevestigde Gordon.

Voor zover hij wist had het net zo goed uit Mogadishu kunnen komen, maar na twintig jaar wist hij wat de gasten graag wilden horen.

Korte tijd later waren Ruth en Martin in een gecompliceerde logistieke manoeuvre verwikkeld. De talloze kopjes, schoteltjes, borden, kannetjes, taartschalen en potten heet water op het tafeltje balanceren was al lastig genoeg, maar het vereiste een speciaal soort vaardigheid om al die verschillende lekkernijen ook van de hand naar de mond te verplaatsen zonder een spoor van kruimels achter te laten.

Dat vergde volledige concentratie en zorgde voor een welkome afleiding van de werkelijke reden voor hun ontmoeting. Vervolgens bracht Sarah de rekening, die ietsje te lang op tafel bleef liggen voor Martin zei dat hij betaalde. Het begon erop te lijken dat ze gewoon zouden opstaan en weggaan, punt uit. Martin begon een lichte paniek te voelen.

Ruth wist ook niet zeker wie nu geacht werd de eerste stap te zetten. Ze wist alleen dat ze snakte naar een sigaret. Ze boog zich naar Martin en vroeg: 'Is er hier een bar?'

'Je kunt de geest van Hemingway niet oproepen in een Engelse tearoom,' verkondigde Ruth toen een dubbele wodka enig effect begon te krijgen. 'Ik geloof dat we dat nu ondubbelzinnig kunnen bevestigen.'

'Ben je... ben je al lang een... bewonderaar van hem?' vroeg Martin aarzelend.

Ruth blies een dichte rookwolk uit. Hoewel ze dat misschien niet aan zichzelf wilde toegeven, had zijn gretige onbeholpenheid een kalmerende uitwerking op haar. 'Laat ik 't zo stellen, Martin: ik ben geen fan. Ik weet gewoon heel veel van hem. En hoe meer je over Ernest Hemingway te weten komt, hoe minder je hem bewondert.' Ze lachte diep en rokerig.

Martin besloot dat het tijd was om voor zijn principes op te komen. 'Daar kan ik 't niet mee eens zijn,' zei hij.

'Nou, prima toch?'

'Ik vind hem een groot man,' zei Martin.

'Dat vinden mannen wel vaker.' Ze pakte de asbak. 'Ik vind dat hij een paar goeie boeken heeft geschreven en een paar nog betere korte verhalen. Ik vind dat hij op zijn best een groot schrijver was, maar hij kon ook wreed, bot en egoïstisch zijn. Ik hou niet zo van al die heldenverering en vleierij.'

'Ik ook niet,' zei Martin. 'Ik weet heus wel dat hij tekortkomingen had. Maar als ik korte verhalen kon schrijven die ook maar een tiende zo goed waren als "The Snows of Kilimanjaro" of "The Short, Happy Life"...'

Ruth trok haar neus op. 'Waarom die twee?'

'Omdat ik die zo ongeveer volmaakt vind. Er staat niet één woord in dat ik zou veranderen.'

'En *The Old Man and the Sea*?'

'Buitengewoon.'

'*A Farewell to Arms*?'

'Magnifiek.'

Ruth lachte en dronk haar glas leeg. 'Je bent inderdaad een fan.'

'Je hebt me nog niet naar *Across the River and into the Trees* gevraagd.' Dat was het boek dat iedereen vreselijk vond.

'Oké. Hoe zit 't met *Across the River and into the Trees*?'

'Voortreffelijk!'

Deze keer lachten ze allebei. Ruth pakte een gemarineerde olijf uit het schaaltje op de bar. 'Ik moet toegeven dat als een hoop mensen niet dachten zoals jij, ik geen boek over die kerel zou schrijven,' zei ze.

Ze deden er allebei even het zwijgen toe.

'Waar gaat je boek over?' vroeg Martin.

Ruth trok de asbak naar zich toe. 'Nou, over Ernest Hemingway.' Ze zag dat Martin op het punt stond iets te zeggen en vervolgde snel: 'En over Grace en Hadley en Pauline en Martha en Mary Hemingway. En Agnes Von Kurowsky en Duff Twysden en Gertrude Stein en Jane Mason en Adriana Ivancich en al die andere vrouwen zonder wie hij nooit zou hebben geschreven zoals hij gedaan heeft.'

Ruth drukte haar sigaret uit en plukte een minuscuul draadje tabak van het puntje van haar tong.

Martin was teleurgesteld. Sinds zijn schooltijd had hij er vaak van gedroomd om ooit nog eens over zijn idool te praten met iemand die evenveel van hem afwist als hij. Het was nooit bij hem opgekomen dat hij iemand zou kunnen ontmoeten die hem kende en een hekel aan hem had.

'Nog eentje?' De barman wees op Martins glas.

Martin keek naar Ruth, die twijfelde. 'Ik ben met de auto.'

Martin keek haar meelevend aan. 'Ik ben met de fiets.'

'Oh, wat geeft 't ook,' zei ze. ''t Is kerst. Nog een kleintje dan.'

De barman schonk twee wodka's in. Martin hief zijn glas. 'Op Ernest. En zijn vrouwen.'

Ruth grijnsde wrang. 'Weet jij hoe vaak *hij* z'n auto in de prak heeft gereden?' zei ze.

Martin hoefde nauwelijks na te denken. 'Een keertje in 1930, twee keer tijdens de Tweede Wereldoorlog, een keer in 1953 en ook nog 'ns in 1959. Juli. Burgos. Spanje.'

Ruth sloeg haar ogen ten hemel. 'Je bent *echt* een fan,' zei ze.

Martin had de hopeloosheid van de computertranining die ze eerder die dag hadden gehad gebagatelliseerd. Het was vanaf het begin een gênante vertoning geweest. Nick had niet één, maar drie parttimers gevraagd om te komen. Shirley Barker was geen verrassing, want die werkte al haast net zo lang parttime als Elaine fulltime. Mary Perrick, John Parrs vervangster, was efficiënt en verstandig maar Martin was stomverbaasd toen hij de nieuwe werkneemster zag, die pas die ochtend was aangenomen. Het was Geraldine, het meisje dat Martin de laatste keer bezweet en verfomfaaid op de tennisbaan had gezien. Ze droeg nu een strak grijs pakje, dat meer van haar compacte, gespierde lichaam onthulde dan hij op de baan had opgemerkt. Haar honingblonde haar, dat lichter was dan hij zich herinnerde, was streng achterover gekamd.

Marshall had gedecideerd verkondigd: 'Dit is Geraldine Cotton, die de komende weken in zal vallen als we mensen te kort komen.'

En dat was dat. Martin had zich opgelaten en gecompromitteerd gevoeld. Toen Geraldines blik de zijne kruiste had ze even geglimlacht en haar blik weer afgewend. Ze leek hem serieus, efficiënt en overgekwalificeerd. Er klopte iets niet.

De trainingssessie zelf was even gênant. Nick Marshall was geen geboren instructeur en gaf de voorkeur aan aansporingen in plaats van onderricht. Hij ging er direct al van uit dat niemand een complete computeranalfabeet was en dat iedereen onvoorwaardelijk aan de nieuwe technologie was toegewijd. Daardoor werd de klas al gauw in tweeën gesplitst: de mensen van boven de vijftig en de rest. Maar Shirley Barker wist tenminste wat een cursor was. Al gauw werd het Arthur Gillis tegen de rest. Gillis, die ooit had geleerd hoe hij geblinddoekt een machinegeweer uit elkaar kon halen, was hulpeloos achter een toetsenbord. Hij probeerde het af te doen met een grap.

''t Is me tenminste gelukt om dat ding aan te zetten. Daar zou Padge drie weken voor nodig hebben gehad.'

Maar Marshall hield de druk op de ketel en negeerde zijn grappen. Elaine ging naast Gillis zitten en hielp hem met elke stap. De sfeer was gespannen en onvriendelijk en na afloop, toen Marshall hen bedankt had voor hun tijd, had dat niet bepaald gemeend geklonken.

TWAALF

Op de laatste woensdag voor kerst, niet lang nadat hij daar thee had gedronken met Ruth, reed Martin opnieuw naar het Market Hotel, maar nu voor een diner, op uitnodiging van Nick Marshall. Marshall had het hem die ochtend plotseling gevraagd en Martin had nauwelijks tijd gehad om naar huis te fietsen, de inkt van zijn handen te wassen, zijn donkergrijze pak aan te trekken en terug te peddelen naar de stad. Nick was er al. Hij keek hoe Martin bij de garderobe uit zijn parka werd geholpen en stond zichzelf een vleugje medelijden toe. Martin was een fatsoenlijke kerel en kende zijn werk op zijn duimpje, maar hij was chronisch passief, onverbeterlijk vriendelijk, pijnlijk onbeholpen: een overbehulpzaam iemand die alle mogelijke moeite zou doen om iedereen te helpen behalve zichzelf. Het zout der aarde, zouden sommigen zeggen, maar Nick, die altijd goed op zijn gezondheid lette, wist dat te veel zout slecht voor je is.

Martin liep naar hem toe, streek met zijn ene hand zijn haar glad en trok met de andere aan zijn boordje. 'Sorry dat ik zo laat ben. 't Is hondeweer!'

'Je hebt je broekveren nog om.'

'Oh God!'

Martin bukte zich, keek om zich heen, deed zijn broekveren af en stopte ze in de zak van zijn jasje.

Hij lachte nerveus.

'Zullen we eerst een biertje nemen?' vroeg Martin, die zich herinnerde dat hij zich de laatste keer veel beter op zijn gemak had gevoeld in de bar.

'Nee, laten we maar naar binnen gaan,' zei Nick. ''t Tafeltje is gereed.'

Martin volgde hem gehoorzaam naar het restaurant. Niet voor het eerst vroeg hij zich af hoe Nick Marshall zo kon leven van het salaris van een postkantoormanager.

Ze gingen bij het raam zitten. Gordon Parrish spreidde behulpzaam en in het geval van Nick ook traag servetten uit over hun kruis.

Nick keek Martin aan. 'Je vraagt je waarschijnlijk af hoe ik zo kan leven van 't salaris van een postkantoormanager?' Hij knipoogde. 'Doe maar niet.'

Ze bestelden. Nick nam vis en Martin pastei met vlees en niertjes. Nick koos een fles witte wijn uit en wilde die per se zelf inschenken.

'Ik vind 't vreselijk als andere mensen bepalen hoe snel ik m'n wijn moet drinken, jij niet?'

Martin had altijd verondersteld dat het een soort natuurwet was dat de wijnkelner de wijn inschonk en dat vond de wijnkelner zelf blijkbaar ook, want hij was zwaar gepikeerd door zijn gedwongen werkeloosheid en bleef bij het buffet staan, waar hij nors flessen rechtzette.

'Ik vind kerst vreselijk,' zei Nick. 'Jij ook?'

Martin wist inmiddels dat dergelijke vragen niet zozeer een teken van belangstelling waren als wel een retorische springplank voor hetgeen Nick te zeggen had en zo reageerde hij er ook op.

'Ik hou wel van een dagje vrij,' zei Martin behoedzaam.

'Wat wou je gaan doen?'

'Ik denk dat ik uitslaap.' Martin haalde zijn schouders op. 'We gaan 's avonds meestal eten bij de familie Rudge.'

Nick trok zijn wenkbrauwen op. 'Kerstdiner bij de familie Rudge. Dat moet leuk zijn.'

'Frank heeft meestal 't hoogste woord. Verder krijgt niemand er een speld tussen.'

Nick nam een slok Saint-Véran en tuitte zijn lippen als een goudvis terwijl hij er lucht overheen liet gaan. Tot zijn opluchting merkte Martin dat hij er ook lelijk uit kon zien. Marshall slikte de wijn door, knikte en schonk twee glazen in.

'Proost!' zei hij. 'Op jou en Elaine.'

Martins wijn verdween in een of andere opening achter in zijn keel waarvan hij niet eens had geweten dat hij bestond. Hij hoestte en proestte hulpeloos en veegde zijn mond af met zijn servet. Nick Marshall keek naar hem zoals een vos naar een kip die een ei legt.

'Jullie zijn toch van plan om te trouwen?' vroeg Marshall.

Martin kon alleen een onduidelijk gegrom uitbrengen, maar dat was blijkbaar niet voldoende.

Nick boog zich voorover, alsof hij iets gemist had. 'Hmmm?'

'Als we daar allebei klaar voor zijn, misschien,' zei Martin onbehaaglijk.

'Je hebt waarschijnlijk eerst de kat uit de boom gekeken op 't postkantoor.'

Martin had opnieuw het gevoel dat het gesprek van de hak op de tak sprong.

Nick vervolgde gladjes: 'Ik begrijp 't heus wel, hoor. Je verwachtingspatroon en zo. Je haatte me waarschijnlijk toen ik de boel kwam overnemen.'

Martin lachte geforceerd.

'Dat klopt, hè?'

'Ik heb je nooit gehaat,' loog Martin. 'Ik was een tijdje van streek, dat wel. Als ik promotie had gemaakt, zou dat m'n leven hebben veranderd. Wat extra geld zou goed van pas zijn gekomen.'

Nick knikte. 'Maar je hebt je erbij neergelegd.'

'Wat moest ik anders?' zei Martin behoedzaam.

'Maar Elaine niet, hè?'

Martin reageerde lichtelijk geïrriteerd. 'Nou, zo te horen weet je er alles van, Nick.'

'Dat maakt ze maar al te duidelijk, Martin. En ik kan 't haar niet kwalijk nemen. Maar ik had liever dat ze me als een vriend beschouwde in plaats van een soort duivel. Ik kan 't juist voor iedereen heel prettig maken.'

Hij liet die laatste opmerking veelbetekenend zweven terwijl hun bestellingen arriveerden en er veel gekletterd werd met messen en vorken en borden en schalen. Verder werd niets van belang gezegd, tot Gordon Parrish ten slotte weer vertrok met zijn serveerwagentje. Nick had nauwelijks één hap tong genomen toen hij zich alweer voorover boog. 'Ik neem aan dat jij die hele discussie over privatisering ook gevolgd hebt...'

Martin, die trachtte een verdwaald stukje vlees dat per ongeluk tussen het kraakbeen verzeild was geraakt uit zijn pastei te peuteren, deed zijn best om zijn grote ongenoegen duidelijk te maken.

'Ik zie 't zo,' vervolgde Nick. 'De regering heeft besloten de boel te veranderen – 't gaat er nu alleen nog om hoe snel dat gebeurt. De Posterijen zijn nu nog een groot bedrijf, maar dat zullen ze niet blijven als ze elk jaar tweehonderd miljoen pond moeten terugbetalen aan de staat. Ik denk dat ze een soort compromis in elkaar flansen. Half geprivatiseerd en half overheidsbedrijf. Wat denk jij?'

Martin slikte moeizaam en keek op. 'Ik ben ertegen,' zei hij gedecideerd. 'Ik wil niet dat dadelijk een of andere Arabische miljonair de helft van de Britse Posterijen bezit.'

Nick legde zijn vork neer, alsof eten maar een vermoeiende afleiding was. Hij pakte zijn wijnglas en keek Martin aan. 'Als een Arabische miljonair de helft van de Britse Posterijen *wil* bezitten, zou dat dan niet gunstig zijn voor de werknemers?'

'Je maakt zeker een grapje? Om te beginnen zou 't dan niet Brits meer zijn.'

'Kijk 'ns naar alles wat nu al in Arabische handen is, Mart. Harrods. 't Dorchester Hotel. Veel Britser kun je niet worden.'

'Maar niet de Posterijen. Dat ligt anders.'

'Waarom? Waarom ligt dat anders? 't Levert ook bepaalde diensten. Harrods levert kaas en stoelen, 't Dorchester levert hotelkamers, 't postkantoor levert brieven, postzegels en rijbewijzen.'

Aan de andere kant van de zaal ving Martin een glimp op van Cuthbert Habershon, de notaris. Waarschijnlijk ging hij vandaag met pensioen. Hij en zijn vrienden zaten gezellig rond een tafeltje in de hoek en de champagne stond al koud. Martin betrapte zich erop dat hij jaloers was op hun ongedwongen vrolijkheid. Hij richtte zijn aandacht op Nick Marshall, die nog steeds doorpraatte. 'Als die privatiseringswet er eenmaal door is, kunnen postkantoren in principe nog veel meer dingen gaan verkopen.' Marshall zweeg even en woog het effect van zijn woorden. 'Waarom zouden ze geen verzekeringen verkopen en vakanties en goudvissen en...'

Martin kon niet direct antwoord geven. Er zat opnieuw een brokje vet vast in een gat in zijn bovenkies, dat pas in het nieuwe jaar gevuld zou worden. Hij peuterde er verwoed aan met zijn tong.

'Hmmm?'

Martin wist het vettige klompje naar de voorkant van zijn mond te verplaatsen. Hij boog zich over zijn bord en deponeerde het op de rand, naast verscheidene soortgenoten. 'Waarom?' vroeg hij uiteindelijk. 'Wat zou dat voor zin hebben?'

'Ze beschikken over een gegarandeerde, bestaande klantenkring waar elk ander bedrijf goudgeld voor zou geven. Ze vormen nu al de spil van veel kleinere financiële transacties. Ze zouden een enorme voorsprong hebben als 't om de verkoop van communicatie-apparatuur ging. Zaktelefoons, pc's, faxen.'

'Gaat dat niet een beetje ver?' protesteerde Martin.

Nick Marshall schudde krachtig zijn hoofd. ''t Probleem, Mart,' zei hij, 'is dat 't niet ver genoeg gaat.'

Nadat ze waren uitgegeten kwam snel de rekening, die Nick even snel weer terugstuurde, samen met zijn creditcard. Martin stak zijn hand in zijn binnenzak. 'Hoeveel ben ik je schuldig?'

''t Komt op m'n onkostennota, Mart.'

'Maar je werkt niet voor jezelf.'

'Nou, laat ik 't zo stellen,' zei Marshall mysterieus. 'Af en toe doe ik wel 'ns wat aan consultancy.'

'Bedankt,' zei Martin. 'Dat had echt niet gehoeven.'

'Nou, ik vind dat ik je veel verschuldigd ben, Mart. Een buitenstaander die een geliefde plaatselijke instantie overneemt. Dat was niet eenvoudig en ik heb 't niet altijd even goed gedaan. Vooral die toestand met John Parr. Dat heb ik verkeerd aangepakt.'

Martin speelde met zijn lege wijnglas. Het was nu zijn beurt om grootmoedig te zijn. 'Ach, iedereen maakt wel 'ns een fout.'

'Precies,' zei Nick. Hij bette de zijkant van zijn mond met het linnen servet, wreef in zijn handen en drukte ze tegen elkaar. 'Daarom zou ik graag willen dat jij 't aan Arthur Gillis vertelt.'

'Dat ik wat aan Arthur Gillis vertel?'

Nick legde zijn servet neer. Hij stopte zijn creditcard en de bon zorgvuldig in zijn portemonnee en keek op. 'Ik heb hem aanbevolen voor vervroegd pensioen. Ik denk niet dat 't hoofdkantoor zich daartegen zal verzetten.'

Hij klemde zijn lippen op elkaar. Martin bleef zitten en staarde hem aan.

Nick stond abrupt op. 'Zullen we gaan?'

Martin verroerde zich niet.

'Sorry, Mart, maar die man is een echte computeranalfabeet. Hij zou 't nooit redden.'

'Hij heeft nauwelijks een kans gehad.'

'Mart, sommige mensen leren 't langzaam en anderen leren 't

snel, maar sommigen leren 't nooit. Arthur Gillis leert 't nooit. Dat weet hij zelf ook. Hij krijgt een goede regeling aangeboden. Over vijf jaar zou hij sowieso met pensioen gaan.'

'Maar ik werk al tien jaar samen met Arthur. Iedereen kent hem.'

Deze keer deed Nick geen poging om zijn irritatie te verbergen. Hij voelde zich veel te opvallend zoals hij daar stond, terwijl Martin verbouwereerd naar hem omhoog staarde. Het was allemaal overbodig en overdreven dramatisch en elk moment kon zijn mond gaan opspelen. Hij legde zijn handen op tafel, boog zich voorover en zei kortaf: 'Hij verdwijnt heus niet van de aardbol, Mart. Iedereen kan hem nog steeds *kennen*. Hij hoeft alleen niet meer de hele dag achter een loket te zitten. Hij boft maar, zouden sommige mensen zeggen.'

Martin bleef koppig zitten. 'Nou, dan vertel je hem dat zelf maar.'

Marshall boog zich nog dichter naar hem toe. 'Hoor 'ns, Mart, je hebt me de mantel uitgeveegd om de manier waarop ik die toestand met Parr heb aangepakt en daar had je gelijk in. Ik had je moeten vertellen wat ik van plan was en 't door jou laten afhandelen. In dat soort dingen ben jij beter. Nou, deze keer zal ik niet dezelfde vergissing begaan.' Hij stak zijn hand in de binnenzak van zijn grijze flanellen pak en haalde er een envelop uit.

Martin wierp er een zijdelingse blik op. Hij zag de naam van Arthur Gillis op de voorkant staan, slikte moeizaam en keek op.

'En als ik weiger?'

'Dan plak ik er gewoon een postzegel op en krijgt hij 't op de gebruikelijke manier te horen.'

DERTIEN

Op de donderdagavond voor kerst zaten Arthur en Pat Gillis tv te kijken toen de bel ging. Pat Gillis keek haar man aan en wilde opstaan, maar hij wuifde haar weer terug. 'Laat ze eerst maar wat zingen. Jij springt altijd gelijk overeind. Laat ze maar wat zingen.'

Pat Gillis kneep in de zakdoek die ze in haar hand hield. Ze was een kleine, nerveuze vrouw uit Yorkshire, met donker haar met een scheiding in het midden en enigszins uitpuilende groene ogen. 'Ik vind 't maar niks als ze zo lang rondhangen. Ze zingen die kerstliedjes alleen om genoeg tijd te hebben om 't huis te bekijken.'

'Wie heeft je dat nou weer wijsgemaakt?'

'Dat weet iedereen. Eentje zingt en de rest kijkt door de ramen waar de video staat.'

'Nou, ze hebben nog niks gezongen en bovendien hebben we geen video.'

'We hadden de tv aan. Misschien hebben ze al gezongen, wie weet?'

Ze luisterden.

De bel ging opnieuw, twee opgewekte tonen, alsof hij een tekenfilmfiguur aankondigde.

'Misschien is 't iemand anders,' zei Pat. Ze stond op.

'Wie dan? 't Is al half negen.'

Buiten ging Martin onbehaaglijk van de ene voet op de andere staan. Hij hield niet van nieuwbouwwijken. Ze zagen eruit alsof ze waren opgetrokken uit een bouwpakket dat net was opengemaakt en lukraak was neergestrooid in wat ooit mooie velden en weiden waren geweest. De kleine straatjes hadden altijd van die afgezaagde nepnamen, zoals Lakeside Crescent en Farmview, hoewel de huizen alleen maar uitzicht hadden op andere huizen. Bovendien zag hij als een berg op tegen wat hij doen moest. Hij had na het werk eerst een pint gedronken in de King's Head en thuis een fors glas whisky, maar zijn mond was nog steeds droog en zijn buik vol vlinders. Voor de zoveelste keer controleerde hij of de envelop in de goede zak zat. Niet in die van zijn parka, die hij misschien zou ophangen, maar in zijn oude, bruine corduroy jasje en niet in de zij- maar de binnenzak. Er mocht niet te vroeg blijken dat hij die brief bij zich had. Als het tijd was om hem te overhandigen, moest dat zo snel en pijnloos mogelijk gebeuren.

Hij drukte voor de derde keer op de bel. Misschien waren ze niet thuis. Misschien had hij zich voor niets zo opgefokt. Hij schrok toen opeens het licht aanging in de hal en haalde diep adem. De deur, die nog op de ketting zat, ging voorzichtig een stukje open en mevrouw Gillis gluurde naar buiten.

'Ik ben 't, Pat. Martin Sproale.'

'Oh, Martin! Weet je wel hoe laat 't is?'

'Sorry. Ik heb overgewerkt... al die kerstdrukte en zo. Ik was net op weg naar huis.'

Er viel even een stilte en hij hoorde hoe de ketting werd weggeschoven.

'Nou, ik ben blij dat jij 't bent. Ik zat me allerlei vreselijke dingen te verbeelden.' Ze deed de deur open. 'Kom binnen, jongen.'

Ze drentelde om hem heen, bood hem thee en plakjes verse peperkoek aan en vertelde hem dat ze hun zoon misten, die als bouwvakker in Duitsland werkte en foto's en geld stuurde maar daar ging het niet om, ze zouden hem veel liever in levenden lijve zien.

Na een tijdje zei Martin dat hij Arthur moest spreken over een zakelijke kwestie. Ze excuseerde zich omdat ze zo had staan kletsen en nam de kopjes mee naar de keuken.

Arthur had de hele tijd nauwelijks een woord gezegd en toen zijn vrouw de deur achter zich dicht had gedaan en ze alleen waren, bracht hij Martin nog meer van zijn stuk door hem glimlachend aan te staren.

'Geen goed nieuws, hè?' zei hij.

Martin wendde zijn blik af. Hij fronste zijn wenkbrauwen en krabde op zijn hoofd.

'Hoe lang kennen we elkaar nu al, Martin?'

Martin voelde dat hij rood werd. 'Tien, twaalf jaar.'

'En hebben we ooit onenigheid gehad?'

'Niet dat ik me kan herinneren.'

'Laten we daar dan nu niet mee beginnen. Ik weet wat je komt zeggen. Dat stond al de hele dag op je gezicht te lezen. Ik ben niet stom en ik zie welke kant 't uitgaat met die Marshall. Hij is jong. Hij wil de wereld veranderen. Maar let op m'n woorden, Martin: zodra 't postkantoor eenmaal gerund wordt door computers en al die elektronische toestanden, wordt er niet meer gesproken over "loyaliteit" of "dienstverlening". Je doet mee of je ligt eruit. Nou, ik ben vijfenvijftig en voor mij maakt 't niet veel meer uit. Maar jij bent ook opgegroeid met loyaliteit en dienstverlening en jij zult 't missen, Martin. Dus maak je om mij maar geen zorgen. Maak je zorgen om jezelf.'

Martin was al halverwege Elmdene Way toen hij zich herinnerde dat hij die brief nog in zijn zak had. Miserabel fietste hij terug en deed hem stiekem in Arthurs brievenbus.

Het nieuws van Arthurs ontslag werd bekend op zaterdag, de dag voor kerst. Iedereen had tweeënhalve dag vrij voor de boeg en Nick Marshall was echt blij met die timing. Hij probeerde de klap te verzachten door aan te kondigen dat hij John Devereux, van het hoofdkantoor, had weten over te halen om de renovatie- en moderniseringsplannen voor North Square met een half jaar te vervroegen - in plaats van aan het eind van de zomer zouden ze nu vroeg in het nieuwe jaar worden uitgevoerd.

De traditionele uitwisseling van cadeautjes door het personeel vond in een merkwaardige sfeer van sombere vrolijkheid plaats. Dozen bonbons, stukken zeep, blikjes noten, boeken en flessen werden haastig doorgegeven, alsof alles klaar moest zijn voor de muziek ophield.

Martin keek hoe Arthur Gillis het cadeautje dat hij hem had gegeven uit het blauwe pakpapier haalde. Arthur glimlachte en Martin kon wel door de grond zakken.

Arthur hield de fles omhoog. 'Dat zal er best in gaan.'

Martin knikte, maar kon geen woord uitbrengen.

'We houden wel van een glaasje Bailey's.'

Martin zag alleen een gifbeker.

Om twee uur was iedereen vertrokken, behalve de manager en zijn assistent. Martin sloot de boel af en schakelde het alarm in. Hij hoorde Marshall fluiten terwijl hij de inventaris opmaakte. De kluisdeur sloeg dicht en toen Martin de laatste grendel voor de hoofdingang schoof, besefte hij dat Nick Marshall achter hem stond.

'Ik geloof dat ik iemands kerst bedorven heb.'

'*Ik* ben degene die hem bedorven heeft,' wees Martin hem verbitterd terecht.

Marshall schudde zijn hoofd. 'Nee, ik bedoelde Elaine. Ze heeft niet eens gedag gezegd.' Hij leek niet zozeer gekwetst als wel verbaasd.

Martin deed de deur op slot en stopte de zware sleutel in zijn zak. Marshall raapte wat papieren bij elkaar, pauzeerde even en bestudeerde er eentje.

'Wil je weten hoeveel we de afgelopen drie maanden aan personeelskosten hebben bespaard?' vroeg hij.

Martin schudde gedecideerd zijn hoofd. Dat was wel het laatste wat hij wilde weten.

'Vijfenveertighonderd pond. En weet je hoeveel we 't komende kwartaal zullen besparen? *Zes*enveertighonderd. Dat betekent dat dit filiaal de Posterijen in één jaar vierentwintigduizend pond bespaart. Daarom kon ik die renovatie ook met een half jaar vervroegd krijgen.'

Buiten op de achterplaats toeterde iemand. Marshall bukte zich en keek uit het raam. 'Oké, oké! Ik kom!' mompelde hij. Hij wendde zich weer tot Martin en klopte hem op zijn arm.

'Mart, ik weet dat 't moeilijk is geweest, maar wacht maar. Over een jaar herken je dit kantoor niet meer terug, dat beloof ik.'

Bij de deur naar de loketten zwaaide Nick, riep: 'Vrolijk kerstfeest!' en was weg.

Martin bleef met zijn rug naar de hoofdingang staan en keek om zich heen. Hij zag een vloer met gebarsten linoleum dat bij de loketten bijna versleten was en een massief houten balie, waarvan het ooit glanzende vernis was gekrast en afgesleten door boodschappenmandjes en buggy's en de hielen van ongeduldige kinderen. Hij zag het nieuwe, uit de toon vallende veiligheidsscherm dat oprees tot aan het plafond. Het frame van geanodiseerd aluminium glom en het veiligheidsglas fonkelde kaal, zonder de posters, stickers en waarschuwingen aan klanten om toch vooral hun wisselgeld te controleren waarmee het oude scherm bedekt was geweest, als een laag mos op een steen. Hij zag de houten schrijftafel die over de volle lengte van de muur liep, met blauwe plastic doosjes waaruit stapels formulieren puilden en balpennen die met kettinkjes aan de wand vastzaten.

Boven die plank zag hij de houten kalenderkast die Padge elke ochtend persoonlijk had bijgesteld, met behulp van de stevige ronde knoppen die uit de zijkant staken en waarmee je de datum, dag en maand kon veranderen. Hij zag de elektrische Newmark-wandklok, die zo lang als Martin zich kon herinneren het begin en einde van hun koffie- en lunchpauzes had bepaald. Hij rook de vertrouwde, geruststellende geur van inkt en oud geld. Hij zette de hoofdschakelaar van het alarm om, deed de deur naast de loketten op slot en deed het licht uit.

Martin was eerst van plan geweest om meteen naar huis te gaan, maar in een opwelling sloeg hij op North Square rechtsaf en fietste in de wintersc schemering High Street uit, waar de etalages al verlicht waren en nog één keer wanhopig pronkten met hun waren voor het Kerstmis was. Hij reed in de richting van de zee, want hij kon Elaine doelbewust over de met kiezels bezaaide boulevard zien marcheren. Er rende een hond voor haar uit die af en toe blafte en wiens ogen smekend heen en weer schoten tussen haar gezicht en de al aardig opgekauwde tennisbal in haar hand. Martin stapte af en liep met zijn fiets aan de hand het steile pad af.

'Elaine!' riep hij en ze keek geschrokken om. De hond zag Martin ook en sprintte met een hoog, vreugdevol geblaf naar hem toe.

'Hallo, Scruff, ouwe jongen.' Martin streelde de oren van de hond en deed zijn best om zijn neus uit zijn kruis te houden.

'Scruff!' gilde Elaine. 'Hier!'

De hond draaide zich om en ze smeet de tennisbal richting zee.

Hij sprintte over het strand, blafte iedere keer dat de bal stuitte en slipte in het zand.

'Zo zo,' zei Elaine, die na korte blik op Martin weer verder liep. 'Alle hondjes worden vandaag uitgelaten. Zelfs dat van meneer Marshall.'

Martin volgde haar terwijl Scruff terug kwam rennen. 'Ik wilde 't uitleggen,' zei hij.

Scruff bleef hijgend staan en zijn staart bonkte tegen Martins been.

'Doe geen moeite,' zei Elaine, die zich bukte om de bal uit zijn kwijlende bek te wrikken. ''t Is zo klaar als een klontje.' Ze smeet de bal opnieuw weg. 'Marshall gooit de bal en jij apporteert.'

'Ik heb alleen gedaan wat me fatsoenlijk leek, door Arthur te waarschuwen voor wat hem te wachten stond.'

Elaine slaakte een kreet van protest. 'Martin, als je je zo nodig fatsoenlijk had willen gedragen, had je moeten voorkomen dat die smeerlap een prima collega ontsloeg.'

'Vervroegd pensioen. Meer is 't eigenlijk niet. 't Is heus niet 't einde van de wereld.'

'Martin, niemand heeft aan Arthur gevraagd of hij met vervroegd pensioen wilde. Hij had weinig keus, nietwaar? Wilde *hij* dat ook? En Pat? Heeft iemand 't eerst aan *hen* gevraagd?'

Ze draaide zich om en liep verder. Martin ontweek een keurige spiraal van een hondedrol en liep met zijn fiets aan de hand achter haar aan. 'Hoor 'ns, 't is stom om zo lang boos te blijven.'

Scruff kwam weer terugracen en Martin deed een stapje achteruit om niet natgespet te worden terwijl hij zich uitschudde. Elaine keerde zich om en haar ogen schoten vuur. ''t Enige stomme dat ik ooit heb gedaan is verliefd worden op jou. Ik moet niet goed bij m'n hoofd zijn geweest!'

Scruff liet de bal vallen en blafte, opgetogen door al dat geschreeuw. Martin bleef staan. Het leek zinloos om achter haar aan te blijven sjokken. 'Hoor 'ns,' riep hij, 'ik zie je wel op eerste kerstdag. Laten we er dan nog 'ns over praten. Als we allebei wat... kalmer zijn.'

Elaine draaide zich opnieuw om en schudde haar hoofd. 'Vergeet 't maar,' zei ze.

'Vergeet wat maar?'

'Je zult mij niet zien op eerste kerstdag. Dat heeft geen zin meer, Martin. Ik...' Het scheen haar moeite te kosten om de juiste woorden te vinden. 'Ik vertrouw je niet meer.'

'Wat?'

'Runnen jij en 't Wonderkind 't postkantoor maar lekker zoals jullie willen. Ik strijk braaf m'n salaris op zolang dat nog mag en beloof me verder nergens mee te bemoeien. Veel geluk en 't beste.' Ze voelde tranen prikken en deed haar uiterste best om die in bedwang te houden. 'Je bent niet meer gewenst, Martin. Je bent overbodig. Je mag met vervroegd pensioen. Je past niet in m'n plannen.'

Toen kwamen de tranen toch en was ze boos op zichzelf. Ze draaide zich snel om en liep in de richting van het pad door de duinen.

Scruff legde de bal aan Martins voeten in plaats van de hare en staarde hem smekend aan.

VEERTIEN

Toen Martin bij Marsh Cottage arriveerde, was het bijna donker. Hij wilde net door het tuinpoortje naar binnen rijden toen het licht van zijn koplamp op een slecht geparkeerde gele Datsun viel, die de doorgang blokkeerde. Hij stapte af en wurmde zijn fiets langs de auto. Waarschijnlijk was er iemand op bezoek bij zijn moeder. Sommige vrouwen uit Theston parkeerden als schoolkinderen. Ze smeten hun auto maar ergens neer. Om die onbekende bezoekster niet tegen het lijf te hoeven lopen ging hij via de keukendeur naar binnen, maar dat werkte niet. Zijn moeder zat in de keuken, tegenover een bezoekster die hij herkende. Daar aan de keukentafel, met haar handen om een grote witte koffiebeker, zat Ruth Kohler.

Martin was zich er plotseling van bewust dat hij zweterig en verwaaid was en een loopneus had. Hij haalde zijn neus op en deed de deur open.

'Goedenavond,' zei hij formeel en legde zijn aktentas op een stoel.

'Je ziet er uitgeput uit,' zei zijn moeder.

''t Motregent alleen een beetje. 't Is niet koud.'

'Deze jongedame -'

'Ruth,' zei Ruth opnieuw.

'Ruth en ik drinken net een kopje koffie. Wil jij ook?'

Martin knikte en ritste zijn parka open. Ruth leek op haar plaats, daar in de keuken. Dat verbaasde hem. Ze had een sigaret in haar hand en zijn moeder had ergens een asbak opgescharreld, met 'Souvenir uit het Vaticaan' op de rand. Die had ze ooit van een vriendin gekregen.

'Ik dacht niet dat je wist waar ik woonde,' zei hij, terwijl hij het achterportaal in stapte om zijn spullen op te hangen.

Ruth kuchte even en sloeg as af. 'Dat heb ik van de meest discrete man ter wereld gehoord, maar pas nadat ik hem bedreigd had.'

Martin bukte zich, deed zijn broekveren af en stopte die in de zak van zijn parka. 'Ik kan je niet helemaal volgen.'

'Onze gemeenschappelijke vriend in het boekenvak. Meneer Julian.'

'Ja, natuurlijk.' Martin liep naar de gootsteen en hield zijn handen onder de warme kraan. Hij zag zijn verfomfaaide, rossige haar in de spiegel en wenste dat hij tijd had gehad om het te kammen.

'Ik moet weer 'ns bij hem langs. Hij heeft een paar tijdschriften voor me.'

Ruth blies twee lange, smalle rookwolken uit. 'Niet meer, ben ik bang.'

Martin pakte de handdoek. 'Zijn ze verkocht?'

Ruth knikte en Martin grimaste even. 'Nou ja, zo gaat 't,' zei hij en droogde vlug zijn handen af.

''t Is mijn schuld,' zei Ruth.

Martin keek om. 'Jouw schuld?'

'Ik heb ze gekocht. Pas nadat ik betaald had zei hij dat hij 't eigenlijk jammer vond om ze te verkopen, maar dat hij ze al een paar maanden had vastgehouden. Ik vond dat ik dat even moest komen uitleggen.'

Martin glimlachte wrang. 'Ik had ze toch niet kunnen betalen.'

Ruth bukte zich en pakte een in kerstpapier gewikkeld en met zilveren linten versierd pakje dat naast haar stoel lag. Ze schoof het naar hem toe. 'Misschien maakt dit 't een beetje goed.'

Kathleen Sproale schonk heet water op de oploskoffie. 'Hij heeft al meer dan genoeg rommel,' zei ze sussend. Ze keek Ruth aan. 'Hij heeft boven z'n eigen boekwinkel en ik moet 't allemaal schoonmaken.'

'Helemaal niet,' antwoordde Martin. 'Je maakt m'n kamer schoon omdat je dan lekker kunt rondneuzen.'

Het was Ruths beurt om de boel te sussen. 'Ik ben dol op boeken. Zou ik je kamer mogen zien?'

Martin streek zijn haar zo goed mogelijk glad, wierp een felle blik op zijn moeder en schraapte zijn keel. 'Natuurlijk mag je hem zien, als je dat wilt.'

Martin ging Ruth voor naar boven. Ze staken de overloop over en hij duwde de deur open. Ze stapte naar binnen en keek, eerst nogal verlegen, om zich heen. Af en toe schudde ze haar hoofd of slaakte een kreet. Ze keek aandachtig en vol verwondering naar zijn eerste drukken en vroeg of ze ze uit de kast mocht halen. Ze liet haar handen over de Corona gaan en staarde aandachtig naar de foto's die hij aan de wand had geplakt. Ze negeerde de hoeden die achter de deur hingen en was slechts matig geïnteresseerd in de stootzak, het kapmes (mogelijk Cubaans) of het stieregevechtaffiche. Ze trok een gezicht bij het zien van de koedoehoorns en schudde haar hoofd om de koppel van de *Wehrmacht*.

Toen viel haar oog op de medicijnkast. Ze vroeg hoe hij daaraan kwam en hij vertelde dat hij uit een ziekenhuis in Milaan afkomstig was en hetzelfde model was en uit dezelfde tijd dateerde als de medicijnkast in het Amerikaanse Rode-Kruishospitaal waar de negentienjarige Hemingway verliefd werd op zijn verpleegster, Agnes Von Kurowsky.

Ze floot toen ze dat hoorde en vroeg of er nog steeds verband uit die tijd en tachtig jaar oude jodium inzat. Voor hij haar kon tegenhouden had ze de geëmailleerde sluiting opengemaakt. Het deurtje zwaaide open en ze deed zichtbaar onder de indruk een stap achteruit. 'Dat is echt een fantastische bar.'

In het kastje stonden meer dan twee dozijn flessen op elkaar gepropt, sommige met oude, vale, onbekende etiketten.

'Al z'n lievelingsdrankjes,' zei Martin schaapachtig. 'Die heb ik in de loop der jaren verzameld. Alles behalve appelbrandewijn. Ze beloven bij de slijter in Theston steeds dat ze dat voor me zullen bestellen, maar ze weten niet of 't nog wel gemaakt wordt. Oh ja, en absint. Dat is ook nogal lastig. In de meeste landen is 't verboden.'

'Ik zie ook geen Bollinger Brut uit 1915.'

Martin pakte die verwijzing gretig op. 'Zoals Marita kocht voor David Bourne.'

Ze knikte en glimlachte. 'Precies. *The Garden of Eden.* Z'n enige roman die ik nog kan lezen.'

Dat negeerde Martin. 'Ik koop alleen z'n non-fictiedrankjes,' legde hij uit, terwijl hij het deurtje weer dichtdeed.

'Hemingway heeft niet veel non-fictie geschreven,' zei Ruth glimlachend. 'Behalve in z'n romans.'

Martin keek enigszins onbehaaglijk.

'Krijg ik geen kerstborrel aangeboden?' vroeg ze, wijzend op de medicijnkast.

'Als je alleen jodium hebt sla ik over, maar tegen iets anders zeg ik geen nee.'

Ze keek geamuseerd toe hoe hij op zijn knieën ging zitten en zorgvuldig de rijen met flessen afzocht.

'Vind je 't erg als ik rook?'

'Ga je gang,' riep hij met zijn hoofd half in het kastje. Na lang zoeken haalde hij helemaal achter uit de kast een fles te voorschijn, die hij haar liet zien.

'Grappa,' zei ze goedkeurend.

'Dit is Nardini, maar je hebt een heleboel soorten,' zei hij.

'Zo zo,' zei Ruth. 'Hij heeft 't er vaak over, maar ik heb nooit geweten wat 't nou precies is.'

Martin keek verheugd, knikte, schonk een glaasje in en gaf dat aan haar. 'Ze noemen 't armeluiscognac. 't Wordt gestookt van alles wat de wijnmakers weggooien. Velletjes, pitten, steeltjes, ze gebruiken 't allemaal. Ga zitten, als je een plaatsje kunt vinden.'

Ruth ging op de rand van het bed zitten. Ze wachtte tot hij zelf ook een grappa had ingeschonken en hief toen haar glas.

'*Salute*,' zei ze.

'*Salute*,' antwoordde Martin iets minder zelfverzekerd.

Ze nam een slokje, proefde de droge, vurige smaak en trok een gezicht. 'Allemachtig, dat doet echt zeer!' Haar ogen traanden en ze grijnsde pijnlijk.

'Vind je 't lekker?'

Ze schudde haar hoofd. 'Ietsje te sterk voor mij.'

'Je went er wel aan. Hemingway was er dol op.'

Ze knikte en hield het glas gemaakt plechtig omhoog. 'Bewijsstuk A,' zei ze.

'Bewijsstuk A?'

Ze wierp een blik op de grote foto.

'Hier is hij aan doodgegaan.'

Martin schudde krachtig zijn hoofd. 'Hij heeft zelfmoord gepleegd omdat hij niet meer kon schrijven.'

'Maar waarom kon hij niet meer schrijven? Omdat z'n lever naar de filistijnen was en z'n bloeddruk torenhoog en hij te dik en ziek was. Je wilt toch niet zeggen dat dat niet door de drank kwam?' Ruth nam nog een klein slokje grappa. Deze keer proefde ze de droge, houtachtige smaak en vond het nog steeds sterk, maar lekkerder.

'Ernest Hemingway, Martin, is een klassiek voorbeeld van een alcoholist.'

Martin was gepikeerd. 'Hij had gemakkelijk kunnen stoppen met drinken, maar hij vond 't gewoon lekker. En bovendien was hij nooit dronken. Stomdronken, bedoel ik. Nooit ladderzat.'

'Ik ga zo thee zetten,' riep Kathleen onder aan de trap. 'Wil jij ook een kopje, Ruth?'

Ruth keek op haar horloge en zette haar glas neer. 'Nee, dank u,' riep ze terug. 'Ik moet weer 'ns gaan,' zei ze tegen Martin.

'Je hoeft je voor mij niet te haasten. Ik vind 't prettig om over hem te praten.'

Ruth lachte en stond op. Ze streek de kreukels in haar fraaie zwarte broek glad en Martin zag dat haar benen lang en slank waren.

'Nou, ik ben de afgelopen drie maanden aan één stuk door bezig geweest met 't ontrafelen van z'n liefdeleven en ik heb dringend behoefte aan een onderbreking.'

Martin stak de fles uit. 'Nog één afzakkertje?'

'Nee, dank je, Martin. Echt niet.' Ze hield haar hand over haar glas. ''t Is prima zo.'

Martin schonk zichzelf nog een borrel in en proostte opnieuw. '*Salud.*'

Zij hief haar glas ook en lachte. '*Skol.*'

Martin dronk het grootste gedeelte van zijn grappa in één keer op. 'Ben je alleen met kerst, Ruth?' hoorde hij zich tot zijn eigen verbazing vragen.

Ruth schudde nadrukkelijk haar hoofd. 'Nee, ik moet naar Oxford. Ik moet veel dingen opzoeken in de Bodleian Library en dat combineer ik met een bezoek aan vrienden. En jij?'

Martin trok zich terug. Speelde op veilig. 'Nou, we gaan meestal naar de Rudges.'

'Dat lijkt me leuk. Ik benijd je.'

Nadat Ruth was vertrokken, ging Martin aan de keukentafel zitten en bestudeerde het pakje dat ze hem had gegeven. Na een tijdje kon hij zijn nieuwsgierigheid niet langer bedwingen. Hij trok aan het zilveren lint, haalde zijn vinger onder de omgeslagen uiteinden van het pakpapier door en vouwde het open. Het pakje bevatte een kaart, met voorop Robert Capa's foto van Hemingway, zijn zoon Gregory en twee geweren, die tegen een boomstam leunden in Sun Valley, Idaho. Achterop stond: 'Van Ruth Kohler en de Bewonderaars van Ernest. Vrolijk kerstfeest.'

Onder de kaart lag een exemplaar van de *Toronto Daily Star* van 27 januari 1923 en daaronder het allereerste nummer van *Esquire* dat ooit was verschenen.

Terwijl Martin zijn pakje openmaakte, reed Ruth over een smal weggetje dat tussen drassige, geploegde velden doorliep. Ze vroeg zich af of hij het al had opengemaakt en waarom ze die leugen over met kerst naar vrienden gaan had verteld.

Ze draaide het raampje open. Het was warm in de auto en de oostenwind rook muf.

VIJFTIEN

Het was begin januari en buiten was het ijzig koud. Binnen in het postkantoor maakte Harold Meredith zich echter druk om meer dan alleen de temperatuur.

'Wat mankeert hieraan?'

'Er mankeert niets aan, meneer Meredith,' zei Martin.

'Waarom gaan jullie dan –' Hij tikte op het veiligheidsglas. 'Kun je me horen?'

'Ja, ik hoor u.'

'Waarom gaan jullie dan sluiten?'

'We sluiten niet, we nemen alleen onze intrek in een ander deel van het gebouw terwijl deze ruimte gerenoveerd wordt. De volgende keer dat u hier komt, zal alles totaal anders zijn.'

Harold Meredith keek hem wantrouwig aan. 'Wat wordt dit dan?'

''t Blijft een postkantoor, maar veel comfortabeler en gebruiksvriendelijker.'

'Ik vind 't nu al gebruiksvriendelijk zat, als dat rotding er tenminste niet was.'

'Welk ding?'

'Dat.' Hij pookte met zijn magere vinger naar de schuifla naast het loket. 'Die amputeermachine. Die zou ik er eerst 'ns uit slopen.'

'Die is er om veiligheidsredenen, meneer Meredith,' zei Martin vermoeid. 'Dat weet u best.'

'Als je 't mij vraagt wordt 't hele land tegenwoordig geregeerd door criminelen,' vervolgde meneer Meredith. 'Net als met die kaart die ik heb gekregen voor m'n elektriciteitsmeter. Waarom kun je er niet gewoon een munt instoppen? Nee, zeggen ze, dit is veel veiliger. Nou, zei ik, ik heb anders wel drie potten met tien-pencestukken. Wat moet ik daar dan mee? Geef maar aan ons, zeiden ze, dan krijgt u een voorschot. Blijf met je fikken van m'n muntjes af, zei ik.'

'Dat is 't elektriciteitsbedrijf, meneer Meredith. Dat moet u met hen opnemen.'

Pamela Harvey-Wardrell, die in een lange wollen winterjas, leren knielaarzen en een zwarte astrakan muts was gehuld en eruitzag als een of andere legendarische kozakkenleider, staarde van drie passen afstand woedend naar Harold Merediths achterhoofd en schraapte haar keel. Zonder om te kijken zuchtte meneer Meredith, pakte zijn pet en handschoenen, haakte zijn wandelstok van de balie en liep langzaam naar de schrijftafel.

Mevrouw Harvey-Wardrell nam haar plek in aan het loket en gaf Martin de benodigde papieren voor een nieuw deel drie. 'Ik snap niet waarom elk postkantoor tegenwoordig een soort vesting moet zijn, Martin. Ik bedoel, neem Frankrijk nou - ken je Frankrijk een beetje?'

Martin schudde zijn hoofd. 'Ik heb ook 't formulier van de APK-keuring nodig,' zei hij.

Mevrouw Harvey-Wardrell rommelde in haar tas. 'We zijn allebei dol op de Ardèche en wippen vaak even over als Perry vrij kan krijgen in de City. De postkantoortjes zijn daar allemaal uitstekend. Katten op de balie, heerlijke etensgeuren uit 't achterkamertje, waar de *ragoût* staat te pruttelen voor 't middageten. Alles even ontspannen.'

Een klein, schichtig mannetje in een strak bruin pak dat Martin nog nooit eerder had gezien, liep gedecideerd naar het loket. 'Neem me niet kwalijk -'

Mevrouw Harvey-Wardrell keek omlaag. 'Neemt u *mij* niet kwalijk!'

De man richtte zich tot Martin. 'Ik zoek -' maar verder kwam hij niet.

'Het kan me niet schelen wat u zoekt. Het is werkelijk het toppunt van onbeschoftheid om een privé-transactie te storen.'

'Kunnen we alsjeblieft een beetje opschieten?' suggereerde een steeds agressiever wordende moeder met baby, die al bijna twintig minuten in de rij stond.

Mevrouw Harvey-Wardrell draaide zich om om die nieuwe bedreiging het hoofd te bieden en het schichtige mannetje greep zijn kans. Hij boog zich naar Martin toe. Hij had diepliggende ogen en een smal, mager gezicht. 'Ik zou graag meneer Marshall willen spreken.'

Voor Martin iets kon zeggen verscheen Nick Marshall achter hem. Hij leek niet erg blij met het bezoek, maar loodste het mannetje toch snel naar de deur naast de balie.

Martin controleerde het keuringsformulier en de verzekeringspapieren en schreef het kenteken van mevrouw Harvey-Wardells negen jaar oude Daimler op het nieuwe deel drie.

Ze liet haar blik bezitterig door het kantoor gaan. 'En wanneer moet die grootse verbouwing plaatsvinden?'

'Eind januari.'

'Ik kan gewoon niet wachten.'

'Dat moeten wij anders wel,' mompelde de steeds opstandiger wordende moeder met baby.

Mevrouw Harvey-Wardrell verkoos dat te negeren.

Elaine zat al in de kantine toen Martin binnenkwam. Hij pakte zijn plastic boterhammendoosje van de plank, wrikte het deksel eraf en haalde er een in folie gewikkeld pakje uit, dat tussen een appel en een overrijpe tomaat was ingeklemd.

Elaine las een tijdschrift en zette om de zoveel tijd een kruisje met een balpen. Haar brede, krachtige gezicht vertoonde een ingespannen frons.

Sinds die dag aan zee was Martin niet meer met haar alleen geweest. Ondanks haar woorden had hij toch half en half verwacht dat Elaine zou bellen en de uitnodiging om met kerst langs te komen in ere zou herstellen, maar dat had ze niet gedaan. Voor het eerst sinds vele jaren hadden Martin en zijn moeder de kerst samen doorgebracht, in Marsh Cottage. Ze hadden een kip uit de diepvries gehaald.

Uit Echo Passage klonk gierend gelach op. Schoolkinderen gebruikten dat steegje vaak om een stuk af te snijden als ze naar de stad gingen. Martin verwijderde voorzichtig de folie en onthulde een vormeloos kadetje. 'En, hoe is 't met je?' vroeg hij, met weinig overtuigende nonchalance.

'Prima.'

Hij knikte naar het tijdschrift. 'Quiz?'

''t Doodt de tijd.'

'Je moet zo langzamerhand elk denkbaar antwoord weten.'

Na zijn kadetje grondig te hebben bestudeerd, op zoek naar het optimale aanvalspunt, zette hij zijn tanden voorzichtig in de combinatie van ham en cheddar, voorspelbaar maar geruststellend.

Elaine legde haar balpen neer en wreef in haar ogen.

'Wat gebeurt er allemaal, Martin?'

'Hmmm?' gromde Martin, met zijn mond vol.

'Ik wou dat je 't me vertelde. Ik wou gewoon dat je 't me vertelde.'

'Wat moet ik je vertellen?'

'Nou, wat er hier allemaal aan de hand is. Waarschijnlijk hoor ik ondertussen gewend te zijn aan 't feit dat m'n collega's zijn ontslagen en word ik nu geacht een vreugdedansje te maken omdat de boel gemoderniseerd wordt.'

'Hoor 'ns, Elaine...'

'Kom alsjebieft niet aan met dat "hoor 'ns, Elaine". Ik ben niet zo'n stomme parttimer die je net zo makkelijk ontslaat als aanneemt en die 's avonds door Marshall gewipt wordt. Ik werk bij de Posterijen, ik heb een vaste aanstelling en zes jaar ervaring en ik verwacht dat ik te horen krijg wat zich op dit kantoor afspeelt!'

'Wie wipt hij 's avonds?' vroeg Martin oprecht verbijsterd.

'Godallemachtig! En ik dacht dat *ik* van niks wist. Geraldine, natuurlijk. Dat is zo duidelijk als wat. Ze haalt hem op na 't werk, weet je.'

'Nou, ik wist niet dat ze –'

'Wil je zeggen dat hij je niet alles vertelt tijdens jullie copieuze maaltijden in 't Market Hotel?'

Martin voelde zich gegriefd. 'We praten alleen over 't werk.'

'Echt?'

Dat was bijna waar. 'Ja, zo'n beetje wel.'

Elaine keek hem aan en stak haar kin uit. 'Nou, ik wou dat hij mij ook 'ns uitnodigde. Misschien kwam ik dan ook wat te weten.'

Martin probeerde zonder succes de stroom van kruimels op te vangen die neerregende toen hij een hap nam. 'Hij heeft al vóór kerst gezegd dat de boel gerenoveerd zou worden.'

'Net zoals hij ons verteld heeft dat Arthur Gillis was ontslagen.' Elaine pakte een blikje sinas waar al een rietje uit stak, maar zette het toen weer neer. 'Alleen vertellen is niet voldoende, Martin. Padge zou ons bij elkaar hebben geroepen en hebben uitgelegd wat er stond te gebeuren. Hij zou ons als gelijken hebben behandeld. Hij zou ons gevraagd hebben wat we wilden en niet gewoon hebben meegedeeld wat ons te wachten stond. Snap je dat dan niet?'

'Padge hoefde nooit iets uit te leggen omdat hij nooit iets deed.'

'Nou, ik begin ervan overtuigd te raken dat dat beter was,' zei ze.

Elaine zoog nijdig aan haar rietje tot er nog slechts een droog gegorgel weerklonk.

'Ik zal hem wel in de gaten houden,' zei Martin. 'Ik zal zeggen dat hij mensen eerder moet laten weten wat hij van plan is. 't Probleem is dat hij 't altijd zo druk heeft. Hij heeft constant vergaderingen, om te proberen meer klanten te werven. Hij praat steeds met mensen.'

'Zoals Joe Crispin?'

'Wie is Joe Crispin?'

'Dat kleine mannetje, met een gezicht als een wezel. Hij vroeg vanochtend naar Marshall.'

'Oh, die. Ik mocht hem niet zo.'

'Niemand mag hem. Hij is aannemer, hij bouwt rotzooi en hij is een oplichter en toen ik hier binnenkwam om koffie te drinken, zag ik nog net dat Marshall hem hartelijk een hand gaf, alsof hij net had afgesproken om met z'n dochter te trouwen. En nu we 't daar toch over hebben -' Verder kwam ze niet, want de deur naar het kantoor ging open en Geraldine kwam binnen. Ze wierp hen een snelle, professionele glimlach toe, zoals een verpleegster tegen een echtpaar dat uiteindelijk toch het slechte nieuws zal moeten horen.

'Martin, er is iemand voor je.'

Hij trok een gezicht. 'Ik zit net te eten.'

'Heb ik ook gezegd, maar ze houdt vol. Ze zegt -' Geraldine deed alsof ze een trek van een sigaret nam en imiteerde een vertrouwd, lijzig accent, '- dat jullie twee elkaar *kennen*.'

'Is 't een Amerikaanse?' vroeg Martin.

Geraldine sloeg haar ogen ten hemel. 'Nee, een Spaanse. Nou goed?'

Martin wierp een zijdelingse blik op Elaine en schraapte op hopelijk zakelijke toon zijn keel.

'Ik kom eraan,' zei hij en legde de rest van zijn broodje ham en kaas neer. Geraldine hield de deur voor hem open. Martin ging het kantoor binnen en bekeek de klanten van achter het veiligheidsglas. Geraldine wierp Elaine een brede glimlach toe, knipte met haar vingers, fluisterde '*Hasta la vista*' en volgde Martin. De zware deur viel achter hen dicht.

Ruth Kohler stond aan het uiteinde van de balie, naast de weegschaal voor postpakketten. Ze zwaaide naar Martin en riep zijn naam. Terwijl hij achter de loketten naar haar toe liep, keek hij ongerust naar de mensen die in de rij stonden. Niemand toonde veel belangstelling, behalve de vrouw van de nieuwe notaris. Ze heette Bridget Moss en had dat gretig aan iedereen op het postkantoor verteld. Ze was intelligent, alert en vriendelijk op een beroepsmatige manier, maar minstens vijftien jaar jonger dan haar man, Eric.

Ruth maakte een opgewonden indruk. 'Mag ik achter de balie komen?'

Martin schudde zijn hoofd. 'Dat is niet toegestaan.'

'Mag jij hierheen komen?'

Martin keek nogmaals om zich heen. Bridget Moss glimlachte monter. Hij kende dat soort glimlachjes. 'Niets ontgaat me,' betekenden die. Ruth begon te lachen. 'Mijn God, 't is net de dierentuin!'

Nu keken ook andere mensen om. Hoe meer ze probeerde zich in toom te houden, hoe erger Ruth de slappe lach kreeg. 'En ik heb je gestoord tijdens 't voederen!'

'Ik kom wel naar jouw kant,' zei Martin streng.

Hij zocht de sleutel op en deed de deur naast de loketten open. Ruth had zich weer een beetje in bedwang, maar vormde nog steeds het middelpunt van de belangstelling.

''t Spijt me, 't spijt me.' Ze snoot haar neus in een verfomfaaid tissue.

Hij volgde haar blik, die op zijn broekband was gericht. Op de een of andere manier was daar een plakje kaas blijven hangen. Hij veegde het snel af en vroeg op gedempte toon: 'Waarmee kan ik u van dienst zijn?' Hij deed zijn best om als een bankdirecteur te klinken.

''t Is andersom, Martin. Misschien kan ik jou ergens mee van dienst zijn,' zei Ruth, heel wat luider dan Martin prettig vond. Een stuk of zes mensen stonden aan de grote schrijftafel formulieren in te vullen of zegels te plakken. Ruth wurmde zich daartussen en wenkte Martin, die nerveus aan zijn stropdas trok. Hij voelde zich erg opvallend, zo in het publieke gedeelte van het postkantoor. Net als een treinmachinist die plotseling tussen de passagiers ging zitten. Ruth trok zich daar echter niets van aan en pakte een grote, bruine envelop uit haar tas, waar ze voorzichtig een zwart-witfoto uithaalde. Ze legde hem op een van de vloeibladen die door de klanten werden gebruikt. 'Zie je dat?'

Martin staarde naar de foto, een opname van een of andere opslagruimte of werkplaats. Her en der stonden diverse meubelstukken. 'Waar moet ik precies naar kijken?'

Ruth wees op het midden van de foto. 'Daar, tegen de muur.'

Zijn blik viel op een stevige, houten stoel met armleuningen die wel iets weghad van een tuinstoel. De zitting van latten was bevestigd op een robuust houten onderstel, met aan weerszijden drie verticale steunen waarop een brede armleuning rustte. De rugleuning was een simpele, licht achterover gebogen constructie van twee verticale en vier gebogen horizontale latten. Aan de stoel waren leren riempjes en een brede voetplank bevestigd, maar het opmerkelijkst was dat de stoel maar één poot had, die in het midden zat. Hij scheen van metaal te zijn, had de vorm en dikte van een stuk steigerpijp en stak zo'n zestig centimeter onder de zitting uit. Het ding leunde onhandig tegen de muur en maakte een pathetische indruk, zoals de krukken van Tiny Tim op het kerstfeest van de Cratchits.

Ruth gebaarde naar de foto. 'Geïnteresseerd?'

Martin had meer aandacht voor het snel volstromende postkantoor. 'Hoor 'ns, misschien kan ik beter een andere keer kijken.'

Ruth negeerde hem en stak haar hand opnieuw in de envelop. Ze wachtte even, als een goochelaar op een kinderfeestje.

'Hier heb je hem nog een keer.'

Deze keer haalde ze een grotere foto te voorschijn. Hij was in kleur, uit een tijdschrift geknipt en op de voorgrond was opnieuw die stoel met die ene poot te zien. Deze keer was de poot echter stevig vastgeschroefd op het dek van een schip dat stampte in een wilde zee vol hoge, marineblauwe golven en wazig wit schuim. Een onmiskenbare gedaante – met brede schouders, een witte tennispet, een bruin katoenen jasje en een hengel in zijn handen, zat met zijn rug naar de camera in de stoel.

'Hemingway,' fluisterde Martin.

Ruth knikte en glimlachte met een vleugje trots. Ze hield de zwart-witfoto ernaast en draaide hem om. 'Snap je nu waar je naar kijkt?' zei ze.

Achterop de zwart-witfoto zat een etiketje, waarop met de grote, vette, min of meer sierlijke letters van een oude schrijfmachine een beschrijving was getypt. 'Visstoel zoals gebruikt door Ernest Hemingway, Cabo Blanco, Peru, april 1956, tijdens opnames voor de verfilming van *The Old Man and the Sea*.'

Martin staarde naar de foto's en voelde zich merkwaardig nerveus. 'Waar is die stoel?' vroeg hij aan Ruth.

'In Londen.'

Martin keek van Ruth naar de foto en likte langs zijn lippen.

'Als je wilt, is-ie van jou,' zei ze.

'Van mij?' vroeg hij hees.

'Er is één probleem. Hij kost zevenhonderdvijftig pond.'

Martin voelde zijn hart bonken. Hij keek vlug naar de balie. Drie van de vier loketten waren open. Aan het ene was Nick Marshall bezig met een frêle oud dametje en een hoop postzegels, aan een ander legde Geraldine geduldig iets lastigs over uitkeringen uit aan een sombere jongeman die Martin vaag herkende uit de garage en daarnaast telde Mary Perrick moeizaam een handvol bankbiljetten voor iemand die spaargeld had opgenomen, regelmatig haar vingers bevochtigend aan de natte spons. Voor het vierde loket hing een bordje met 'Gesloten'. De rijen waren langer geworden en de mensen staarden hem nu openlijk aan. Hij wist uit ervaring dat hoe vriendelijk klanten ook mochten lijken, een bordje met 'Gesloten' steevast werd opgevat als een daad van opzettelijke pesterij van de kant van het personeel.

Martin keek nogmaals naar de foto. Naar Hemingways brede rug die tegen de leuning rustte en zijn enorme, blote voet op die geïmproviseerde steun.

''t Is nu te druk. Kan ik 't er later met je over hebben?'

'Alsjeblieft.' Ruth stopte de foto's in de envelop en gaf die aan hem. 'Neem mee, bekijk ze op je gemak en laat 't me dan weten. 't Is wel een leuk ding, hè? 't Zou goed bij je typemachine passen.'

Martin schudde somber zijn hoofd. 'Zoiets kan ik eigenlijk niet betalen.'

'Ik ook niet,' zei ze. 'Maar echte fans verzinnen altijd een oplossing.'

Ze glimlachte, wuifde en was weg.

Martin draaide zich om en wilde teruggaan naar zijn loket, maar zag dat Elaine het bordje met 'Gesloten' al had weggehaald en bezig was een rij dankbare klanten te helpen. Hij keek op de Newmark-wandklok, vergewiste zich ervan dat hij nog een kwartier van zijn lunchpauze over had, maakte de deur open en ging terug naar de kantine. Hij maakte de flap van de envelop open, veegde de kruimels van tafel, legde de foto's naast elkaar en staarde een hele tijd van de ene naar de andere.

Tien minuten later verscheen Ruth weer in het postkantoor, drong gauw even voor en schoof Elaine een briefje toe.

'Sorry, maar zou je dit aan Martin willen geven? Ik heb nu telefoon. Zeg dat Ruth heeft gevraagd of hij wil bellen.'

ZESTIEN

Lieve Beth en Suzy,

Het is hier de tijd van welbehagen en vrede op aarde en het leven is een hel. Maar ik begin eraan te wennen. Engeland is een comfortabel, saai land waar de slechte dingen niet zo slecht zijn als thuis en de goede dingen niet zo goed. De mensen zijn 'ontzèttend vriendelijk' en degelijk en ik voel me veilig en geborgen, het gevoel dat ik ook in een ontzettend vriendelijke en degelijke privé-kliniek zou hebben.

Kerst was leuk, zij het enigszins bizar. Ik had het Bridge House Hotel uitgekozen, dat in de Cotswolds ten westen van Londen ligt. In tegenstelling tot elk ander hotel ter wereld heeft Bridge House geen receptie, geen balie, geen naam op de deur, niets. Zelfs geen bel om op te drukken, alleen een fraaie hal die zo in een historische film zou kunnen en die naar was en droogbloemen rook. Ik denk dat ik ruim vijf minuten de droogbloemen heb staan bewonderen voor een lang en zwijgzaam persoon me voorging naar een leuk kamertje vol gebloemde gordijnen op de eerste verdieping dat niet 4 of 12 of zelfs de Presidentiële Suite heette, maar 'Filibeg'. (Om je de moeite van het opzoeken te besparen, zal ik er meteen bij zeggen dat filibeg een ander woord is voor kilt.) Waarom zou je een hotelkamer in godsnaam 'Filibeg' noemen? Als je er goed over nadenkt, ligt het antwoord voor de hand. Een oom van de eigenaar komt uit Aberdeen.

Met het invallen van de duisternis verschenen er andere mensen in de bar, maar die kenden elkaar allemaal of negeerden elkaar juist. Vier echtparen en een een groepje van drie, bestaande uit een bejaard familielid en twee alleenstaande vrouwen. De vrouwen wierpen me snelle, verlegen glimlachjes toe en de mannen ook snelle, verlegen glimlachjes gevolgd door heel wat aandachtiger blikken.

Op eerste kerstdag ging zo'n beetje de helft naar de kerk, maar ik legde uit dat ik tot een sekte behoorde en maakte een lange wandeling langs de rivier met de dame uit de 'Tam O'Shanter' (Schotse pet met brede, platte, ronde bovenkant). Ze was aardig en beleefd en ontwikkeld en we praatten over zeventiende-eeuwse Engelse dichters, maar eigenlijk wilde ik zo snel mogelijk terug om te kijken of er nieuwe ontwikkelingen waren betreffende het echtpaar uit de 'Sporran' (decoratieve tas van leer en/of bont die voor de kilt wordt gedragen) die ik midden in de nacht tekeer had horen gaan als twee kemphanen. Tijdens het kerstdiner heerste er een sfeer van verplichte vrolijkheid - iedereen amuseerde zich zoals mensen dat doen die weten dat ze geacht worden zich te amuseren. Ik zat naast juffrouw Tam O'Shanter en alles ging heel netjes en fatsoenlijk. Tot de volgende avond, die van tweede kerstdag. Nou weet ik niet of het kwam omdat ze wisten dat ze de volgende ochtend toch zouden vertrekken, maar plotseling werden alle remmen losgegooid.

Een paar seconden voor zijn vrouw binnenkwam bood een kleine advocaat met een mager gezicht me iets te drinken aan, maar trok dat aanbod vervolgens weer schielijk in. Een golfer met een gebit uit een postordercatalogus en een IQ van tussen de nul en dertig, die me de eerste vierentwintig uur straal genegeerd had, begon plotseling zo gênant naar me te lonken dat minstens twee van zijn kinderen me ook aanstaarden. Meneer Sporran besteedde nog de meeste aandacht aan me. Hij wilde per se dat ik bij hem en zijn vrouw aan tafel kwam zitten. Ik wilde per se juffrouw Tam O'Shanter meenemen en we persten ons allemaal aan een hoektafeltje. We hadden ook best een grotere tafel kunnen krijgen, maar ik kreeg de indruk dat dat persen nogal belangrijk voor hem was.

Hij was lang en elegant op een enigszins verloederde manier en zijn vrouw was een joviaal type met zware kaken en een vierkant hoofd, die ondanks het nachtelijk rumoer geen zichtbare bloeduitstortingen had.

Afijn, er volgde een hoop dijcontact van meneer Sporran en ik kon niet opschuiven zonder op mijn beurt weer dijcontact te maken met juffrouw Tam O'Shanter, die naast me zat. Ze werd een beetje rood en dronk een hoop water.

Het kostte meneer Sporran weinig tijd om het gesprek op zijn favoriete onderwerp te brengen: dat de manier waarop je at ook de manier was waarop je vrijde. Ogenblikkelijk effect. Juffrouw T.

eet geen hap meer, meneer en mevrouw Sporran werken wellustig dubbele porties Schwarzwalderkirschtorte naar binnen en ik neem kuise kleine hapjes van m'n *crème brûlée* en probeer eraan te denken om m'n lippen niet af te likken. Na het eten vlucht juffrouw Tam O'Shanter direct naar boven. Als ik buiten wat levensreddende Engelse winterlucht opsnuif, loop ik de golfer tegen het lijf die snikkend op een tuinbankje zit. Ik kan hem onmogelijk negeren en moet dus veertig minuten lang aanhoren hoe groot de hekel is die hij aan zijn vrouw heeft, enigszins bruusk gevolgd door dertig seconden waarin hij uiteenzet waarom hij met iemand als ik had moeten trouwen.

Inmiddels broodnuchter vlucht ik snel naar Filibeg. Er ligt een briefje onder de deur van Tam O'Shanter, waarin ze haar excuses maakt voor haar gedrag en me vraagt om toch vooral even bij haar aan te kloppen voor ik naar bed ga, omdat ze alles graag zou willen uitleggen. Kusjes.

Ik controleerde of er geen Sporrans in de kast zaten, deed mijn raam dicht tegen eventuele golfers, vergrendelde de deur en ging naar bed met Ernest en Pauline. Hij snurkte.

De volgende ochtend, tijdens het ontbijt, was er een nieuwe ijstijd ingetreden en was het onmogelijk om met iemand oogcontact te krijgen, behalve met de serveerster! En toen, schijnbaar heel toevallig, zoals de Engelsen dat vaak doen, kwam die kleine advocaat die de allereerste versierpoging had gedaan naar me toe terwijl ik bezig was m'n spullen in de auto te doen en zei dat hij het zo leuk had gevonden om me te ontmoeten. Hij heette Roger Morton-Smith, woonde in Londen, was net gescheiden en was op vakantie met zijn nieuwe vriendin. Ze deed in antiek, ongewone dingen, geen doorsnee prullaria (ze heette Kate). Ze 'had vaak contact met Amerikanen' en ze zouden het heel leuk vinden als ik hen eens kwam opzoeken in Londen en misschien met oud en nieuw bleef logeren. Waarna ze wegsnelden in hun kobaltblauwe Mercedes en ik me koesterde in hun afgestraalde rijkdom.

Ik had zo m'n bedenkingen tegen het logeren bij min of meer wildvreemden, maar na een week in Oxford (niet genoeg!) besloot ik op hun aanbod in te gaan. We gingen met elkaar lunchen en ik vertelde waar ik mee bezig was en zij lieten me echt mooie spullen zien. Clarice Cliff art deco, eiken boekenkasten, Japanse kamerschermen. Ze verkeerden in de waan dat alle Amerikanen oliemiljonairs zijn en ik ben bang dat ik een teleurstelling voor ze was, maar een paar weken later kreeg ik per post bijzonderheden over iets dat 'precies in mijn straatje' was. M'n hartje sprong op, maar viel in duigen toen ik zag wat ze voor me hadden opgesnord, namelijk een of andere achterlijke stoel waarin EH zonder succes had geprobeerd de visstand uit te dunnen en die ze me graag wilden verkopen voor SLECHTS elfhonderd dollar (hoewel de grote instituten er vast veel meer voor over hadden!). Nou, ik wilde net terugschrijven dat ik dat ding best wilde hebben om op te stoken in de open haard... toen ik het me opeens herinnerde. M'n fan! Meisjes... hij is er helemaal wild van -

De telefoon ging. Dat was nog zoiets nieuws dat ze schrok van het geluid en toen ze opstond, merkte ze hoe plotseling de duisternis was ingevallen. Ze voelde voorzichtig onder de kap van de gammele schemerlamp en wist het knopje te vinden. Met de andere hand nam ze de telefoon op. 'Hallo.'

'Spreek ik met juffrouw Kohler?' Een mannenstem.

'Met Ruth Kohler, ja.'

Er volgde een stilte. Laat het alsjeblieft geen hijger zijn, bad Ruth. Niet nu al.

'Met Martin Sproale.'

'Sorry?'

'Martin, uit 't postkantoor.'

'Oh, Martin. Ja.' Met één hand trok ze de telefoon naar zich toe en met de andere nam ze de laatste sigaret uit haar pakje Camel Lights. 'Sorry. Ik zat te werken. Ik ben nog in gedachten in 1928.'

'*A Farewell to Arms.*'

'Klopt.'

'De zelfmoord van z'n vader.'

'Inderdaad, ja.'

'Wist je dat hij 't einde van 't boek veranderd heeft na de dood van z'n vader?'

Ruth klemde de telefoon tussen haar kin en schouder en pakte een doosje lucifers. 'Dat is vrij algemeen bekend. Hemingway beweerde dat hij die laatste pagina negenendertig keer herschreven heeft.'

'Catherine en die jongen zouden niet doodgaan. Hun dood was zijn manier om zijn vaders zelfmoord te verwerken.'

'Nou, daar bestaan verschillende meningen over, Martin. Ik denk dat de vrouwen in zijn leven in die periode een veel sterkere invloed hadden op zijn werk dan de mannen.'

Er volgde een stilte aan de andere kant van de lijn. Ze streek een lucifer af, stak haar sigaret op en wachtte. Toen Martins stem opnieuw klonk, was hij ietsje onduidelijker.

'Ik bel over die stoel.'

Ruth lachte en verontschuldigde zich. 'Sorry voor die toestand, hoor. Dat ik zo hysterisch 't postkantoor kwam binnenstormen.'

'Geeft niks.'

'Ik vond 't gewoon grappig en ik wist dat jij 't ook zou kunnen waarderen.'

'Grappig?'

'Dat ze zo'n ding willen verkopen voor meer dan duizend dollar.'

'Zevenhonderdvijftig pond,' wees Martin haar terecht.

'Ja.'

'Ik vind 't niet grappig. Ik vind 't ongelooflijk. Om de kans te krijgen in een stoel te zitten waar hij twee maanden lang iedere dag ook in heeft gezeten, op heeft geleund, in heeft gevist.'

Ruth nam een lange trek van haar sigaret. 'Nou, voor duizend dollar zou ik willen dat hij er nog steeds in zat.'

Er viel opnieuw een stilte.

'Sorry,' zei ze. 'Dat was een flauwe grap.'

'Ik weet dat je hem niet kunt uitstaan,' zei hij.

'Martin, ik heb van z'n leven m'n werk gemaakt, maar ik vind toevallig dat een hoop andere mensen in z'n leven net zo interessant waren als hij.'

'Tja. Nou, dat is je goed recht. Ik vind dat hij... een oceaanstomer was.' De manier waarop hij het woord 'oceaan' zei, bevestigde Ruths vermoeden dat Martin een paar borrels op had.

'Oh ja?' zei ze wantrouwig.

'Hij was de oceaanstomer en zij de kleine sleepbootjes die om hem heen zwermden.'

Ruth lachte een tikje nerveus. 'Je moet sleepbootjes nooit onderschatten. Die brengen de oceaanstomer de haven binnen.'

Aan de andere kant van de lijn hoorde ze hem een slok nemen. Het werd allemaal een beetje te serieus.

'Zo te horen ben je druk bezig de grappa soldaat te maken,' zei ze monter.

'De grappa? Nee, dat is jouw drankje. Die bewaar ik voor jou.'

Ze lachte.

'Bewaar maar voor ons allebei,' zei ze.

'Ik ben aan 't sparen voor die stoel. Daar spaar ik nu voor. Misschien werk ik dan alleen maar in een godverdommes postkantoor, maar ik moet die stoel hebben. Snap je? Excuseer m'n taalgebruik.'

'Geneer je niet. Ik kom uit New Jersey.'

'Zou je aan je vrienden of connecties willen vragen of ze die stoel vasthouden? Asjeblieft? Zouden ze dat willen doen? Zouden ze me wat extra tijd willen geven?'

'Als je echt serieus bent.'

'Ik ben bloedserieus. Ik wil die stoel.'

Ruth kneep haar ogen half samen tegen de prikkende rook. Buiten zag ze een licht bewegen. Meneer Wellbeing werkte de laatste tijd tot na donker door, nu de velden zwaar en drassig waren.

'In dat geval zal ik zeggen dat ik een koper heb.'

'Doe dat. Maar zeg dat ik nog een week of twee de tijd nodig heb.'

'Heb je 't geld?'

'Ik zal zorgen dat ik dat geld *krijg*,' schreeuwde Martin haast.

'Oké, prima.'

Er viel weer een stilte. Ze wachtte af.

'Zeg dat ik hem heel graag wil hebben.' Er klonk iets dat veel weghad van wanhoop door in zijn stem. ''t Duurt misschien even, maar hou die stoel alsjeblieft vast.'

'Ik heb 't begrepen,' zei Ruth, die zich bukte en de brief van de Morton-Smiths pakte.

Er scheen een lichtstraal door de kamer, vrijwel direct gevolgd door het geluid van de tractor. Meneer Wellbeing schakelde terug toen hij bij het pad naar de boerderij kwam.

'Laat 't me weten als ik verder nog ergens mee kan helpen,' zei ze, op afsluitende toon.

'Doe ik.'

Weer deden ze er even het zwijgen toe. De tractor denderde langs, op weg naar de boerderij.

Na een korte stilte hoorde ze Martins stem weer, maar nu klonk er iets van een glimlach in door. '*Adiós, hija.*' Zijn Spaans was niet slecht.

'*Adiós*, Papa.'

Ze hing op en bleef een tijdje bedachtzaam zitten roken. Het geluid van de tractor stierf weg. Even later hoorde ze hem keren en hoorde het gekras en gebonk van metaal toen de trailer achteruit tegen de muur van de schuur reed. Met een laatste geruttel werd de motor uitgezet.

Toen alles weer stil was, voelde ze haar hart bonzen. Eigenlijk moest ze die brief aan haar vriendinnen afmaken, iets te eten maken en dan minstens een paar uur lezen. Er was genoeg te doen, maar ze was op dat moment gewoon nergens toe in staat. Ze was onrustig. Ze had haar intrek genomen in Everend Farm Cottage om haar boek te voltooien. Een boek dat belangrijk voor haar was. Een boek dat haar reputatie als serieus Hemingway-kenner zou vestigen en waar ze misschien zelfs iets aan zou verdienen. Ze had hier willen werken zonder verder iets aan haar hoofd te hebben, maar nu had ze haast ongemerkt een vreemdeling binnengelaten in haar leven en ze had het verontrustende gevoel dat het niet eenvoudig zou zijn om hem weer te laten vertrekken.

ZEVENTIEN

Elaine had een hoop vechtlust geërfd van haar vader. Frank Rudge was een koppige man die het vrijwel altijd met iemand aan de stok had. Hij was geboren in Alford, een plaatsje verderop aan de kust, als derde zoon uit een vissersgezin. Zijn vader, John Rudge, had nooit een hoge pet op gehad van zijn jongste zoon. Hij had hem slap en te weinig ambitieus gevonden en toen Rudge senior met pensioen was gegaan, had hij zijn bedrijf en de zes bijbehorende vissersboten aan Franks oudere broers gegeven.

Frank had echter laten blijken dat hij onverwacht veel van het familietalent voor koppigheid en vasthoudendheid had geërfd. Hij was naar Theston in het noorden verhuisd en bij de plaatselijke havenmeester gaan werken, was met een meisje uit Theston getrouwd en meteen begonnen om een voet tussen de deur te krijgen in het gesloten visserijwereldje in zijn nieuwe woonplaats. In Theston was de visserij in handen van twee of drie families, die niet blij waren met nieuwkomers. Met behulp van vertrouwelijke informatie van de kustwacht wist Frank hen echter te slim af te zijn en hij had een contract afgesloten met Defensie om een stuk strand ten zuiden van de haven in te richten als trainingsgebied voor amfibische landingen. Drie jaar later vertrok het leger weer, maar toen had Frank genoeg verdiend om een visverwerkende fabriek en een koelhuis te bouwen en de plaatselijke vissersfamilies hadden er met tegenzin mee ingestemd om dat te gebruiken. Een tijd lang was hij een van Thestons succesvolste zakenmensen geweest. In 1965, het jaar waarin Elaine werd geboren, was hij in de gemeenteraad gekozen en drie jaar later werd hij burgemeester.

Eind jaren zeventig ging de visfabriek echter over de kop. Frank Rudge beweerde dat de lucratieve haringvangst zodanig was aangetast door de opkomst van de grote fabrieksschepen dat er niets anders had op gezeten dan de boel te sluiten. De snelheid waarmee hij zich had teruggetrokken en de ellende die dat onder de plaatselijke vissers had veroorzaakt, hadden tot geruchten geleid dat er meer achterzat, maar niemand had ooit iets kunnen bewijzen. Rudge had zijn overgebleven geld snel geïnvesteerd in een plaatselijk transportbedrijf dat in moeilijkheden verkeerde, waardoor hij een dozijn banen had gered en opnieuw de lokale held was geworden. Een catastrofale omschakeling van transporteur tot projectontwikkelaar, in samenwerking met Ernie Padgett, was Rudges volgende poging geweest om te bewijzen dat zijn vaders lage dunk van hem misplaatst was geweest. Een jaar later was de huizenmarkt ingestort en was Rudge een half miljoen pond kwijtgeraakt. Daarna had hij genoegen genomen met een kleine groentezaak, een klein rijtjeshuis in het centrum, een kleine hartaanval en een kleine maar groeiende rol in de plaatselijke politiek. Hij was de afgelopen vijf jaar twee keer tot burgemeester gekozen en was op het moment tevens de ijverige en invloedrijke voorzitter van Bouw- en Woningtoezicht.

Ondanks alle geruchten beweerde Frank Rudge nog nooit van iemand een gunst te hebben aangenomen en in die geest had Elaine zich resoluut voorgenomen niet onder de indruk te zijn van Marshalls aanbod om iets te gaan drinken na het werk. Frank Rudge was echter ook behept met een onverzadigbare nieuwsgierigheid en in die geest had ze zijn uitnodiging geaccepteerd.

Ze hadden, op voorstel van Marshall, afgesproken in de bar van het Market Hotel. Het was januari, na de feestdagen en voor de eerste toeristen arriveerden in de lente, en het was stil. Ze zaten tegenover elkaar, aan een rond tafeltje met marmeren blad naast de open haard.

'Ik ken vrouwen die pubs maar niks vinden,' had Nick gezegd toen hij terugkwam met twee grote glazen jus d'orange en een zakje chips. 'Ik dacht dat je je hier misschien beter op je gemak zou voelen.'

'Ik hou van pubs,' zei Elaine, vastbesloten om het hem niet gemakkelijk te maken.

'Oh ja?'

'Ja. Als je wilt weten wat er aan de hand is in Theston, moet je naar de pub gaan.'

Nick zag dat ze zich inspande. Heel erg inspande. Ze was nerveus en kortaangebonden en hij wist dat hij in het voordeel was zolang ze zo bleef doen.

'Niet naar de gemeenteraad?' vroeg hij zo onschuldig mogelijk.

Elaine keek hem aan. 'Die gaan ook naar de pub,' zei ze.
Marshall glimlachte. 'Heb je er ooit over nagedacht om in de voetsporen van je vader te treden?' vroeg hij terloops.
'Ja,' loog ze. 'Vaak.'
Ze dronken allebei wat. Elaine zette als eerste haar glas neer. 'Ga jij wel 'ns naar de pub?' vroeg ze.
Marshall schudde zijn hoofd. 'Alleen als 't echt moet.'
'Wat doe je dan als je een avondje uit wilt?'
'Daar heb ik geen behoefte aan,' zei hij en pakte het zakje chips.
'Wat vind Geraldine daarvan?'
Zijn heldere blauwe ogen keken haar eventjes aan. Nick had Elaine eigenlijk nog nooit goed aangekeken, niet lang. Ze had een grote neus en een merkwaardig ouderwets gezicht, zoals je wel zag op foto's uit de Tweede Wereldoorlog waarop vrouwen hun echtgenoten uitzwaaiden. Als ze in de aanval ging, werd haar kaaklijn echter strakker en sperden haar neusvleugels zich open en fonkelden haar ogen op een heel aantrekkelijke manier.
'Nou, daar kun jij 't beste antwoord op geven. Jij kent haar tenslotte beter dan ik.'
Elaine nam ook een chipje en schoof het zakje weer naar hem toe. Hij rook het parfum op haar hals. Ietsje te sterk. Hij glimlachte, schudde zijn hoofd en schoof het zakje terug.
'Wat zit je dwars, Elaine?'
Elaine leunde achterover, zweeg even en zei toen met uitgestoken kin: 'Nu je 't toch vraagt, eigenlijk best veel. De manier waarop John Parr en Arthur Gillis de laan zijn uitgestuurd, bijvoorbeeld. Ik vind parttimers een goedkope en al te gemakkelijke oplossing. Ze brengen de klanten in verwarring en zorgen alleen maar voor vertraging. En persoonlijk zint 't me niet dat ik niets hoor en dat me niets gevraagd wordt over zulke ingrijpende veranderingen op een postkantoor waar ik al zes jaar werk.'
'En 't is uit met Martin.'
Elaine voelde dat ze rood werd, al was dat voor een groot deel omdat die opmerking zo onverwacht kwam. Ze probeerde haar blos nijdig te onderdrukken. 'Ik had 't over 't postkantoor.'
'Ik ook.'
Ze nam een grote slok jus d'orange, die zoet en weeïg smaakte. 'Jij vroeg me over Geraldine, ik vroeg jou over Martin,' zei Marshall kalm en vervolgens ging hij zelf tot de aanval over. In één

gecontroleerde, ononderbroken beweging boog hij zich voorover, legde zijn handen plat op tafel en strekte zijn nek soepel uit tot de krachtige, rechte lijn van zijn neus en de curve van zijn fraaie kin haar fixeerden als twee vizieren.

'Ik ben niet gek, Elaine. Ik besefte direct dat jij en Martin dat postkantoor als jullie eigen speeltje beschouwden. Jullie zagen 't als een leuke bron van inkomsten voor Rudge en Sproale, hoeders van 't verleden, bewakers van de oeroude rechten van de klant. Nou, 't is niet eenvoudig als je als buitenstaander in een familiebedrijfje terechtkomt.'

Elaine wilde iets zeggen, maar Marshall stak zijn hand op.

'Helaas ben ik niet 't type om achterover te leunen en m'n nagels te vijlen terwijl ik op de volgende klant wacht. Ik zag een heel andere toekomst voor Theston. Ik zag een breder beeld dan alleen huwelijksbootjes en babysokjes en gezellige kerstfeestjes.'

Elaine klemde haar kaken op elkaar. Ze kon zich er nauwelijks toe brengen om hem aan te kijken, maar hij stond niet toe dat ze haar blik afwendde.

'Ik zag 't bedrijf dat voor al die dromen betaalde stilletjes afglijden naar 't stenen tijdperk. Ik zag het elektronische post en fiberoptische kabels en videofoons de rug toekeren. Ik zag Telecom of Mercury of een ander bedrijf met geld en hersens onze brave plattelandspostbode van z'n fietsje schoppen en er met z'n knusse, ouderwetse zak met brieven vandoor gaan.'

Nick Marshall hield zijn blik op Elaine gericht. Ze voelde zich nu net als vroeger op school, als ze bij het hoofd moest komen. Ze probeerde niet te vergeten dat die man jonger was dan zij. Toen glimlachte Nick Marshall plotseling.

'Je bent agressief, Elaine. Daar hou ik van. Dat ben ik zelf ook. Maar vecht niet tegen *mij*. Vecht tegen hen. Vecht tegen iedereen die de Posterijen klein en lief en knus willen houden.' Haast ongemerkt bracht hij zijn gezicht steeds dichter bij het hare. "t Hele bedrijf verandert en we kunnen alleen bewaren wat we hebben door vooruit te gaan, Elaine. En tussen haakjes, Geraldine en ik wonen niet samen.'

Plotseling stond hij op. 'Zullen we gaan?'

Elaine keek om zich heen. Ze was te zeer van streek om ook overeind te komen. Toen ze uiteindelijk haar stem hervond, klonk hij iel en weinig overtuigend. 'Waarheen?' vroeg ze.

Nick Marshall boog zich voorover en pakte haar bij haar elleboog. 'Gaan eten. Ik heb een tafeltje besproken in 't restaurant.'

Elaine had geen handschoenen of sjaal bij zich toen ze die avond het Market Hotel verliet, maar ze was slechts twee straten van haar warme huis verwijderd. Ze liep eerst vlug de High Street uit, maar vertraagde haar pas en bleef ten slotte staan. Ze nam een straatje dat omlaag liep naar de zee, maar bedacht zich weer en liep terug in de richting van de kerk. De lucht was opgeklaard en een kille noordenwind had de stad in zijn greep. Bij Elaine was het juist precies andersom gegaan. Ze was koel en helder van geest naar die afspraak gegaan, maar voelde zich nu warm en verward. Ze bleef voor Mountjoy's Modemagazijn staan en staarde naar de wezenloze gezichten van de etalagepoppen. Aan één kant van de verlichte etalage stond een rij gipsen bustes. Sommige waren zwart en sommige wit. Minstens een stuk of zes waren zwaar gehavend. De bh's die erop waren uitgestald waren allemaal anders, maar die bustes waren hetzelfde. Dat klopt niet, dacht ze. Geen twee boezems zijn hetzelfde. Ze bekeek ze wat beter en probeerde zich voor te stellen wat mannen toch in borsten zagen, waarom ze er altijd naar wilden staren en ze wilden aanraken en ermee spelen. Jack Blyth had ooit gezegd dat ze volmaakte borsten had en toen ze had gevraagd hoe hij dat wist, had hij gezegd dat hij er heel veel had gezien.

Plotseling miste ze Martin. Ze miste zijn buien, ze miste zijn onzekerheid en besluiteloosheid en zijn gepijnigde uitdrukking als hij probeerde uit te knobbelen wat nou het beste was. Ze besefte dat wat ze ook samen wel of niet hadden gedaan, ze hem beter kende dan enige andere man die ze ooit had ontmoet.

Ze liep nog een paar passen verder tot ze de kerkklok kon zien, die die avond scherp en helder afstak tegen de toren. Het was kwart voor tien.

Zonder verder nog te delibereren liep ze naar huis, haalde een sjaal en een paar handschoenen uit de mand in de hal, pakte haar autosleuteltjes van het haakje, riep zo nonchalant mogelijk dat ze een eindje ging rijden, ging weer naar buiten en stapte in haar auto.

Ze had gewalgd van Nick Marshall. Gewalgd van zijn spottende, egoïstische arrogantie. Het feit dat hij voetstoots aannam dat ze braaf zou doen wat hij voorstelde maakte haar ademloos van verontwaardiging. Ze deed de autoradio aan. Een eenzame man belde met een praatprogramma. Ze zette hem weer uit. Ze hadden nachtvorst voorspeld en ze moest steeds een stuk van de binnenkant van de voorrruit schoonwrijven om de weg te kunnen zien. De gedachte Martin te verrassen wond haar op. Ze zou hem zoveel mogelijk vertellen over haar avond. Het zou gemakkelijk zijn om hem te vertellen wat Marshall over hun relatie had gezegd. Het zou gemakkelijk zijn om te vertellen dat Marshall een gezondheidsfanaat was, die had gevraagd of de saus van de zalm gehaald kon worden en of de aardappelen zonder zout konden worden gekookt en het zou gemakkelijk zijn om te vertellen hoe kwaad hij was geweest toen de nieuwe ober ongevraagd zijn wijn had inschonken, maar heel wat minder gemakkelijk om over de rest te praten. Omdat het niet zozeer ging om wat hij gezegd had als wel de manier waarop hij het had gezegd en waarop hij haar had aangekeken toen hij het zei.

Ze remde hard toen de weg schudde en er een enorme truck langs denderde, op weg naar het zuiden. De zware vrachtwagens die vroeger door het centrum van Theston hadden moeten kruipen en stoppen voor schoolkinderen, waren een stuk gelukkiger nu die rondweg er lag. Ze gooiden letterlijk en figuurlijk alle remmen los en namen wraak voor dertig jaar files.

Ze sorteerde voor, stak de weg over en nam de afslag die via de smalle, keurig gemaaide, glooiende berm en langs de grillige silhouetten van bremstruiken en meidoorns omlaag leidde, tot ze na zo'n anderhalve kilometer tot haar opluchting licht zag branden in Marsh Cottage.

Toen ze uitstapte, sneed de intense kou haar haast de adem af. De wind was hard en ijzig en kwam rechtstreeks uit Siberië, hadden ze 's middags op het postkantoor gezegd. De winden waar zij het over hadden schenen altijd uit dergelijke oorden te komen. Siberië, de Noordpool, de Sahara. Ze hadden nooit hun oorsprong in Middlesbrough of Falmouth of Preston. Ze liep naar het huisje en zag door de gordijnen de flakkerende blauwe gloed van een tv. Ze belde aan. Er gebeurde een hele tijd niets en ze wilde net opnieuw bellen toen ze Kathleen van achter de deur hoorde roepen: 'Wie is daar?'

'Elaine!'

De sleutel werd omgedraaid en de deur ging open. 'Elaine? Wat een leuke verrassing.'

'Sorry dat 't zo laat is.'

'Kom binnen, meisje. Je bevriest zowat, denk ik.'

Kathleen Sproale deed het licht aan en ging haar, overdreven bezorgd om haar heen drentelend, voor naar de woonkamer. Martin was er niet en op tv was iets akeligs aan de gang. Rijen mensen met hologige, uitdrukkingsloze gezichten dromden samen bij een grensovergang. In de erker stond Kathleens werktafel, waar een gordijn en een vierkant, opgevouwen stuk voering op lagen. 'Ik zat nog wat te naaien, maar zo laat 's avonds kan ik niet goed meer zien,' zei ze. 'Wacht even, dan zet ik dat ding uit.'

Mevrouw Sproale voelde in een leunstoel en haalde een afstandsbediening te voorschijn. Op tv zoomde de camera in. De vormeloze menigte werd het gezicht van een jongen. De camera zoomde nog verder in, tot twee lusteloze ogen het hele scherm vulden. Kathleen richtte de zapper op het gezicht en dat verdween.

'Thee, Elaine?'

'Nou, ik kom eigenlijk voor Martin. Is 't te laat?'

Mevrouw Sproale schudde verontschuldigend haar hoofd. 'Ik ben bang dat je te vroeg bent. Hij is nog bij die Amerikaanse vriendin van hem.'

ACHTTIEN

'Hemingways bijnaam voor Mary?'
'Poesje.'
Martin knikte. 'Klopt. Haar bijnaam voor hem?'
'Lammetje?'
'De naam van z'n hond in de Finca Vigia?'
'Black Dog.'
'Naam van z'n kat?'
'Welke? Hij had er tweeënvijftig.'
'Z'n lievelingskat.'
'Christopher Columbus.'

De eerste vorst van de winter liet al sporen na rond de metalen raamkozijnen van Everend Farm Cottage, maar het was nog net mogelijk om een glimp op te vangen van twee gedaanten die bij de rood met gouden gloed van de open haard zaten. Het vuur brandde onder een koperen kap, die de lucht en de rook een oude, bakstenen schoorsteen in trok. Het huisje zelf was zo'n bescheiden, traditioneel bouwseltje dat vaak langer weet te overleven dan meer paleisachtige soortgenoten. Delen van het huisje waren ruim honderdvijftig jaar oud. Het rieten dak was vervangen door pannen, de houten raamkozijnen door metaal en de buiten-wc was naar binnen verplaatst, maar verder was het eigenlijk nog net als toen het gebouwd was. Het had geen verdieping, een deur met klink waardoor je rechtstreeks de woonkamer binnenstapte, een erker op het westen en aan weerszijden van de haard twee kleinere ramen op het zuiden.

Een deur in de woonkamer leidde naar een slaapkamer met een laag plafond, waar zich ook weer twee deuren bevonden. Eentje leidde naar een piepkleine ruimte waar Ted Wellbeing een wc, een wastafel en een douche in had weten te persen en de ander naar de keuken.

Martin zat naast de haard, in een bolle, lage, versleten leren fauteuil. Schuin tegenover de haard stond een bijpassende bank, maar Ruth zat liever op de vloer. Alle vloeren in het huisje waren ongelijk en, afgezien van de keuken, met goedkoop tapijt bedekt. Ze had haar knieën opgetrokken tot onder haar kin en de vuurgloed accentueerde haar hoekige, puntige gelaatstrekken.

Martin werd steeds meer geobsedeerd door de gedachte om die visstoel te bezitten. Sinds Ruth hem die foto had laten zien, had hij om de andere dag opgebeld om zich ervan te vergewissen dat hij inderdaad bestond, dat ze wist waar hij was en dat hij niet aan iemand anders was verkocht. Overdag zag hij zich in dagdromen over hoge oceaangolven deinen, vastgegespt in zijn krakende stoel alsof hij geëxecuteerd ging worden, terwijl hij zich in allerlei bochten wrong en zich tot het uiterste inspande om een machtige, gevinde tegenstander uit het milde water van de Stille Zuidzee te sleuren.

Een nijpender probleem was echter hoe hij die stoel moest betalen. Hij verdiende elfduizendvijfhonderd pond per jaar, waarvan hij ook nog eens zijn moeder moest helpen en de hypotheek betalen en dus bleef er niet veel over. Hij was al begonnen met sparen, maar het zou minstens een half jaar zou duren voor hij voldoende bij elkaar had.

In de hoop die constante stroom telefoontjes tijdelijk een halt toe te roepen, had Ruth hem gevraagd om langs te komen. Aan het begin van de avond was Martin de pijnlijk verlegen, beleefde en hakkelende jongeman geweest die ze de eerste keer ontmoet had, maar ze had flinke glazen whisky ingeschonken en het over Hemingway in plaats van het echte leven gehad en door die combinatie was hij geleidelijk ontdooid.

Een van hen, al wist ze nu niet meer wie, had voorgesteld om een soort Hemingway-triviant te spelen. Diverse whisky's later was dat spel overgegaan in een versie van *Meesterbrein*, waarbij het er fanatiek aan toeging. Ze stelden elkaar om de beurt een aantal vragen en Ruth moest haar uiterste best doen om hem bij te houden.

'Wil je nog verder gaan?' vroeg Martin.

Ruth zuchtte weifelend. 'Ja, oké,' zei ze.

Martin liet zijn hoofd tegen de enigszins verkleurde rugleuning van zijn stoel rusten, fronste zijn voorhoofd vol concentratie en begon weer.

'Hemingways favoriete bar in Havana?'

'Florida?'

'Fout. Floridita. De naam van 't motorjacht dat hij in 1936 kocht?'

'Pilar.'

'Aantal pk's?'

Ruth schudde haar hoofd. 'Geen idee.'

'Honderdvijftien. Hoe heeft hij die boot betaald?'

'Een lening van Pauline?'

'Nee, een lening van Arnold Gingrich, de uitgever van *Esquire*, met zijn toekomstige bijdragen als onderpand.'

Ruth schudde ongeduldig haar hoofd en wilde een sigaret pakken. Ze keek in het pakje, maar dat was leeg.

'Voor welk verhaal heeft Adriana Ivancich model gestaan?'

'*Across the River and Into the Trees.*'

'Hoe heette haar broer?'

'Oudere of jongere?'

'Oudere.'

'Gianfranco.'

'In 1934 keerden de Hemingways vanuit Afrika terug naar Europa. Met welk schip en in welke haven arriveerden ze?'

'De *Gripsholm* was 't schip, nietwaar? En de haven was... Marseille?'

'Villefranche.'

'Ah!' zei Ruth nijdig. Ze stond op en liep naar de erker, waar nu haar werktafel stond.

Martin leunde achterover. Zijn hoofd begon pijn te doen. 'Zullen we ophouden?' vroeg hij.

Ruth zocht tussen haar boeken en papieren naar het pakje sigaretten dat daar ergens moest liggen. 'Ga door,' zei ze kortaf.

Ruth vond haar sigaretten, stak er eentje op en concentreerde zich weer.

Martin begon opnieuw. 'In welke stad is hij met Martha Gellhorn getrouwd?'

Ruth mompelde die vraag nogmaals bij zichzelf en antwoordde toen: 'Cheyenne, Wyoming.'

'Welk jaar?'

'1939?'

'Nee, 1940.'

'Shit! Natuurlijk...'

'Met wat voor pistool was luitenant Henry bewapend in *A Farewell to Arms*?'

Ruth schudde geïrriteerd haar hoofd. 'Wapens. Ik heb geen verstand van wapens.'

'Astra 7.65 met korte loop.'

Ze stak theatraal haar handen op. 'Oké, dat is jongenspraat. Geen wapens meer, afgesproken?'

'Wie van z'n vrouwen liet al z'n manuscripten in de trein liggen?'

'Hadley.'

'Waar?'

'Gare de Lyon, Parijs.'

''t Tijdschrift *Life* publiceerde *The Old Man and the Sea* in één keer. Hoeveel nummers waren er twee dagen na de verschijningsdatum verkocht?'

Ruth beet opnieuw op haar lip en schudde haar hoofd. 'Geen idee.'

'Vijfeneenhalf miljoen,' zei Martin met nadruk. Hij stelde zijn vragen meestal zonder haar aan te kijken, maar nu was hij nieuwsgierig wat haar reactie was. Die scheen ze niet te hebben, behalve dan dat ze een beetje boos leek. Martin ging verder.

'In welk jaar heeft Hemingway de Nobelprijs voor de Literatuur gewonnen?'

'1953.'

'1954.'

Ruth schold zichzelf hartgrondig uit. Ze leunde achterover en sloot haar ogen. 'Ik geef me over.'

Met een flauwe, tevreden glimlach keek Martin op de klok. Het was bijna middernacht. Ze waren zo'n twee uur geleden begonnen, met beleefde, grootmoedige vragen over boektitels en namen van echtgenotes, maar nu was het een kwestie van trots en volharding geworden.

'Is dit spul goed of slecht voor je geheugen?' vroeg Ruth, die de whisky pakte.

'Waarschijnlijk allebei,' zei Martin.

Ze schonk zich een fors glas in.

'We zullen zien,' zei Ruth. 'Jouw beurt.'

'Wou je verder gaan?'

'Ja, natuurlijk. 't Wordt tijd dat jij ook 'ns op je broek krijgt.'

Martin deed een halfslachtige poging om zich uit zijn fauteuil te hijsen. 'Ik moet om half negen weer op m'n werk zijn.'

Ze stond op en liep naar de keuken. Hij hoorde de kraan lopen terwijl ze water bij de whisky deed. Toen ze terugkwam bleef ze in de deuropening staan en nam een slok. 'Nog één rondje en dan houden we op. Oké?'

Martin knikte. 'Wat is de stand?'

'Al sla je me dood.'

Ruth nam nog een slok. Ze stond een beetje wankel op haar benen, maar haalde diep adem en schraapte al haar energie bij elkaar.

'Oké,' zei ze met een zwierig gebaar. 'Welkom bij de laatste, beslissende ronde van *De Hemingway-quiz*.'

''t Is al middernacht, hoor,' voegde Martin er enigszins geïrriteerd aan toe.

'Meneer Sproale is nerveus, maar wie zou dat niet zijn als er zoveel op 't spel stond? Oké, daar gaan we. Hoe oud was Ernest toen hij voor 't laatst een jurkje droeg?'

'Wat?'

'Ik herhaal de vraag. Hoe oud was Ernest toen hij voor 't laatst een jurkje droeg?'

'Drie maanden?'

'Drieëenhalf jaar. Tot hoe lang na z'n geboorte heeft mevrouw Hemingway Ernest bij haar in bed gehouden?'

'Weet ik niet.'

'Zes maanden.'

'Nou, dat zijn niet de dingen –'

'Beantwoordt u alstublieft alleen de vraag. Hoe noemde hij zijn moeder meestal toen hij ouder was?'

'Grace?'

'Nee. "Dat kreng."'

'Wat is dat voor vraag?'

'Welke letter kon hij niet goed uitspreken?'

'De L,' zei Martin met tegenzin.

'Uitstekend!' vervolgde Ruth, haar ogen half gesloten en haar lichaam gespannen van concentratie. 'Welk boek van Hemingway werd omschreven als "herhaaldelijk ontaardend in huilerige sentimentaliteit en vol kruisigingssymboliek van de ergste en primitiefste soort"?'

Martin ging op het puntje van zijn stoel zitten en schudde zijn hoofd. 'Hoor 'ns, daar geef ik geen antwoord op. Dat komt uit die biografie van Kenneth Lynn en dat was een waardeloos boek.'

'Zou u de vraag willen beantwoorden, meneer Sproale? Op welk boek slaat dat?'

'*The Old Man and the Sea*,' mompelde Martin, die opnieuw aanstalten maakte om op te staan.

'Dank u. Welke titel gaf Max Eastman aan zijn recensie van Hemingways boek over stieregevechten, *Death in the Afternoon*?'

'Geen idee.'

'*Stierlijk Vervelend*.'

'Een hoop critici waren jaloers op hem,' protesteerde Martin. 'Ze durfden gewoon niet toe te geven dat ze hem bewonderden.'

'En waarom bewonder *jij* hem?'

Er viel een stilte. Martin schoof zijn stoel achteruit en stond op. 'Daarom! Ik bewonder hem omdat hij nooit aan zo'n stom spelletje als dit zou hebben meegedaan.'

Ruth blies een spottende fanfare. 'De winnaar!'

Toen hij op het punt stond om te vertrekken leunde ze met haar arm tegen de muur naast de deur en boog berouwvol haar hoofd. 'Ik had te veel whisky op... 't spijt me...'

Martin haalde zijn schouders op en trok zijn parka aan. Ze hief haar hoofd op en keek hem aan. Hij pakte de broekveren uit zijn jaszak en klemde die om zijn broekspijpen, voelde opnieuw in zijn zak en haalde een paar blauwe wollen handschoenen te voorschijn.

'Dat was ongelooflijk,' zei ze. 'Heb je wel 'ns overwogen om aan een quiz mee te doen?'

Martin glimlachte niet. Hij trok zijn handschoenen aan. 'Natuurlijk niet. Jij wel?'

Ruth spreidde haar armen opnieuw uit. 'Daar heb je mij weer, met m'n grote mond.'

Martin gaf een afscheidsknikje, trok één handschoen uit en stak zijn hand uit, die Ruth gemaakt formeel schudde. Hij deed de deur open en wilde net vertrekken toen ze hem tegenhield. 'Hoor 'ns, zou je iets voor me willen doen?'

'Als 't maar niet weer een quiz is.'

'Nou, daar heeft 't wel iets van weg, maar ik wil hem niet met jou spelen.'

'Met wie dan wel?'

'Hemingway.'

'Ik begrijp 't niet.' Martin was moe en had zijn buik vol van spelletjes, maar Ruth was plotseling heel geanimeerd.

'Alsjeblieft,' zei ze. Ze gebaarde dat hij weer binnen moest komen en deed de deur dicht. 'Vijf minuten, langer duurt 't niet.'

Ze liep een eindje de kamer in, haalde een sigaret uit het pakje en keek Martin aan. 'Ik ben de godganse dag aan 't schrijven over de vrouwen die Hemingway kende. Nietwaar?'

Martin knikte vermoeid en keek hoe ze haar sigaret opstak. Ze blies een opgewonden rookwolk uit en begon opnieuw te ijsberen. 'Ik lees hun brieven, hun waslijsten, hun dagboeken, hun agenda's en weet ik wat nog meer en soms heb ik 't gevoel dat ik ze beter ken dan ze zichzelf kenden. Maar met Ernest heb ik een probleem. Ik mag die kerel gewoon niet zo graag.'

Martin wist een flauwe glimlach te voorschijn te toveren. 'Dat hoef je mij niet te vertellen,' zei hij, maar ze scheen hem niet te horen.

'Ik heb respect voor z'n werk, of in elk geval voor een deel en ik kan ook bewondering opbrengen voor z'n... z'n fysieke kracht, z'n moed. Maar ik kan niet begrijpen waarom zoveel intelligente, aantrekkelijke, verstandige vrouwen meer tijd met hem zouden willen doorbrengen dan hoogstens een paar dagen. Laat staan een heel leven.'

Ze liep naar de haard en sloeg de as van haar sigaret af.

''t Probleem is dat ik veel te subjectief dreig te worden. Ik moet me in dat grote, dikke, koppige hoofd van hem verplaatsen. Ik moet proberen daar binnen te dringen en goed om me heen te kijken. En dat lukt me gewoon niet.'

Ze keek naar Martin. Zijn hemelsblauwe parka was helemaal tot bovenaan dichtgeritst. Hij had veren om zijn broekspijpen, hij had zijn blauwe wollen handschoenen al aan en dadelijk zou hij ook een donkerblauwe ijsmuts over zijn dikke, rossige haardos trekken. Al met al een onwaarschijnlijke Hemingway.

'Jij kent hem, Martin. Je kent hem beter dan ik hem ooit zal kennen. Dat heb je net zelf gezegd.'

Martin schoof onbehaaglijk heen en weer. Dat kwam door de manier waarop ze zijn naam had gebruikt. Die gebruikte ze niet vaak.

'Nee, 't is geen spelletje,' zei ze. 'Ik probeer niet 't gewiekste Amerikaanse kreng te zijn dat je te slim af wil zijn. Ik ben serieus.'

Martin voelde zich opgelaten. 'Nou, dan ben ik waarschijnlijk een stomme Engelsman, want ik snap niet waar je heen wilt.'

'Laat ik een voorbeeld geven.'

Martin fronste zijn voorhoofd.

'Heel even maar. Alsjeblieft?' Ze gebaarde naar de fauteuil. 'Ga nou op je gemak zitten.'

Martin schudde zijn hoofd, liep met tegenzin naar de stoel en balanceerde op de armleuning. Ruth pakte de fles, zag zijn glas op tafel staan, schonk wat in en gaf het aan hem. Haar olijfkleurige huid glansde, haar ogen waren donkerder dan ooit en haar lange, slanke lichaam leek licht en alert.

'Stel dat ik je vrouw Pauline was die jou, Ernest, nog geen drie weken geleden een zoon had geschonken, via de keizersnede en na een bevalling van zeventien uur waarvan ik dacht dat ik 't nooit zou overleven en dat jij, Ernest, net 't plan had opgevat om te gaan vissen in Wyoming. Hoe zou je dat dan tegen me zeggen?'

'Nou, hij zou misschien zeggen –'

'Nee. Wat zou *jij* zeggen, Ernest?'

Martin bleef even roerloos zitten. Hij bracht het whiskyglas naar zijn mond en nam een slok en toen gebeurde er iets vreemds. Het begon met een soort fysieke metamorfose. Martin liet zijn hoofd zakken en toen hij het weer ophief, leek het zwaarder. Zijn smalle schouders gingen omhoog en naar achteren en spreidden zich uit, zodat ze bij zijn hoofd pasten, maar de manier waarop hij haar aankeek was nog veel merkwaardiger dan die plotselinge indruk van gewicht en gespierdheid. Martin hield zijn hoofd een beetje schuin, stak zijn kaak uit en staarde haar aan met een doordringende, agressieve blik die, zoals ze later zou omschrijven, van een totaal ander iemand leek te zijn.

Hij stond op en deed een stap in haar richting. Ruth schuifelde instinctief achteruit.

'Nou moet je godverdomme 'ns goed luisteren.' Zijn stem was een octaaf lager geworden en zijn accent was krachtig, zij het misschien niet helemaal zuiver. Het ging erom dat dat Martin niet was.

'Ik verdom 't om m'n excuses te maken voor een misdaad die ik niet heb gepleegd. Doe jij nou maar jouw werk, dan doe ik 't mijne. Oké?'

Zijn nijdige blik verdween even plotseling als hij was gekomen en er verscheen een glimlach op zijn gezicht die steeds breder werd, alsof de zon te voorschijn kwam van achter een wolk. Hij rechtte zijn schouders en hief zijn hoofd op tot hij op Ruth neerstaarde zoals haar vader vroeger ook had gedaan.

'Ik ben nou eenmaal schrijver, schatje, en ik hou echt heel veel van je, mevrouw P. en ook van de kleine, maar Wyoming in dit jaargetij is 't enige ding op aarde dat nóg mooier is dan jij.'

Ook op Ruths gezicht verscheen een trage glimlach. Langzaam schudde ze haar hoofd. De man tegenover haar deed er het zwijgen toe, ontspande zich, glimlachte opgelaten en werd weer Martin Sproale. Hij schraapte zijn keel en liep naar de deur.

'Dat is een kutsmoes,' zei Ruth vol bewondering. 'Dat is een *hele goeie* kutsmoes.'

NEGENTIEN

De renovatie van het postkantoor van Theston duurde langer dan verwacht en ondertussen moesten pensioenen, rijbewijzen, uitkeringen, pakjes, pakketten, aangetekende stukken, toeristenkaarten en wat dies meer zij worden verwerkt in de krappe tijdelijke behuizing, die slechts half zo groot was als de oude.

Op een donderdag, toen het al tegen februari liep en ze nog steeds werden geteisterd door gipsplaten en kale peertjes, voelde Martin zich zo ontevreden dat hij na sluitingstijd op Nick Marshall afstapte. Marshall was defensief en speelde met de antenne van zijn zaktelefoon op een manier die bij een minder zelfverzekerd iemand op nervositeit zou hebben gewezen. 'Die renovatie blijkt meer voeten in de aarde te hebben dan we eerst dachten, Martin. Er zijn problemen met 't dak.'

''t *Dak*? Ik dacht dat er alleen wat nieuwe scheidingswandjes werden geplaatst.'

'Nou, ik ook, maar ze hebben ernstige gebreken geconstateerd. Aan de balken.' Nick Marshall voelde zijn zenuwtrek opkomen en Martin zag dat ook. Marshall klemde zijn kaken op elkaar en probeerde resoluut te kijken, maar de rechterkant van zijn mond trok toch onbedwingbaar. 'Dit is een oud gebouw, Martin.'

'1934?'

'Nou, dat is oud. Bijna zestig jaar oud. Padgett had die gebreken al jaren geleden moeten melden.'

'Hoe lang moeten we nog in de troep zitten?'

'Ik heb Crispin gevraagd om een grondig bouwkundig rapport op te maken.'

'Crispin?'

'De aannemer,' voegde Marshall er vlug aan toe.

'Oh ja.' Martin herinnerde zich nu waar hij die naam eerder had gehoord. Elaine had hem een oplichter genoemd.

'Als 't echt zo erg is als 't eruitziet, moet we misschien verhuizen naar een TVBR.'

'Wat is dat?'

Nick Marshall grimaste, alsof iemand geheel onverwacht iets in zijn achterwerk had gestoken. 'Tijdelijke Vervangende Beveiligde Ruimte.'

'Zoals?'

'Nou,' zijn kaken waren nog steeds op elkaar geklemd, alsof hij hevige pijn leed, 'er is bijvoorbeeld plaats bij Randall in de zaak.'

Hij liep weg langs de balie en controleerde laden, sloten en toetsenborden. Martin volgde hem. 'Randall?' zei hij vol ongeloof. 'Die snoepwinkel?'

'En krantenzaak,' voegde Marshall er enigszins kregelig aan toe. 'Ze hebben achter een ruimte die ze voor opslag gebruiken. Ik heb 'ns gekeken en we zouden daar binnen een paar weken van start kunnen gaan.'

'Meen je dat?'

Marshall staarde aandachtig naar het nieuwste nummer van *De Postbode*. 'Als jij graag hier wilt blijven en 't dak stort in, mag jij dat verklaren aan de klanten, Martin.'

'Dus we komen toch in een snoepwinkel terecht.'

'Hoogstens voor een paar maanden, als zich hier tenminste geen echte grote problemen voordoen.'

Martin voelde zich plotseling slap en buiten adem. Hij wou dat Marshall zich nu eindelijk eens zou omdraaien en hem aankijken.

'Hoe wou je dat voor elkaar krijgen?' vroeg Martin.

Marshall tikte met zijn vinger op het exemplaar van *De Postbode*. 'Dat is interessant. Ze willen dat we 't formulier PF 58 gebruiken voor schadeclaims tegen de Pakketpost, maar die hebben ze ons niet gestuurd. Heb jij van die formulieren gezien, Martin?'

Martins handen waren warm en hij veegde ze snel af aan de zijkant van zijn broekspijpen. 'Hoe wou je dat voor elkaar krijgen?' herhaalde hij. 'Die tijdelijke verhuizing?'

Marshall schraapte zijn keel. 'Geen probleem.'

'Hoe kun je nou 't magazijn van een snoepwinkel in een postkantoor veranderen? Tijdelijk?'

Marshalls mondhoek trok alsof hij onder mitrailleurvuur lag. 'We nemen een bedrijf genaamd Elldor in de arm.'

'Wat is dat nou weer?'

'Lees je *De Postbode* nooit? Die zijn gespecialiseerd in 't verbouwen van postkantoren.'

'En de technische afdeling van de Posterijen dan?'

'Zij *zijn* de technische afdeling van de Posterijen.

'Bedoel je dat ze een heel postkantoor opbouwen en 't ook weer uit elkaar halen.'

'Als dat moet.' Marshall deed een geldla open, stopte er een papiertje in dat op de balie lag en deed hem weer dicht.

'Ze zullen wel moeten,' zei Martin.

Marshall knikte. 'Dan doen ze 't ook,' zei hij zacht. Hij liep naar de deur en wilde Martin blijkbaar graag zijn rug toegekeerd houden. 'Ik vind dat onze klanten beter verdienen dan dit,' zei hij terwijl hij zijn hand uitstak om een bos elektriciteitsdraden die uit het plafond hing te ontwijken.

'Ik vind dat onze klanten hun postkantoor terug horen te krijgen,' zei Martin nijdig. 'Volgens mij worden ze deze toestand goed zat. Verhuizen en nog 'ns verhuizen. Dat is slecht voor de omzet.'

Bij de deur draaide Marshall zich om en glimlachte. Het was een beheerste glimlach, breed genoeg om te voorkomen dat zijn mond zou gaan trekken en om zijn lange, regelmatige, vrijwel vullingloze, enigszins puntige en smetteloos witte gebit te onbloten. Hij deed een stap in Martins richting. 'Weet je Martin, 't probleem met jou is dat je een korte-termijnman bent. Misschien wordt 't tijd om de zaken 'ns in een breder perspectief te zien.'

'Ik denk aan m'n klanten, Nick, meer niet.'

'Ik denk aan jou, Martin.' Deze keer liet hij iets meer van zijn tanden zien. 'Ik hou je al een tijdje in de gaten. Je begint rusteloos te worden.'

Martin knikte naar de geïmproviseerde loketten. 'Dat komt omdat we op een soort bouwterrein werken.'

Marshall keek hem schattend aan. 'Nee, 't zit dieper, als je 't mij vraagt. Je bent aan iets nieuws toe.'

'Oh ja?'

'Volgens mij is 't tijd om een nieuwe uitdaging aan te nemen, Martin. Wat meer verantwoordelijkheid.'

'Wat had je in gedachten?'

Marshalls linkerhand speelde opnieuw met zijn zaktelefoon. Hij hield zijn hoofd schuin en staarde Martin aandachtig aan, alsof hij probeerde tot een besluit te komen. Hij strekte zijn rechterhand uit en wees naar Martin.

'Als je geïnteresseerd bent, ik ken iemand die je 'ns zou moeten spreken.'

Martin keek hem wantrouwig aan en Marshall trakteerde hem op zijn hartelijkste en meest ontwapenende glimlach. 'Kom vanavond bij me langs. Rond een uur of zeven. Ik zal Geraldine vragen of ze iets wil koken. Dan kunnen we babbelen.'

Waarschijnlijk keek Martin nog steeds dubieus, want hij voegde eraan toe: 'Je zou er beter van kunnen worden.'

TWINTIG

Marshalls flat was klein en spaarzaam gemeubileerd en nam één kant van de bovenste verdieping in beslag van wat vroeger zowel een woonhuis als een klein hotel aan de rand van Atcham was geweest. Een paar saaie prenten van passief dobberende oorlogsschepen gaven nog enigszins een accent aan de neutrale, avocadokleurige wanden. Het meubilair scheen speciaal gekozen te zijn met het oog op nietszeggendheid. Het rook naar nieuw tapijt en Martin ving een glimp op van een nette slaapkamer, die vrijwel geheel in beslag werd genomen door een groot tweepersoonsbed met een dekbed met paisleymotieven. Naast de toilettafel lag een grote stapel tijdschriften. Het vertrek naast de slaapkamer leek meer op een kantoor. De deur stond op een kier en hij kon planken vol naslagwerken zien, minstens twee computers en dikke bundels draden en kabels. Hij zag nergens iets dat op de aanwezigheid van een vrouw wees en je kon je ook moeilijk voorstellen dat die hierin zou passen.

'Waarom woon je helemaal hier?' vroeg Martin, terwijl Marshall hem een armzalig glaasje whisky gaf.

'Nou, dit bevalt me op 't moment wel. Ik ben niet iemand die zich meteen ergens wil settelen. Hier, moet je dit 'ns zien.' Hij pakte een nummer van *Business Investor* en gooide dat Martin toe. Op de omslag stond een montage van antennes en matzwarte satellietschotels, onder de kop: 'Toekomstige Tijd. De Volgende Revolutie.'

'Pagina vijftien.'

Marshall ging de kamer uit en even later hoorde Martin hem telefoneren. Hij sloeg het tijdschrift open en zocht het artikel op, maar begreep er niet veel van. Het stond bol van de termen zoals 'informatiesupersnelweg', 'interactieve media' en 'telewerken'. Het scheen erop neer te komen dat de informatietechnologie inmiddels zo geperfectioneerd was dat mensen elkaar eigenlijk nooit meer hoefden te ontmoeten.

Martin ploegde moeizaam door die wereld vol onbegrensde mogelijkheden toen hij een sleutel in het slot hoorde. Een ogenblik later duwde Geraldine Cotton de deur open, hield hem open met haar voet en pakte de twee uitpuilende plastic tassen die buiten stonden. Martin kwam overeind. 'Moet ik even helpen?'

Ze schudde haar hoofd en hij ging weer zitten. Ze sleurde de laatste tas naar binnen en bedacht zich. 'Zou je die twee tassen voor me in de keuken willen zetten? Dat zou wel fijn zijn.'

Martin sprong weer overeind. Hij bracht ze naar de keuken en keek hoe ze haar oude, breedgeschouderde tweed jas opendeed. Ze deed hem uit en onthulde een kraagloos flanellen hemd dat over een donkerblauw T-shirt hing en een kort, strak, rood leren rokje. Ongegeneerd schopte ze haar schoenen met hoge hakken uit.

'Dus hij heeft je al iets te drinken gegeven?' zei ze.

'Plus een tijdschrift.'

'Een hele eer. Meestal krijgen mensen alleen 't tijdschrift.'

Geraldine gooide haar jas over een stoel en liet haar blik snel door de kamer gaan. 'Kon erger,' mompelde ze in zichzelf en glimlachte monter toen ze langs Martin liep. 'Ga zitten, je staat er zo ongemakkelijk bij.'

Martin koos de bank uit, die van een soort kunstleer was dat dun en plakkerig aanvoelde. De bank zuchtte ongelukkig toen hij ging zitten. Geraldine schonk snel ook een whisky in en hij zag dat ze hem puur, met grote slokken en heel dankbaar opdronk. 'Probeer je je verdriet te verdrinken?' vroeg Martin.

Ze lachte. "t Liefst zou ik Tesco verdrinken. 't Leek wel alsof heel Suffolk daar boodschappen deed. Hebben jullie hier geen andere supermarkten?'

'Niet veel, dankzij Tesco.'

Geraldine lachte. 'Ben je soms van de Groenen?' vroeg ze, terwijl ze naar de halfopen keuken liep. Om antwoord te kunnen geven moest Martin weer opstaan en ook in de richting van de keuken lopen. Hij bleef zo'n beetje in het midden van de kamer staan.

'Ik probeer niet om tropische regenwouden te redden, als je dat bedoelt. Maar die winkels gaan me wel aan 't hart, ja.'

Ze wierp hem een flauwe glimlach toe, die een mengeling was van goedkeuring en spot. 'Goed zo.'

Ze wilde nog iets zeggen, maar Marshall kwam de kamer binnenstormen. 'Sorry hoor. Zakengesprek. Ga toch zitten, Martin.' Martin, die net was opgestaan, ging weer zitten.

'Heb je dat artikel gelezen?'

Martin knikte vaag. 'Interessant.'

'Klopt.'

Geraldine begon pakjes open te maken, verpakkingen te verfrommelen en in keukenkastjes te rommelen. Nick Marshall deed het jasje van zijn grijsgroene flanellen pak uit, maakte zijn das los en ging in een oorfauteuil zitten, onder een degelijke, fantasieloze prent van twee fregatten uit de Eerste Wereldoorlog die stillagen op een onwaarschijnlijk geelgroene zee. Hij dronk niet, zag Martin. Marshall keek op zijn horloge, wierp een blik in de richting van de keuken, wreef in zijn handen, strengelde zijn vingers in elkaar en strekte zijn armen.

'Mart, herinner je je dat je me 'ns gevraagd heb hoe ik zo vaak in hotels kon eten van 't salaris van een manager?'

Martin kon zich niet herinneren dat hij dat ooit gevraagd had, maar herkende de vertrouwde formule en wist dat dat slechts als aanhef diende voor wat Marshall werkelijk op het hart had.

'Nou, ik geloof dat 't tijd is om uit te leggen hoe dat zit.'

Martin probeerde een uitdrukking van gepaste dankbaarheid te voorschijn te toveren. Marshall wees op het tijdschrift. 'Daar gaat 't allemaal om.'

Martin keek nogmaals naar de opengeslagen pagina's, alsof die misschien voor verlichting konden zorgen, maar die bleef uit. Nick Marshall legde zijn handen achter zijn hoofd, leunde tegen de muur en begon aan zijn uitleg.

'Ik ben wat ze vroeger een computerwonder noemden. Helaas besefte ik pas dat ik over dat talent beschikte toen ik bij de Posterijen ging werken. Ik had nooit geweten dat ik *ergens* talent voor had, wat de reden is waarom ik voor de Posterijen ging werken. Ik bedoel 't niet denigrerend, maar je begrijpt me wel.' Hij rechtte zijn rug en boog zich voorover. 'Toen ik in Luton werkte, werden net de eerste computers bij de loketten geïnstalleerd en ze vroegen naar onze reacties. Ik raakte gefascineerd door die stomme dingen en schreef me in voor een avondcursus, om zo snel mogelijk zoveel mogelijk te weten te komen. Toen die lui van 't hoofdkantoor terugkwamen, gaf ik ze niet alleen mijn reactie maar ook een programma dat een heel stuk beter was dan 't programma waar we eerst mee werkten.' Hij zweeg even en wierp Martin een snelle blik toe. Die had het onbehaaglijke gevoel dat Marshall verwachtte dat hij begreep waar hij het over had.

'Nou, ik kreeg complimentjes en schouderklopjes en ze pikten m'n verbeteringen in en ik hoorde er verder niks meer van, tot ze anderhalf jaar later hun nieuwe Contour Plus-systeem introduceerden dat - verrassing! - voor ongeveer de helft uit mijn werk bestond. Dat systeem werd landelijk geïnstalleerd en 't zou ze een hoop geld hebben gekost als ze hadden moeten toegeven dat een van hun eigen baliemedewerkers een groot aandeel had gehad in 't ontwerp. Daarom negeerden ze mij en protesteerde ik en dreigden ze met ontslag. Nou, tegen die tijd had ik promotie gemaakt en was ik bovendien gefascineerd geraakt door REIN.'

Martin klampte zich gretig vast aan dat kleine, menselijke element. 'Rein?'

'Rechtstreeks Europees Informatie Netwerk. Ik werkte aan een systeem dat het mogelijk zou maken om vrijwel elke postale transactie binnen de EG te coördineren. Helaas had ik daar geavanceerde apparatuur voor nodig. De Posterijen hadden dergelijke apparatuur, maar die hadden me al belazerd en dus moest ik besluiten of ik moest blijven waar ik was en dat systeem in samenwerking met de Posterijen moest ontwikkelen of die informatie moest doorverkopen.' Plotseling riep hij naar de keuken: 'Gerry! Heeft Matt gebeld?'

'Twee keer,' riep Geraldine terug. 'Hij komt wat later.'

Marshall schakelde weer naadloos over op Martin. 'Gelukkig waren er een paar lui bij de Posterijen die de voordelen zagen. Sommigen van die mensen bekleedden hoge posities en wisten van m'n systeem. Ze waren onder de indruk, maar wisten ook dat als die privatiseringswetgeving nog lang bleef aanslepen, het steeds lastiger zou worden om de boel te financieren. Dus in plaats van duimen te draaien, konden ze beter een ingecalculeerd risico nemen en dat systeem ontwikkelen in samenwerking met een Europese partner. Op die manier zouden ze een forse voorsprong hebben als de privatisering eenmaal een feit was.'

'Zou 't niet eenvoudiger zijn geweest om gewoon bij de Posterijen weg te gaan?' vroeg Martin.

'Daar is 't te vroeg voor. Voorlopig moeten we ons gedeisd

houden. Er zijn twee of drie groepen die achter dezelfde technologie aanzitten, maar 't duurt nog wel even voor ze die hebben. De Posterijen beschikken al over een enorm netwerk en zouden geen spaan van de rest heel laten. Als dat netwerk tenminste optimaal benut wordt.'

Martin had het onbehaaglijke gevoel dat hij dit eigenlijk niet hoorde te weten. Geraldine was in de keuken aan het hakken en snijden en neuriede iets uit *Aïda*.

'Ja ja,' zei Martin, die zijn uiterste best moest doen om zich te concentreren. 'Wil je zeggen dat je contacten hebt met een particuliere onderneming –'

Marshall knikte. 'Ik ben een B.V., ja. Dat moet ik wel zijn, voor m'n eigen bescherming.'

'En jouw bedrijf werkt samen met een partner van buiten?'

'Jazeker. Mijn bedrijfje, Shelflife B.V., verkoopt z'n diensten aan Nordkom, een internationaal communicatieconsortium.'

'Terwijl je nog bij de Posterijen werkt?'

'Klopt.'

Martin betrapte zich erop dat hij angstige blikken op de deur wierp. Hij wilde net iets zeggen toen Geraldine uit de keuken kwam, hen beiden even aankeek, glimlachte en de gang uitliep naar de slaapkamer. Marshall knikte naar haar. 'Maak je maar geen zorgen. Zij werkt ook voor Shelflife. Ze weet overal van.'

Martin staarde hem aan. Zijn hoofd draaide weer in de richting van Geraldine, maar de deur ging net achter haar dicht. Hij richtte zijn aandacht langzaam weer op Marshall. 'Als dat allemaal waar is, is 't toch echt ongelooflijk,' zei hij hakkelend.

Nick streek door zijn haar en stond zichzelf een glimlach toe. 'Goed gezegd.'

Zijn zelfvoldaanheid wekte zowel woede als verbazing op bij Martin. 'Ik bedoel, 't klopt toch van geen kant? Je werkt nog bij de Posterijen. 't Is onethisch.'

'Zij zijn eerst onethisch geweest.'

Martin dronk de rest van zijn whisky op. 'Waarom vertel je dat allemaal aan *mij*?'

Marshall strekte zijn lange benen. 'Omdat ik 't gevoel heb dat jouw grote liefde voor de Posterijen ongeveer net zo groot is als de mijne. Ze hebben een doodklap gekregen op de dag dat ik werd binnengehaald als manager, nietwaar? In feite zijn we geestverwanten, Martin. We voelen ons allebei een beetje gefrustreerd. Nog eentje?' Hij wees op Martins glas.

Martin stak het aarzelend uit. Hij wilde helder blijven, zodat hij zich alles zou herinneren. 'Bedankt. Een kleintje,' voegde hij er onnodig aan toe.

Marshall kwam overeind en bleef ontspannen en nonchalant staan, met zijn handen in zijn broekzakken. Geraldine kwam voorbij en glimlachte. Marshall liep naar een blad met flessen en zei: 'Bovendien heb ik je hulp nodig.'

'Waarbij?'

Marshall keek om. 'Heb jij de whisky gezien, Gerry?'

Geraldines arm verscheen om de deuropening van de keuken, met opgerolde mouw en een fles whisky.

'Om diverse redenen - de nabijheid van de continentale markten, de lage landprijzen en plaatselijke politieke stabiliteit - zien wij, of liever gezegd wij en Nordkom, Theston als de meest geschikte locatie voor 't zendercentrum van 't systeem waaraan we werken.' Hij boog zich voorover, schonk zorgvuldig een halve centimeter whisky in Martins glas en gaf dat aan hem. 'Theston zou 't zenuwcentrum worden van de hele operatie. 't Zou prettig zijn als er iemand voor ons werkte met... plaatselijke kennis.'

Martin merkte dat zijn mond kurkdroog was. Zijn warme vingers klemden zich om het whiskyglas.

Marshall zette de fles terug en liep naar het raam. Hij trok het gordijn voorzichtig een eindje opzij, keek naar buiten, liet het gordijn dichtvallen en richtte zijn aandacht weer op Martin. 'Uiteraard heb je recht op een consultatievergoeding.'

'Een consultatievergoeding?'

'Natuurlijk. Vanaf 't moment dat je met ons meedoet, heb je recht op een vergoeding.'

Marshall stak zijn hand in zijn binnenzak en haalde een envelop te voorschijn. 'Ik verwachtte heus niet dat je voor niets zou komen.'

Hij legde de lange, bruine envelop op het salontafeltje.

'Wat is dat?'

'Duizend.'

'Duizend *pond*?'

'Om mee te beginnen.'

Martin staarde naar het tafeltje.

Hij kon zijn blik gewoon niet van de envelop losscheuren; die lag daar als zo'n vleesetende plant waarover hij wel eens had gelezen: onschuldig en dodelijk tegelijk. Onschadelijk tot hij werd aangeraakt, waarna hij ogenblikkelijk dichtklapte en zijn slachtoffer verslond. Martin wist dat, wat er ook gebeurde, hij die envelop niet moest aanraken. Hij hoorde Marshalls kordate, klassenloze stem, maar die leek van grote afstand te komen. 'Zie 't als een investering in je toekomst,' zei hij. 'En de toekomst van de stad waar je bent geboren en getogen. Je gaat deel uitmaken van iets opwindends en baanbrekends. Iets wat alleen maar goed kan zijn.'

Uit de keuken klonk plotseling gesis en een galmende dreun. 'Godverdomme, daar gaat de spinazie!' schreeuwde Geraldine.

'Hoe laat zei je dat hij moest komen?' riep Marshall tegen haar.

'De hele klotevloer zit onder de spinazie!'

'Hoe laat heb je gezegd?'

'Wat? Oh, half acht!' riep Geraldine terug.

Buiten klonk een flauw geluid. Marshall liep naar het raam en trok het gordijn opnieuw opzij. 'Daar zal je hem hebben,' zei hij.

Martin keek op. Hij zag plotseling een overweldigend beeld voor zich. Een beeld van torenhoge golven en een eenzame gedaante die op het achterdek van een stampende boot in een stoel gegespt zat. 'Nick?' Zijn stem was onduidelijk en nauwelijks verstaanbaar. 'Die... consultatievergoeding...' Nick liep naar de deur.

'Als ik die zou aannemen...' zei Martin snel. '... *als* ik dat zou doen... moet je *beloven* dat de Posterijen er nooit achter komen.'

Marshall pakte de deurknop. 'Je hoeft je geen zorgen te maken, geloof me.'

'Erewoord?'

Marshall deed de deur open. Er klonken haastige voetstappen op de trap. Marshall keek hem nogmaals aan. 'Erewoord, Mart.'

Martin kneep zijn ogen dicht en werd overspoeld door een wirwar van beelden en geluiden. De eenzame visser keek om, glimlachte en wenkte hem. Martin deed zijn ogen open, boog zich naar het tafeltje, pakte de envelop en stopte die gauw in zijn binnenzak.

De deur ging open en Martin verstijfde.

De man in de deuropening was John Devereux, Regionaal

Coördinator van de Afdeling Dienstverlening, Martins baas, de keiharde pragmaticus wiens officiële bezoeken aan het postkantor wel eens waren vergeleken met nachtelijke overvallen door de Gestapo. Martin voelde een verzengende, alles overheersende paniek in zich opkomen.

Hij kwam onbeholpen overeind, zich uitsluitend bewust van de enorme blunder die hij had begaan. De envelop in zijn binnenzak leek te zwellen en te groeien. Hij voelde hem door de voering van zijn jasje heen scheuren, boven zijn revers uittorenen, omhoog schieten naar zijn kin als een soort onbedwingbare erectie. De Regionale Coördinator van het District Zuid-Oost móest die schuld wel zien, zijn schaamte ruiken, zijn weerzinwekkende, smerige verraad aanvoelen. Devereux stak zijn hand uit.

Martin stak zijn klamme hand ook nerveus uit en schudde die van Devereux. Devereux' greep was krachtig, zijn blik koel en doordringend, zijn accent uit Zuid-Yorkshire bruusk en weinig toeschietelijk. 'Blij dat je met ons meedoet, Sproale.'

Martin verkeerde gedurende het grootste gedeelte van de maaltijd in een shocktoestand. Hij zei nauwelijks iets, luisterde voornamelijk naar Marshall met zijn onbedwingbare enthousiasme en naar Devereux, de barse leek, en streek de rest van de tijd discreet met zijn lange vingers over de lichte bolling in zijn binnenzak.

Geleidelijk begon de wijn echter te werken en keerde zijn zelfvertrouwen terug. Hij en Devereux waren de enigen die dronken en tijdens de maaltijd was er een soort stilzwijgende band tussen hen ontstaan. Tegen de tijd dat Geraldine naar de keuken ging om koffie te zetten en Marshall opstond om opnieuw te bellen, beschouwde Devereux zijn nederige ondergeschikte met een soort lichtelijk aangeschoten jovialiteit.

Hij knikte in de richting van de studeerkamer, waaruit het flauwe geluid van een telefoongesprek opklonk.

'Die jongen is een genie,' zei Devereux. 'Een godverdommes genie.'

Martin, die een warme gloed van opluchting en Tesco's huiswijn voelde, stemde daar enthousiast mee in.

'Daarom konden die klojo's hem niet uitstaan,' zei Devereux.

'Welke klojo's?' vroeg Martin, die hem niet helemaal volgde.

'Van die achterlijke Posterijen.' Devereux prikte met zijn vinger in de richting van Marshall. 'Omdat-ie toevallig baliemedewerker was, konden ze gewoon niet geloven dat ie hersens had.'

'Aha.'

'Ik heb hem ontdekt. Ik wist geen reet van computers maar ik snapte wel dat als zijn systeem kon wat ie beloofde, 't heel wat beter was dan die troep waar we tien miljoen voor wilden uittrekken.' Hij stak zijn hand in zijn zak en haalde een doosje sigaren van Henry Winterman te voorschijn. Er zat er nog eentje in.

'Gerry!' riep hij naar de keuken. 'Heb jij lucifers?' Geraldine verscheen in de deuropening en gooide hard en accuraat een doosje Swan Vestas in zijn schoot. 'Bedankt!'

Hij wierp een blik op Martin terwijl hij het stompe, weinig indrukwekkende sigaartje opstak. Hij voelde zich duidelijk opgelaten omdat hij zoiets kleins in zijn mond stak. 'Vroeger hield ik van Havana's, maar die hielden niet van mij.' Hij inhaleerde met een grimas van plezier en gebaarde met zijn hoofd naar Marshalls gedempte stemgeluid, dat uit de andere kamer opklonk.

'Over een half jaartje - laat ik 't even afkloppen en laten we duimen - zal er gerechtigheid zijn geschied. En dat zal tijd worden ook.' Hij blies een dichte, wervelende rookwolk in Martins richting.

Martin schraapte zijn keel, om niet de indruk te wekken dat hij moest hoesten van de rook. Het werd tijd om ook een duit in het zakje te doen.

'Opwindende tijden,' zei hij. Dat scheen voldoende te zijn. Devereux knikte bedachtzaam.

'We willen graag dat iedereen er zo over denkt.'

'Ja,' zei Martin onzeker.

Er stroomde opnieuw een blauwe wolk over het tafeltje.

'En daarom hebben we jou nodig.'

Devereux keek op toen Marshall terugkwam na zijn telefoongesprek, mompelend, hoofdschuddend en op de knopjes van een rekenmachientje tikkend.

'Ah, Nick. Ik was Martin net van wat achtergrondinformatie aan het voorzien.'

Marshall schudde zijn hoofd, legde het rekenmachientje neer, pakte een mandarijn uit de fruitschaal op het dressoir en ging tegenover hen zitten aan het salontafeltje. Devereux keek even naar hem, haast als een vader naar een zoon, voor hij zijn aandacht weer op Martin richtte.

'We zien jou als onze plaatselijke vertegenwoordiger in Theston, Martin. De man die 't terrein kent. 't Menselijke terrein. Jij komt hier uit de buurt. De mensen mogen je. Ze vertrouwen je. Dat is heel belangrijk. Jij kunt je oor te luisteren leggen. Iemand als ik moet vanwege z'n functie meer afstand bewaren.'

'Ik begrijp het,' zei Martin.

Ze keken allebei even naar Marshall, die een zakmes pakte en met chirurgische precisie in het mandarijntje sneed.

''t Is ook van groot belang om een optimale relatie te hebben met de plaatselijke overheid en meer in 't bijzonder met Bouw- en Woningtoezicht.'

Devereux zweeg even. Marshall voltooide zijn ontleding van de mandarijn en begon de onberispelijk van wit ontdane partjes in zijn mond te stoppen.

'Ik geloof dat je 't hoofd goed kent?' vroeg Devereux.

Martin keek hem onzeker aan.

'Frank Rudge. Je komt nogal vaak bij hem over de vloer, geloof ik.'

Marshall keek even op van zijn mandarijntje toen hij dat hoorde. Martin gaf een neutraal knikje. 'Ja, ik ken hem en z'n gezin wel.'

Devereux zette zijn cognacglas op de rand van het tafeltje, boog zich voorover, hees zijn sokken op en deed ze zorgvuldig recht. 'Zeg Martin, ik heb geruchten gehoord dat niet alles wat Frank Rudge gedaan heeft helemaal... zuivere koffie was.'

'Frank? Daar valt nog niet dát op aan te merken.'

Martin kende die praatjes ook, maar Frank was altijd een goede vriend van zijn moeder geweest en de constante herhaling van die geruchten irriteerde hem alleen maar.

'Ik ben blij dat te horen,' zei Devereux, die onmiddellijk wantrouwig werd. Hij pakte zijn glas en koesterde het in zijn hand. 'Is dat ook altijd zo geweest?'

'Er gaan altijd geruchten in een stadje zoals Theston.'

'Wat voor geruchten?'

'Nou, een hele tijd geleden had hij een visverwerkend bedrijf dat over de kop ging. Daar zijn een hoop mensen toen geld door kwijtgeraakt. Hijzelf ook. Dat is alles.'

Devereux knikte. 'Interessant. Heel interessant.' Hij pakte de asbak. 'Op de mensen die hierbij betrokken raken mag inderdaad nog niet dát aan te merken zijn, Martin. En als dat wel 't geval is, willen we dat graag weten.' Hij drukte de peuk van zijn sigaar uit tot een donker, nat hoopje. 'We moeten hun zwakke punten kennen.'

Er viel een stilte.

'Volg je me?'

Martin knikte.

'Goed zo!' Devereux sloeg op het tafeltje en grijnsde. 'Sproale, als alles goed gaat zijn je dagen achter 't loket definitief geteld.'

'Dan kun je dadelijk een tweede fiets kopen,' zei Nick.

'Of die hele godverdommese fietsenfabriek,' zei Devereux.

Geraldine bracht Martin naar huis. Snel. Ze raasde over de smalle weggetjes uit, gaf gas in bochten en zorgde ervoor dat hij weer opzienbarend snel nuchter werd.

'Misschien is er wel iets op de weg,' zei Martin ongerust toen ze op een extra donkere en door bomen verhulde bocht afraceten.

'Wist je dat je meer kans hebt om een egel aan te rijden als je vijftig rijdt dan wanneer je negentig rijdt?' riep ze terwijl ze door de bocht scheurden en in de verte de rondweg opdoemde.

'Ik dacht meer aan fietsers.'

'Die horen zo laat niet meer buiten te zijn,' zei ze lachend. Ze remde nog net op tijd om een vrachtwagen met aanhanger te ontwijken.

Toen ze bij Marsh Cottage waren keek ze hem aan en zei: 'Sorry dat je dat allemaal moest doormaken.'

'Geeft niks,' stelde Martin haar gerust. 'Ik ben gewoon niet zo gewend aan auto's.'

'Nee, niet m'n rijstijl.' Ze zette de verwarming iets hoger en sloeg de kraag van haar tweed jas op. 'Die hele avond. Je vond 't waarschijnlijk maar vreemd. Ik zag dat 't niks voor jou was.'

Martin had de deurknop al in zijn hand, maar nu pauzeerde hij even. Om de een of andere reden vertrouwde hij Geraldine. 'Heb ik juist gehandeld?' vroeg hij.

Geraldine grijnsde. 'Dat moet je niet aan mij vragen. Ik ben alleen de dienstmeid. Ik doe wat me gezegd wordt.'

Martin knikte langzaam. 'Nou, toch vraag ik 't. Heb ik juist gehandeld?'

'Wat vind je zelf?' Ze schoof de mouwen van haar dikke

winterjas op, stak haar hand uit en drukte de aansteker op het dashboard in.

'Hoe heb jij Nick leren kennen?' vroeg Martin.

'Via een bureau,' antwoordde ze. 'Uitzend, geen relatie. Ze vroegen om een medewerkster en ik zat' - ze glimlachte even - 'tijdelijk zonder werk, zoals we in 't theater zeggen.'

'Wie zijn "ze"?'

'Nicks bedrijfje. Shelflife. Nick en John Devereux zijn de directie en ik ben 't personeel.'

Ze deed het handschoenenkastje open. 'Wil je er ook een?'

'Nee, ik rook niet.'

'Veel tabak zit er niet in.'

Martin keek nog eens goed.

'Zijn dat...?'

'M'n redders in de nood,' zei ze en koos de langste en dikste van de ongeveer zes zorgvuldig gerolde joints uit. De aansteker was op temperatuur en sprong met een klik naar buiten. Ze pakte hem en drukte het gloeiende uiteinde zorgvuldig tegen het losse papier. Dat begon te smeulen en er steeg een pikant aroma op in de auto. Geraldine inhaleerde de rook in alle rust en concentreerde zich even volledig daarop. Toen blies ze de rook langzaam weer uit en deed het raam een klein eindje open, zodat de rook werd weggezogen door de kille buitenlucht.

''t Is maar dat je weet hoe de zaken staan, Martin,' zei ze. 'Nick, Devereux en ik krijgen ons salaris via een buitenlandse dochtermaatschappij van Nordkom. Ze betalen verdomd goed. Wat we op 't postkantoor verdienen is feitelijk een bonus.'

'Oh, mijn God,' zei Martin, niet verbitterd en zelfs niet eens boos.

'Trek je 't niet aan,' zei Geraldine. 'Zo gaat dat tegenwoordig nou eenmaal.' Ze gaf hem de joint. 'Welkom in de realiteit.'

EENENTWINTIG

Het luide gerinkel van een Ingersoll-reiswekker uit 1932 pleegde al enige tijd een aanslag op Martins bewustzijn voor hij voldoende bij zijn positieven was om er iets aan te doen. Hij zette de wekker uit, bleef even liggen en vroeg zich af of er nog een apparaat was dat bedoeld was om uitgeschakeld te worden zodra het begon te werken, maar toen stroomden de bizarre gebeurtenissen van gisteren plotseling zijn geheugen weer binnen, als een muur van water wanneer een dam doorbreekt.

Hij ging abrupt overeind zitten in bed, alsof hij zich schrap wilde zetten tegen die vloed van namen en gezichten, plaatsen, plannen en gevoelens. Er drong een kille tocht naar binnen door de kieren bij het raam, maar hij voelde een golf van nerveuze warmte.

Hij dacht dat hij zich herinnerde waar hij het geld had gelaten, maar toen hij naar de stoel keek waar hij zijn jasje over had gehangen, viel de bruine envelop nergens te bekennen. Hij had het zich toch niet verbeeld? Dat was onmogelijk, al zou het misschien beter zijn geweest. Hij sprong uit bed, greep het jasje en keek in alle zakken. Leeg.

Toen zag hij echter dat de deur van het medicijnkastje openstond en herinnerde hij zich dat hij het geld daarin had gestopt, achter zijn kostbaarste flessen, na een lang gesprek met Papa.

Hij haalde de envelop te voorschijn, draaide hem om en om in zijn hand, staarde er angstig maar gefascineerd naar en stopte hem zorgvuldig terug. Hij deed het kastje op slot en begon zich aan te kleden, zich nauwelijks bewust van de gure duisternis buiten.

Hij bracht een rusteloze dag door op zijn werk, vertrok klokslag vijf uur en fietste als een dolle terug naar Marsh Cottage. Tien uur nadat hij zijn slaapkamer had verlaten was hij terug en verwisselde zijn werkplunje snel en doelbewust voor zijn uitgaanskleren, die precies hetzelfde waren maar nieuwer. Katoenen overhemd van Van Heusen, trui van Viyella, kreukvrije pantalon van katoen en polyester. Toen hij klaar was haalde hij de envelop diverse keren uit het medicijnkastje, deed hem weer terug, haalde er uiteindelijk vijf briefjes van vijftig uit en stopte die achter de flessen.

Hemingways stoel had hem de hele dag beziggehouden en nu kreeg die enigszins bolle envelop in zijn hand een welhaast mystieke betekenis. Het was vast een teken dat hij voorbestemd was om die stoel te krijgen. Was er in het hele land ook maar iemand die er meer recht op had dan hij, die hem even teder zou verzorgen?

Het zou voldoende zijn als hij die stoel bezat. Dan zou hij nooit meer ergens om vragen.

Terwijl hij zijn haar kamde, meed hij Papa's blik. Vandaag had hij iets gezien in de uitdrukking van de Meester waar hij zich eerst niet van bewust was geweest. In plaats van gewoon naar hem te kijken en hem te bedanken voor zijn aanwezigheid en het feit dat hij dat moment met hem deelde, leken die grote, trieste ogen nu iets van medelijden uit te stralen. Nou, dacht Martin, als hij probeerde hem een of andere wijze les te leren was dit niet het juiste moment.

Voor hij vertrok haalde Martin een fles grappa uit het kastje, wikkelde die in een sjaal en legde hem zorgvuldig onder in zijn tas. Er was iets te vieren.

Toen Ruth de deur van Everend Farm Cottage opendeed stond Martin op de stoep, met dampende adem en een neus die rood was van de kou, als een soort kabouter. Ze wist zich er wijselijk maar met moeite van te weerhouden om in lachen uit te barsten.

Martin glimlachte nerveus. Ze hield de deur open en hij stapte snel naar binnen. Ruth keek hoe hij zijn tas op de bank liet vallen, in zijn jaszak voelde en zorgvuldig vijftien gloednieuwe briefjes van vijftig uitspreidde op tafel.

Ruth was onder de indruk. 'Een erfenis van je opoe? De buit van een bankroof?'

Martin beet op zijn onderlip. ''t Is 't hele bedrag. Tel maar na.'

Ruth liet de biljetten door haar vingers gaan. De nieuwe blokken die meneer Wellbeing voor haar had gezaagd sisten en knetterden in de open haard.

'Je meent 't.'

'Ik had meer geld op m'n rekening staan dan ik dacht.'

Martin begon te neuriën terwijl hij met de rits van zijn parka speelde, een vreemd, onbehaaglijk geluid dat Ruth nog nooit eerder had gehoord. Voor het eerst sinds ze hem had leren kennen had Ruth het gevoel dat hij misschien niet de waarheid sprak en ze was geïntrigeerd.

'Bedoel je dat je al je spaarcentjes hebt opgenomen om een stoel met één poot te kopen?' Nu lachte Ruth wel. 'Ik denk dat Papa dat wel had kunnen waarderen.'

'Spot er niet mee.'

'Ik spotte niet, Martin. Hemingway had gevoel voor humor. Dat moet jij toch ook weten.'

'Niet als 't om hemzelf ging. Hij hield er niet van om uitgelachen te worden.'

Ruth knikte slecht op haar gemak. Martins gezicht was plechtig en gespannen.

'Hij zou 't niet leuk hebben gevonden als je dat tegen hem gezegd had.'

'Nee, nou, wat dacht je van een borrel?'

Martin bleef bij de tafel staan. Er viel geen spoor van een glimlach te bekennen op zijn gezicht. 'Misschien moet je eerst maar 'ns je excuses maken voor we iets drinken.'

Ruth lachte nerveus. 'Hoor 'ns, sorry dat ik dat gezegd heb, Martin. 't Was gewoon een luchthartige opmerking. Je moet er niet zo zwaar aan tillen.'

'Maar je meende 't verdomme wel, hè?'

'Wat?'

'Zo denk je over me, nietwaar? Je vindt dat er iets pervers is aan een kerel van zesendertig die z'n kamer vol Hemingway heeft.'

Ruth haalde haar schouders op en lachte nogmaals. 'Iedereen heeft 't recht om te leven zoals ie wil,' zei ze.

'Maar je wilt er ook een graantje van meepikken, hè? Je wilt dat die vuile, perverse smeerlap je helpt om Hemingway te ontmoeten. Dat heb je zelf gezegd. Je wilt hem leren kennen. Je wilt alle roddels weten. Dat klopt toch? Is dat niet wat je wilt?' Martin liep langzaam op haar af.

'Vooruit, Martin, laten we iets drinken. Ik heb –'

'Nou, als je hem zo graag wilt ontmoeten zou ik maar op m'n

woorden passen, want hij kan soms behoorlijk lastig zijn. Vooral tegenover vrouwen.'

Ruth schuifelde achteruit naar de keuken. Martin bleef op haar afkomen. 'Dus als ik jou was, zou ik maar gauw m'n excuses maken omdat je zo'n vuile huichelaarster bent.'

Ruth probeerde te glimlachen, maar dat kostte moeite. Ze wist dat ze kalm moest blijven. Toen sprong hij opeens op haar af en bleef op een paar centimeter afstand staan, met zijn gebalde rechtervuist opgeheven. 'Oké... zeg dat 't je spijt...'

'Martin!'

'Zeg dat 't je spijt, stomme trut!'

'Martin, 't spijt me dat ik dat gezegd heb.'

Martin liet zijn vuist zakken, glimlachte breed en zette zijn ijsmuts af. 'Niet slecht, hè?'

'Hoe bedoel je?'

Martin gooide zijn muts op tafel. 'Dat was Ernest,' zei hij simpelweg, met een innemende, haast schooljongensachtige glimlach.

Ruth schudde langzaam haar hoofd. 'Godverdomme. Vuile rotzak. Dat was goed. Moet je me 'ns zien. Jezus, ik tril helemaal.'

Martin deed zijn broekveren af, trok de klittebandsluiting van zijn jaszak open en deed ze daarin.

'Waag 't niet om me dat nog 'ns te flikken!'

'Ik dacht dat je dat juist wilde.' Martin deed zijn parka uit en hing hem achter de deur.

Ruth leunde tegen de deurpost van de keuken. 'Jezus, ik heb behoefte aan een borrel.'

Later, nadat ze hadden gegeten, stopte Ruth het geld op een veilige plaats weg en beloofde om morgenochtend haar verkopende vrienden te bellen. Martin herinnerde zich dat hij die grappa nog in zijn tas had. Hij haalde de fles eruit en ze gingen bij de haard zitten en proostten. Zoals gewoonlijk was het eerste slokje een schok en hun ogen traanden. Ze staarden naar het vuur tot Ruth uiteindelijk opkeek.

'Ik vind dat we wat grondregels moeten opstellen,' zei ze.

'Waarvoor?'

''t Uitwisselen van informatie over Hemingway.'

'Je lijkt wel een soort lerares.'

'Nou, u vergeet dat ik ook lerares ben, meneer Sproale. Dat is m'n vak.'

'Wat? Doceren dat Ernest Hemingway in werkelijkheid een vrouw wilde zijn?'

'Engels doceren aan de inwoners van New Jersey.'

'Waarom zeg je niet gewoon dat ze z'n boeken moeten lezen? Waarom moeten ze zo nodig weten hoe lang hij bij z'n moeder in bed bleef slapen of hoe oud hij was toen hij nog jurken droeg?'

'We hebben 't over z'n relaties met moeders en vrouwen, Martin. Ben je daar niet in geïnteresseerd?'

'Nee. Ik ben geïnteresseerd in hem. Hij was speciaal. Zij niet. Zij hebben niet *A Farewell to Arms* geschreven of *The Old Man and the Sea* of *For Whom the Bell Tolls*. Zij hebben niet in oorlogen gevochten of de Nobelprijs gewonnen.'

Ruth schudde nijdig haar hoofd. 'Denk je dat Hemingway *A Farewell to Arms* zou hebben geschreven als hij niet verliefd was geworden op Agnes Kurowsky? Waarom heeft hij *For Whom the Bell Tolls* opgedragen aan Martha Gellhorn? Z'n leven draaide om allerlei vrouwen, Martin. 't Een hoort bij 't ander.'

'Natuurlijk waren er vrouwen in z'n leven. Ze hielden van hem. Vrouwen hielden van hem. Dat verbaast me niets. Maar ze deden alleen wat vrouwen altijd doen. Ze kookten en maakten de boel schoon en schonken hem kinderen en pasten op z'n huizen en z'n vrienden, maar ze hebben niet één woord van z'n boeken geschreven.'

'Mag ik je een vraag stellen, als Martin en niet als Hemingway?'

'Dat hangt van jou af. Jij wilt graag die regeltjes.'

'Wat vind *jij* van vrouwen?'

Martin staarde naar het vuur. 'Ik hou van vrouwen,' zei hij langzaam. 'Maar ik kan er ook buiten.' Hij zweeg even. 'Ik geloof niet dat ik buiten ze kan.'

Ruth gaf niet direct antwoord. Ze boog zich over de houtmand en haalde daar de twee overgebleven stukken kersehout uit. Ze legde ze op het smeulende maar nog hete vuur en knielde neer om te kijken hoe ze opbrandden.

'Mag ik één grondregel voorstellen, Martin?'

'Oké. Eentje mag.'

'Dat we allebei de mogelijkheid accepteren dat we 't mis zouden kunnen hebben.'

Hij grinnikte en stak zijn hand uit. 'Oké, dochter. Afgesproken.' Ze glimlachten en gaven elkaar een hand.

Nadat Martin was vertrokken bleef Ruth nog laat op en schreef opnieuw een brief aan haar vriendinnen in New Jersey.

Geliefde gemeente,

M'n boek vordert gestaag en houdt me warm. (Waarom zeur ik steeds over de kou? Ik lijk wel zo'n gebleekte matrone uit Florida, die eens per jaar naar het noorden gaat om over het weer te kunnen klagen. Het is hier niet erger dan in New Jersey, het *lijkt* alleen zo godverdommes koud.) Hoe het ook zij, het is al laat en mijn Hemingway-maatje is net weggefietst in een wolk van grappadampen, na een onthullende avond. Niet in romantische zin: als jullie hem zagen, zouden jullie begrijpen waarom, maar hij is wel interessant en een beetje vreemd. Ik heb al geschreven dat hij bezeten is van Hemingway - zijn hele kamer hangt vol met foto's en zo, allemaal nogal afgezaagde, achtergebleven tienertoestanden - alleen weet hij echt ongelooflijk veel van die kerel af, heeft hij een authentieke bar met Hemingways lievelingsdrankjes, verborgen in een eerstehulpkist van het Ospedale Croce Rossa in Milaan (*Farewell to Arms*) en heeft hij me vandaag ELFHONDERD DOLLAR in Britse ponden gegeven om uit zijn naam een stoel te kopen (zie brief met kerst) waarin ons illustere seksistische zwijn persoonlijk heeft gezeten toen hij - godzijdank zonder succes - verwoede pogingen deed om onschuldige vissen uit het water van de Stille Oceaan te sleuren. En dat allemaal van het salaris van een loketbediende.

Wat vooral fascinerend, angstaanjagend en een tikje astraal is, zijn de dingen die hij soms doet en zegt en de manier waarop hij zich gedraagt. Die lijken griezelig veel op mijn voorstelling van EH. Hij baseert dat op een soort indirecte ervaring. Hij is nooit ergens geweest en heeft nooit iets gedaan, maar net als zo'n heilige man uit India, die zich zijn hele leven op de teennagel van Boeddha concentreert, heeft hij zich zo sterk vereenzelvigd met Ernest dat het af en toe werkelijk lijkt alsof hij in staat is Hemingway te worden, of in elk geval zijn essentie. Ik weet dat dat idioot klinkt, maar als ik het opschrijf zien jullie dat ik er in elk geval over heb nagedacht. Ik verzeker jullie dat ik niet hysterisch ben en slechts lichtjes aangeschoten, maar het is heel vreemd. Hoe kan ik van een lieve, verlegen, gefrustreerde postzegelverkoper uit een provinciestadje, die bij zijn moeder woont en 's ochtends naar zijn werk fietst, meer leren over de essentie van Ernest Hemingway dan uit alle boeken die ik het afgelopen half jaar heb gelezen?

Wat het antwoord ook is, ik denk dat ik probeer om ietsje verder te gaan. Nee, maak je geen zorgen, geen perverse toestanden. Ik heb wat vragen opgesteld die ik graag aan EH had willen stellen als hij zich in '61 niet voor zijn kop had geschoten. We zullen zien. Maar het is wel opwindend en ik begin werkelijk te geloven dat *Ernest Aanbeden* baanbrekend zou kunnen zijn. Aan de andere kant kan het ook een symptoom zijn van vroegtijdige dementie.

Jullie liefhebbende banneling,
Ruthie.

TWEEËNTWINTIG

De gure, grauwe winter had in Theston plaatsgemaakt voor een straffe, zakelijke, maartse bries. Zelf kon hij ook wel briesen, dacht Martin ongelukkig terwijl hij zijn fiets tegen het hek naast de kerk zette en naar de High Street liep. Hij liep met tegenzin, want hij had zich niet op deze maandagochtend verheugd. Het was de eerste werkdag in zestieneneenhalf jaar dat hij niet naar North Square was gefietst, was afgeslagen naar Echo Passage en als een balletdanser tot stilstand was gekomen aan de voet van het trapje in Phipp's Yard. Dat kon niet meer, want in het weekend was Phipp's Yard dichtgespijkerd.

Een man op een ladder was bezig om boven de ingang van Randalls Fijne Chocolades, Kranten en Tijdschriften het rood met gouden, ruitvormige bord van de Posterijen te bevestigen, het bord dat ook boven de sportzaak van Wilkinson in Atcham hing en de Koppi-Rite-kantoorboekhandel in Alford en dat boven winkels door het hele land half verscholen ging tussen reclames voor sigaretten en frisdrank. Het was een visioen van het begin van het einde van iets, daar was Martin van overtuigd.

Hij voelde zich onbehaaglijk en opvallend toen hij het winkeltje binnenging. Onder zijn parka droeg hij zijn oude, bruin geruite overhemd, een groen corduroy jasje en niet helemaal bijpassende broek en zijn oudste sandalen, die hij op het laatste moment had aangetrokken als een soort stilzwijgend protest. Hij liep spitsroeden tussen de nieuwsgierige verkoopsters. De meesten kende hij wel, want hier kocht hij altijd cadeautjes voor kerst, Pasen en verjaardagen en af en toe iets lekkers voor zichzelf, als speciale verwennerij. Hij had zich altijd moeiteloos superieur gevoeld aan Randall. Tenslotte was hij assistent-manager van het postkantoor aan North Square. Een man met enige invloed en niet zomaar een middenstandertje. Maar dat was verleden tijd. Nu stonden ze bijna op gelijke voet.

Joyce, een magere, spraakzame vrouw wier man de golfbaan onderhield, bestudeerde hem aandachtig van achter de toonbank met kranten en tijdschriften die één kant van de voorzijde van de winkel in beslag nam. Rita, een ongehuwde moeder van Tsjechische afkomst, stond aan de andere kant tussen planken met zuurtjes en pepermunt en ander snoepgoed. Ze was net gearriveerd en nog bezig de voorkant van haar roze nylon verkoopstersjas dicht te knopen.

'Goeiemorgen, Martin,' zei ze toen hij passeerde, gevolgd door een gedempt gegiechel, alsof het een geweldig nieuw spel was.

Amanda, een klein, opstandig meisje dat net aan de universiteit was afgestudeerd in sociale wetenschappen, veegde de buitenkant van de lange, gebogen perspex vitrine af waarachter Randalls befaamde handgemaakte bonbons en toffees waren uitgestald. Het midden van de zaak was ruimer en daar stonden rekken met boeketreeksromannetjes, goedkoop plastic speelgoed en boeken over het koningshuis. Daar drentelde ook Alan Randall rond, de eigenaar en kleinzoon van de oprichter, die druk bezig was met het opbouwen van een toren van paaseieren. Alan Randall was onberispelijk gekleed, kunstmatig gebruind en vrijgezel. Hij begroette Martin, die hem niet mocht, met een professionele glimlach.

'Ze zijn achterin,' zei hij, zijn arm uitstrekkend als een butler tijdens een chic diner. 'Denk om 't afstapje.'

Martin verkoos die vijftien of achttien centimeter af te dalen door middel van de gloednieuwe rolstoelhelling. Achter in de zaak rook het naar nat stucwerk en nieuw tapijt. Halogeenlicht werd weerkaatst door een rij losstaande chromen paaltjes, die met elkaar verbonden waren door een dik touw, dat vanaf een bordje met het opschrift 'Hier Aansluiten A.U.B.' naar een soort niemandsland op ongeveer een meter van de loketten leidde.

De loketten bevonden zich achter getint glas, dat oprees vanaf een lange, grijze balie. Bij ieder loket stond een lichtgrijze computerterminal en vanaf de zijwanden staken stompe grijze armen met videomonitors uit.

Het effect was discreet, anoniem en karakterloos. Het had net zo goed een hypotheekbank, het kantoor van een luchtvaartmaatschappij of een begrafenisonderneming kunnen zijn. De moed zonk hem nog verder in de schoenen doordat het een allesbehalve tijdelijke indruk maakte.

'Is Marshall er al?' vroeg hij aan Mary Perrick, die haar dikke, gebreide vest tegen haar borst drukte en vol ontzag om zich heen staarde.

'Is 't niet prachtig?' zei ze.

'Is meneer Marshall er al?' herhaalde Martin op scherpere toon.

Nick Marshall hoorde zijn naam en liep vanuit de hoek van het vertrek met uitgestrekte armen op Martin af. Zijn ogen schitterden en zijn pas gewassen haar glansde, net als toen Martin hem voor het eerst had ontmoet. Hij werd vergezeld door een korte, dikke, efficiënt uitziende vrouw in een grijs pakje dat bij het tapijt paste en die een klembord bij zich had waarop ze bepaalde dingen afstreepte. Ze had kort, geverfd, blauwgrijs haar en een half brilletje, dat ze afzette toen Marshall haar voorstelde.

'Martin, dit is de vrouw die verantwoordelijk is voor deze verbazingwekkende gedaanteverwisseling - Stella Holt van Elldor - de installatieafdeling van Postagentschappen B.V. Stella, dit is m'n onmisbare rechterhand, Martin Sproale. Hij werkt al veertien jaar op 't postkantoor van Theston.'

'Zestien jaar.'

Stella Holt gaf Martin een hand. Haar hand was koel en stevig en ze trok hem abrupt terug, waardoor Martin besefte dat hij naar zijn werk was gefietst en nog steeds warm en zweterig was. Haar stem was efficiënt en uitdrukkingsloos.

'Dan kent u die oude schuur aan North Square waarschijnlijk goed,' zei ze.

'Ja, ik popel om weer terug te gaan,' zei Martin. Nick, die net zijn sandalen had gezien, keek hem streng aan. Stella Holt liep door en Martin volgde haar naar waar de rest van het personeel stond te wachten. Elaine meed zijn blik, Shirley Barker keek lichtelijk afkeurend en Geraldine lichtelijk geamuseerd.

Marshall schraapte zijn keel, wreef in zijn handen en zei tegen zijn medewerkers: 'Stella en haar team hebben binnen ongelooflijk korte tijd een stukje vakwerk afgeleverd en het is nu aan ons om daar het beste van te maken. We gaan om elf uur open en hebben dus een paar uur om te wennen. Stella, ga je gang.'

Stella staarde hen aan door haar brilletje. Haar dode ogen vielen nog meer op als ze glimlachte 'Dank u, meneer Marshall. Laat ik om te beginnen zeggen hoe blij ik ben dat, dankzij uw inspanningen, Theston de kans heeft om te profiteren van de nieuwste en meest opwindende ontwikkelingen op het gebied van de dienstverleningstechnologie.'

Marshall boog minzaam zijn hoofd. 'Ik laat 't verder aan jou over, Stella,' zei hij en liep tot Martins ergernis met grote, gracieuze passen weg.

Stella richtte haar kille, grijze, professionele blik op het verzamelde personeel. Ze glimlachte opnieuw, een retorische glimlach. Eentje die niet beantwoord hoefde te worden.

'Dit is ons Gestandaardiseerde Lokale Franchise Agentschap,' begon ze. 'Er zijn inmiddels honderden succesvolle vestigingen door het hele land, die tegemoet komen aan de wensen van de moderne consument. Voor we verder gaan met praktische zaken, zoals uniform en klantgericht gedrag, zou ik graag de filosofische achtergrond van het GLFA-beleid uiteen willen zetten.'

Martin had het gevoel dat hij langzaam verstikt werd en er was geen ontsnapping mogelijk. Hij durfde er gewoon niet aan te denken. Terwijl hij daar stond werd North Square vernield door Crispins mensen en waarvoor? Hij voelde zich dwaas en onbeholpen en hulpeloos. Hij slikte moeizaam en keek op. Stella Holt staarde hem aan en maakte meedogenloos gebruik van oogcontact. Hij voelde zich net een vlinder in een vitrine, met een speld door zijn hart.

'Wij van Elldor hebben de afgelopen drieënhalf jaar vele postagentschappen verbouwd en gedurende die periode hebben we, in samenwerking met de Afdeling Dienstverlening van de Posterijen en in overeenstemming met het consumentenhandvest van de regering, het MEC-concept ontwikkeld - Maximale Efficiëntie Controle.' Ze stak twee mollige handen uit, met haar wijsvingers omhoog, als een stewardess die een veiligheidsdemonstratie gaf. 'Als u naar de monitors boven uw hoofd zou willen kijken.'

De monitors kwamen flikkerend tot leven, er klonk gesynchroniseerde, hemelse muziek en de letters 'MEC' verschenen op het scherm. Vervolgens vervaagden de letters en gingen over in het gezicht van Stella Holt, die hen nu zowel vanaf video als in werkelijkheid toesprak. Tegelijkertijd klonk er een geschrokken kreet van voor uit de zaak. Een klein kind scheen vastbesloten om zijn paasei helemaal onderuit meneer Randalls eierberg te wrikken.

'*Maximale Efficiëntie Controle bestaat uit drie elementen: Herkenbaarheid, Vlotheid en Vaart.*'

Op dat moment wankelde de noordwand van de eierberg, trotseerde heel even de zwaartekracht en stortte ter aarde.

'*Herkenbaarheid houdt in dat de klant het personeel en de faciliteiten snel en duidelijk kan herkennen en om dat te bereiken hebben we een huisstijl ontwikkeld, met op elkaar afgestemde inrichting en kleding.*'

Eieren, paarhazen en vrolijke chocoladekippen lagen her en der door de zaak verspreid.

'*Het personeel wordt aangemoedigd om naamplaatjes te dragen.*'

Er verschenen twee glimlachende modellen op het scherm. Ze deden naamplaatsjes op hun revers. De man werd glimlachend '*Steve*' en de vrouw glimlachend '*Janet*'. Hun glimlach stond in schril contrast met het verwrongen gelaat van Alan Randall, die de ravage overzag.

'*De klanten vormen één enkele rij en worden naar voren geroepen door het knipperen van een verlicht nummer, dat aangeeft welk loket vrij is. Ten behoeve van slechtzienden gaat dit vergezeld van een hoorbare aankondiging.*'

Ze zagen hoe op het scherm een lichtje knipperde en een metaalachtige stem verkondigde: '*Loket nummer drie.*'

'*De volledige begroeting, zoals vastgelegd in het consumentenhandvest, is "Goedemorgen" vóór twaalf uur 's middags en "Goedemiddag" na twaalven, gevolgd door de persoonlijke identificatie en het Assistentieverzoek.*'

Behulpzaam zei Steve. '*Goedemorgen, mijn naam is Steve. Waarmee kan ik u van dienst zijn?*' en vervolgens zei Janet: '*Goedemiddag, mijn naam is Janet. Waarmee kan ik u van dienst zijn?*'

Rond de ingestorte eierberg klonken verwarde beschuldigingen en tegenbeschuldigingen. Stella keek woedend naar de voorkant van de zaak en zette het geluid harder.

'*Vlotheid behelst een duidelijke en accurate inschatting van de wensen van de klant, waaraan vervolgens zo snel mogelijk tegemoet gekomen wordt.*'

Om dat te illustreren kreeg Janet gezelschap van een bejaarde man, wiens ogen glansden van gezondheid en fatsoen. Hij vroeg om een postwissel en drie zegels. Janet vroeg wat voor zegels hij wilde. '*Drie van dertig pence,*' antwoordde hij. '*Hebt u dan niet liever een boekje van tien?*' vroeg Janet. De oude man spreidde zo'n pathetische dankbaarheid ten toon dat het leek alsof hij een gratis cruise om de wereld aangeboden had gekregen. Stella Holt verscheen weer op het scherm.

'U merkt dat Janet de Pro-actieve Verkooptechniek gebruikt om het aanschafpotentieel van de klant te maximaliseren. En dat geldt niet alleen voor postzegels. Een telefoonkaart van twintig pond komt vaak veel beter van pas dan eentje van tien pond. Vergeet niet dat de klanten, terwijl ze in de rij staan, de kans hebben om een video met alle diensten en produkten van de Posterijen te bekijken. Het kan de moeite waard zijn om hen op bepaalde voordelen te wijzen.'

Stella Holt liep met grote passen naar de voorkant van de zaak om ook een duit in het zakje te doen wat het eierincident betrof. Meneer Randall was per ongeluk op een van de lekkernijen gaan staan en de jeugdige dader, die hoogstens drie of vier kon zijn geweest, had olie op het vuur gegooid door hem uit te lachen.

'Als uw agentschap tevens een cadeauwinkel omvat-' vervolgde de video.

'Wat hier dus niet het geval is,' mompelde Stella, die terugkeerde en zichzelf uitzette. 'Zijn er nog vragen?'

Stella Holt had hen verzekerd dat het tot haar taak behoorde om na openingstijd nog een paar uur te blijven en te zien of zich kinderziekten voordeden. Dat betekende dat Martin gedwongen was om zijn grijs met geel gestippelde trui en naamplaatje te dragen. Helaas had Stella het verkeerde plaatje meegenomen en ze vroeg of Martin het niet erg vond om tot dinsdag Derek te heten.

Tot Martins grote opluchting was zijn eerste klant een wildvreemde, een grote, zwaargebouwde jongeman met een oorringetje en gemillimeterd haar. Hij keek wantrouwig om zich heen, met een achterdochtige, lenige agressie, alsof hij bang was dat het een valstrik was.

'Ben ik op tv?' vroeg hij aan Stella Holt.

Ze schudde haar hoofd. 'Dit is een postkantoor,' zei ze.

De man leek niet erg overtuigd en liep met half toegeknepen ogen naar Martins loket.

'Goedemorgen, mijn naam is Martin,' mompelde Martin vlug. 'Waarmee kan ik u van dienst zijn?'

'Daar staat dat je Derek heet,' wees de klant hem terecht.

Stella Holt kwam tussenbeide. 'Maakt u zich geen zorgen. 't Is zijn eerste dag.'

De tweede klant was Harold Meredith. Hij kwam binnen, riep: 'Dus *daar* ben je!' en liep regelrecht naar Martins loket, zoals gewoonlijk. Stella Holt rende naar hem toe en sneed hem de pas af.

Hij keek haar geschrokken aan. 'Wie bent u in godsnaam?' vroeg hij verontwaardigd.

'Vanaf vandaag wordt hier met een één-rijsysteem gewerkt, meneer. Mag ik u verzoeken om weer bij het uiteinde van het touw te gaan staan?'

'Blijf met je handen van me af. Ik wil Martin spreken.'

Een mechanische stem weergalmde door de ruimte. '*Loket nummer twee*,' zei hij op merkwaardige pieptoon. Hij klonk als een Zweedse castraat die onnatuurlijk goed Engels sprak.

'Wie zei dat?' vroeg meneer Meredith angstig.

'Ziet u wel? Loket nummer twee is vrij.'

'Ik wil door Martin geholpen worden.'

'Die is momenteel bezet,' zei ze scherp.

'*Loket nummer twee*,' kweelde de Zweedse eunuch.

Harold Meredith bonkte met zijn wandelstok op de vloer.

'Hoor 'ns, mevrouwtje, ik weet niet wie u bent of waar u vandaan komt, maar dit is mijn postkantoor en ik bepaal zelf door wie ik geholpen wil worden.'

Stella Holts toon werd harder. 'Als u zich naar loket nummer twee begeeft, wordt u veel sneller geholpen en kunt u eerder weg.'

'Waarom denkt u dat ik snel weg wil?' protesteerde meneer Meredith. 'Ik heb helemaal geen haast. Ik ben hier graag.'

Stella Holt had het afpoeieren van meneer Meredith tot een soort persoonlijke erekwestie verheven en weigerde het bijltje er zo gemakkelijk bij neer te gooien. 'Heeft u onze video gezien?' vroeg ze en wees naar een monitor, waarop een stem zachtjes brabbelde over eerstedagenveloppen en wegenbelasting. Harold Meredith tuurde omhoog.

'Ik kom niet naar 't postkantoor om tv te kijken,' zei hij. 'Ik kom juist naar 't postkantoor om een tijdje geen tv te hoeven zien.'

''t Bevat allerlei suggesties over wat u misschien zou willen.'

'Ik weet precies wat ik wil,' zei meneer Meredith. 'Ik wil weten of ik m'n sofinummer moet vermelden op 't aanvraagformulier om m'n oorlogsinvaliditeitsuitkering te laten overboeken op de spaarrekening van m'n zwager.' Stella Holt gooide het bijltje erbij neer. Kort daarna raapte ze haar arsenaal aan klembordén, rekenmachientjes, camera's en zaktelefoons bij elkaar en vertrok, met wat bemoedigende woorden en een snel vervagende glimlach. Ze liep mevrouw Harvey-Wardrell op een haar na mis, wat misschien maar beter was ook.

'Dit is echt vreselijk!' bulderde mevrouw Harvey-Wardrell al bij de overblijfselen van de paaseierberg.

Mevrouw Harvey-Wardrell zag geen postkantoor meer zoals zij en generaties van Harvey-Wardrells dat gekend hadden, maar iets dat meer weg had van een pas geland ruimtevaartuig. Een intermezzo op weg naar de volledige automatisering, waarbij ook het laatste restje menselijkheid het loodje zou leggen. Dat zei ze ook tegen haar kleine, bleke metgezellin, een dame genaamd Lettice Brockwell, die een rossige snor had en één been dat ietsje korter was dan het andere.

Mevrouw Harvey-Wardrell, gehuld in waxcoat, tweed pet en lange groene lieslaarzen, beende met grote passen over de strook grijs tapijt die bedrukt was met het logo van de Posterijen, alsof er iemand overheen was gelopen met een stempel onder zijn voeten.

'*Loket nummer twee*,' piepte de stem. Door een of ander elektronisch defect was de Zweedse koorknaap nu van een alt in een sopraan veranderd.

'Wat was dat in godsnaam, Lettice?'

'Iemand zei "Loket nummer twee", Pamela.'

Haar blik viel op Martin, die wanhopig zijn best deed om een nonchalante indruk te maken achter Loket nummer een. 'Wat is dat voor gezever met intercoms, Martin? Dit is een postkantoor, niet de vertrekhal van een vliegveld.'

'Ik ben bang dat 't tegenwoordig standaard is, mevrouw Harvey-Wardrell,' zei Martin opgelaten.

'Nou, ik vind 't afschuwelijk. Als ons dat te wachten staat, hoop ik dat we zo snel mogelijk teruggaan naar North Square. Vier luchtpostzegels voor een brief naar Tasmanië graag, Martin.' Ze wendde zich tot haar vriendin. 'Ik zal 'ns een woordje wisselen met Marshall. Ken je Marshall?'

'Ik geloof 't niet.'

'Hij heeft de leiding over de renovatie van 't postkantoor. Een heel intelligente jongen. Veel te capabel voor zo'n soort baan. Weet je zeker dat dat luchtpost is, Martin?'

'Vijfenveertig pence, ja.'

'Ik wil niet dat ze helemaal rond Kaap de Goede Hoop gaan.'

'Alle buitenlandse post gaat tegenwoordig per luchtpost.'

'Omdat 't ontzettend belangrijk is dat die brieven zo snel mogelijk arriveren.' Ze wendde zich weer tot haar vriendin. 'Jonty heeft vreselijke last van aambeien en m'n dokter uit Harley Street zegt dat hij daar beslist niemand uit Tasmanië aan mag laten zitten. Hij moet naar een dokter in Melbourne gaan.'

'Zit Jonty tegenwoordig in Tasmanië?' vroeg haar vriendin.

'Ja, hij doet vreselijk geheim werk aan een of ander nieuw reservoir. De plaatselijke bevolking is in rep en roer en ik denk dat Jonty's ervaring in de Falklands hem nog goed van pas zal komen! Mouse vindt 't natuurlijk heerlijk, maar die heeft altijd van 't buitenleven gehouden. Dank je, Martin. En ik hoop echt dat jullie niet al te lang in deze negorij hoeven te zitten.'

Als een groot stoomschip met een sloep op sleeptouw vertrokken ze weer via de snoepwinkel. Het postkantoortje was even verlaten.

'*Loket nummer vier*' piepte de Zweedse sopraan. Mary Perrick keek hem schaapachtig aan. 'Sorry, Martin. Ik heb per ongeluk op de knop gedrukt.'

Martin was zelden zo blij geweest dat het lunchtijd was. Die werd natuurlijk niet meer aangekondigd door de oude wandklok, maar dat was bijzaak. 13.00 uur op de digitale tijdsaanduiding of één uur volgens zijn horloge, het betekende in elk geval een korte onderbreking van de nachtmerrie. Hij bleef even roerloos zitten in de smalle, bedompte ruimte achter in de zaak die bestemd was voor lunch- en koffiepauzes. Er stonden twee stakerige stoelen van metaal en plastic aan weerszijden van de deuropening en naast de wasbak hing een plank, met daarop een waterkoker, een doos theezakjes, een pot oploskoffie en een stapel plastic bekertjes. Shirley Barker zat op een van de stoelen en verwijderde een stuk huishoudfolie van haar boterhammen. Martin haalde zijn eigen sandwiches uit de zak van zijn parka en bekeek ze zonder belangstelling. Hij had geen enkele eetlust.

Shirley staarde hem met bijziende ogen aan. 'Hoef je je lunch niet, Martin?'

Hij schudde zijn hoofd.

'Dat heb ik wel vaker gehoord over mensen die in snoepwinkels werken,' zei ze. 'Die hebben nergens meer trek in.'

Martin keek Shirley aan. 'Vind je dit niet vreselijk?'

'Wat?'

'Ons *nieuwe* postkantoor.'

'Ik vind 't juist mooi.'

Martin liep naar de deur en gooide zijn onaangeraakte boterhammen met ham en kaas op de stoel naast die van Shirley. 'Neem de mijne ook maar.'

'Nee, dank je. Ik ben vegetariër. Ik ben tegen het fokken van dieren voor de slacht.'

'Eet dan alleen de kaas,' zei hij en sloeg de deur achter zich dicht.

DRIEËNTWINTIG

Martin liep woedend via het achterplaatsje de straat op, alsof hij wist waar hij heen ging. Dat wist hij niet. Hij bleef staan, keerde om en nam een steegje dat uiteindelijk uitkwam in de High Street, dicht bij het Market Hotel. Hij stak de weg over naar North Square. Het oude postkantoor bood een treurige aanblik. De aannemer had de ramen dichtgespijkerd en de eiken deuren waren gekrast en haveloos en zaten potdicht. Binnen klonk gezaag en getimmer en die geluiden maakten Martin zo nieuwsgierig dat hij behoedzaam Echo Passage uitliep. Het toegangshek van het bouwterrein was open en Martin ging naar binnen. Vlak bij de achteringang stond een vrachtwagen en werklui gooiden dingen naar buiten door het raam. Toen Martin dichterbij kwam, besefte hij met een schok dat hij veel van de spullen die werden weggesmeten herkende. De lange schrijftafel voor de klanten was uit de muur gerukt. Er hingen nog brokken pleisterwerk aan de schroeven en hij stak half uit de berg puin waarmee de bak van de vrachtwagen was gevuld. Versplinterde stukken van wat ooit de balie was geweest vielen kletterend op elkaar en een lade, waarvan hij de inhoud met zoveel zorg had ingedeeld dat hij een postwissel kon onderscheiden van een cadeaubon door alleen de bovenrand te voelen, kwam met een luide dreun tegen de zijkant van de laadbak.

Hij laveerde tussen het puin op de binnenplaats door. Uit een bovenraam riep een waarschuwende stem: ‘Hé!’

De achterdeur was open. Of liever gezegd verdwenen. De stem schreeuwde opnieuw iets en nu nog luider, maar Martin glipte vlug naar binnen. De oude sorteerruimte was kaal en leeg, hoewel het dagelijkse-pauzerooster nog aan de muur hing en de kalender van het Thestons Amateurtoneelgezelschap, die Elaine ieder jaar meebracht, aan een spijker in de keukendeur bengelde. De deur die vanuit de kantine naar het hoofdkantoor had geleid had plaatsgemaakt voor een gapend gat. Martin stak zijn hoofd door het gat en keek om zich heen. Twee mannen met veiligheidshelmen op en zakdoeken voor hun mond waren druk in de weer met breekijzers en drilboren en braken de loketten af, rukten planken los en sloopten elektriciteitsdraden en leidingen uit de muur. Er was niets herkenbaars intact gebleven, behalve de Newmark-wandklok. Die stond uiteraard stil en hing onder een vreemde hoek, maar nog wel op zijn gebruikelijke plaatsje. Martin wachtte het juiste moment af en liep er toen snel naar toe.

'Hé! Rot op!' riep een stem boven het lawaai uit.

Hij draaide zich om en zag Crispin, de aannemer.

'Waar denk jij dat je godverdomme mee bezig bent?' schreeuwde hij. Zijn toch al kleine oogjes waren nog smaller van woede.

Hij kreeg gezelschap van twee andere mannen. Eentje hield een stapel tekeningen in zijn hand en Martin kende hem niet, maar de ander was John Devereux. Crispins absurde woede maakte Martin niet bang, maar Devereux' koele, flauwe glimlach joeg hem de stuipen op het lijf.

'Helmen zijn hier verplicht, Martin,' zei Devereux. 'Meneer Crispin heeft er vast wel eentje voor je, als je even wilt rondkijken.'

Boven klonk een scheurend gekraak en een dreun en Martin dook instinctief in elkaar terwijl een regen van puin en gips neerdaalde.

'Ik kwam alleen even kijken hoe de renovatie van 't postkantoor vordert,' hoorde Martin zichzelf zeggen, voor er een stofwolk opsteeg van de grond en hij begon te hoesten.

De man met de tekeningen keek hem verbouwereerd aan en Crispins uitdrukking was vijandig, maar Devereux glimlachte minzaam.

'Nou, Martin, daar was *ik* net mee bezig.' Hij wendde zich tot de aannemer die naast hem stond. 'En 't ziet er niet zo best uit, hè meneer Crispin?' Crispin schudde zijn hoofd en Devereux vervolgde: 'De dakbalken zitten vol houtzwam en...' Hij knipte met zijn vingers. 'Wat was er nog meer, Joe?'

'Metaalmoeheid in de steunbalken, betonrot en verzakking in de noordwesthoek,' mompelde Joe Crispin.

Devereux keek Martin weer aan en spreidde zijn armen. 'Ziet er lelijk uit. D'r moet heel wat gerepareerd worden.'

'Hoe lang?' vroeg Martin. Het had als een normale, oprechte vraag moeten klinken, maar kwam er bits en kortaf uit. Als

Devereux kwaad was, wist hij dat goed te verbergen. 'Ik ben blij dat je zo met de zaak meeleeft, Martin. We zullen ervoor zorgen dat jij 't als eerste hoort.' Hij wendde zich weer tot Crispin en zei op vertrouwelijke toon: 'Martin werkt namelijk ook voor ons.'

Crispin knikte grimmig. 'Nou, toch hoort ie hier niet te zijn zonder helm op. Da's tegen de regels. 't Kost me dadelijk nog een boete.'

'Je vindt 't wel, hè Martin,' riep Devereux hem na, maar dat bleek niet nodig te zijn. Joe Crispin greep hem stevig bij zijn arm en leidde hem persoonlijk de puinhopen van het postkantoor uit. Achter hen klonk opnieuw een oorverdovende klap en toen Martin nog één keer omkeek, was de Newmark-wandklok verdwenen.

VIERENTWINTIG

Nick Marshall was teleurgesteld in Sproale. Hij had gehoopt dat hij het postkantoor van Theston zou runnen terwijl hijzelf zich op het communicatieproject concentreerde, maar nu zat hij opgezadeld met zijn sentimentele verknochtheid aan een verouderd gebouw en zijn perverse weigering om ook maar een greintje dankbaarheid te tonen voor alles wat Nick voor hem had gedaan. Bijvoorbeeld in recordtijd en tegen aanzienlijke kosten een splinternieuw, ultramodern postagentschap voor hem uit het vuur slepen, waar ze in elk ander provincieplaatsje in Engeland stinkjaloers op zouden zijn. Plaatsjes die braaf moesten aansluiten achter aan de rij waarin hij en Devereux met zoveel succes waren voorgedrongen. Zelfs toen ze hem in vertrouwen hadden genomen en hem een behoorlijk bedrag hadden gegeven, was Martin niet in staat geweest om ook maar het eenvoudigste karweitje op te knappen - zoals informatie verschaffen over Frank Rudge en zijn gezin. Nick had weer puin mogen ruimen.

Maar goed, dacht Nick terwijl hij soepel en lenig over de Suffolkse heide rende, met zijn gezicht naar de opkomende zon, dat werk had ook zijn aangename kanten gehad.

Hij had veel tijd besteed aan het winnen van Elaines vertrouwen, maar dat was het dubbel en dwars waard geweest. Tijdens dinertjes bij kaarslicht, gezellige drankjes en intieme avondjes onder het dekbed met paisleypatroon, had Nick langzaam en geduldig de stukjes van de puzzel aan elkaar gepast. Hij wist nu wat er al die jaren geleden werkelijk met Frank Rudge was gebeurd en het resultaat was sensationeel. Zijn visverwerkende bedrijf was inderdaad over de kop gegaan toen dat nieuwe koelhuis was gebouwd, dertig kilometer verderop, maar de eigenaars van die nieuwe fabriek hadden eerst hun voornaamste concurrenten aan de kust van Suffolk systematisch uitgekocht. Net als diverse anderen was Frank Rudge met behulp van grote bedragen in voornamelijk Duits geld overgehaald om failliet te gaan. De visserij in Theston en de bijbehorende banen waren verdwenen en hadden plaatsgemaakt voor Frank Rudges Transportbedrijf en Rudge-Padgett Projectontwikkeling.

De onthulling dat Shelflife die informatie bezat, had een miraculeus effect gehad op Frank Rudge. In ruil voor de verzekering dat bepaalde feiten vertrouwelijk zouden blijven, was hij bereid geweest om het land rond de haven uit zijn wurggreep los te laten. Bovendien had hij beloofd dat hij op de eerstvolgende raadsvergadering zou voorstellen om het bestemmingsplan voor dat gebied opnieuw onder de loep te nemen. Al met al een uiterst bevredigend resultaat voor Shelflife, plus de nodige interessante seks voor Nick Marshall. Nu lagen de stukjes bijna allemaal op hun plaats en was het essentieel dat niemand de moed verloor.

Hij sprintte over de laatste honderd meter zacht, veerkrachtig gras en drukte bij zijn auto op het knopje van zijn stopwatch. Hij had zijn eigen record gebroken.

Nick Marshall timede zijn volgende stap uiterst zorgvuldig. Aan het eind van de dag waren hij en Martin alleen in het kantoortje. Martin controleerde de strookjes van de cheques die die dag verzilverd waren.

Nick, die achter zijn terminal zat, leunde achterover. Hij streek door zijn haar en sloeg zijn handen ineen achter zijn hoofd. 'Weet je, Mart, ik voel me vandaag geweldig. Echt geweldig.'

Martin keek niet op.

'Weet je waarom?'

Martin schudde zijn hoofd. Hij zat druk te tellen.

'Omdat ik 't idee heb dat jij, zelfs jij, Mart, eindelijk aan ons nieuwe kantoor begint te wennen.'

Martin deed een elastiekje om de controlestrookjes, legde ze in de la naast hem en keek Nick Marshall aan. Hij voelde nu alleen nog maar minachting voor hem. ''t Kan ermee door,' zei hij. 'Tot we teruggaan.'

Marshall zette zijn terminal uit. 'We gaan niet meer terug, Mart.'

Martin, die net een nieuwe stapel strookjes pakte, pauzeerde even en haalde diep adem. 'Ik vroeg me al af wanneer je dat eindelijk zou zeggen.'

'Dat is mijn beslissing niet, Mart,' zei Marshall. ''t Oude postkantoor was onveilig.'

'Hoe weet je dat?'
''t Stond in Crispins rapport.'
'En dat geloof jij?'
'Wat wil je zeggen?' Marshall sprong atletisch overeind uit zijn stoel, in de hoop dat die roofdierachtige beweging de aandacht zou afleiden van de minder gracieuze activiteit van zijn rechter mondhoek. 'De renovatiekosten zouden astronomisch zijn. Dan zouden alle verbeteringen op 't gebied van efficiëntie en modernisering waar de inwoners van Theston recht op hebben op de tocht komen te staan.'
'En de Posterijen dan?' protesteerde Martin. 'Zijn die niet verplicht hun gebouwen te onderhouden?'
'Mart, om dat gebouw weer in goede staat te krijgen, kun je gerust een half miljoen uittrekken.' Hij controleerde de terminal van Mary Perrick en zette die ook uit. 'Zoveel geld hebben de Posterijen niet meer.'
'Wie dan wel?' vroeg Martin hulpeloos.
'Nou, er zou een potentiële koper kunnen zijn. Shelflife is in onderhandeling.'
Martin keek Marshall vol ongeloof aan. 'Met wie?'
'Nordkom.'
Martin knikte langzaam. Nick Marshall keek hem zo brutaal mogelijk aan en geleidelijk daagde het begrip bij Martin. Als die stomme mond van hem nou maar eens stil wilde blijven.
''t Consortium waar jouw bedrijfje voor werkt?'
'*Ons* bedrijfje, Martin,' viel Marshall hem in de rede. 'Vergeet dat niet.'
'Dat komt goed uit, hè?' zei Martin.
'Heel goed,' beaamde Marshall.
'Behalve voor de bevolking van Theston.'
Marshall liep een eindje verder. Zijn stem werd hard en zakelijk. 'Martin, ik waardeer 't dat je zo graag postzegels verkoopt en praatjes met bejaarden maakt, maar over een paar jaar gaat vrijwel alles wat nu nog via 't postkantoor gebeurt automatisch. Dan hoeven mensen hier niet meer om de andere dag te komen om twintig minuten in de rij te staan en te wachten tot de persoon vóór hen is uitgekletst zodat ze een of ander papiertje kunnen laten afstempelen. Dat hoeven de mensen dan niet meer te doen.'

'Nee, dan kunnen ze lekker thuis blijven. Sokken kopen via de televisie.'

'Martin, waarom ga je niet bij een bejaardenvereniging werken als dat je zo dwarszit?'

'Omdat ik op een postkantoor werk!'

Marshall had Martin nog nooit eerder horen schreeuwen. Zijn roze, engelachtige gezicht leende zich niet voor woede.

'Hoor 'ns,' zei Martin met stemverheffing, 'ik wil weten wat er aan de hand is!' Hij prikte met zijn vinger naar Marshalls keurig gestreken witte overhemd. 'Je zei dat je van North Square 't beste postkantoor van Engeland wilde maken. Je zei dat we nooit ergens achter in een winkeltje zouden belanden. En nu hoor ik opeens dat dit ellendige huurkantoortje 't beste is dat we kunnen krijgen. Nou, als dat de prijs is die we moeten betalen voor dat stomme project van je, dan wil ik er niks mee te maken hebben!'

Marshall keek toe en wachtte en trok de strop toen langzaam aan. 'Maar je *hebt* er al mee te maken, Martin. Je bent adviseur.'

Hij keek naar Martin, die een rood hoofd had en zwaar ademde.

'We hebben in je geïnvesteerd, weet je nog wel?'

Marshall gaf een draai aan de knop van de safe en keerde zich om, met zijn hand op de lichtschakelaar. 'En nu zouden we daar graag iets voor terug willen zien.'

Het licht ging uit en Martin bleef achter in het donker.

Naar huis fietsen in het licht van een mooie zonsondergang, op een koele, heldere avond aan het begin van de lente was altijd een van Martins grootste genoegens geweest, maar deze keer kon hij niet genieten van de majestueuze, gekleurde banen die zich uitstrekten boven de horizon.

Dat geld. Had hij dat geld maar niet aangenomen. Neem nooit iets aan wat je niet verdiend hebt, had zijn vader vaak gezegd en Martin had gedacht dat hij zeurde. Zijn vader had soms zelfs fooien afgeslagen met kerst.

Nu begreep hij echter dat zijn vader, net als met zoveel dingen waarom hij was uitgelachen, in feite gelijk had gehad. Dat geld was de wortel van Martins problemen. Dat was de oorzaak van zijn machteloosheid en het sterkste wapen van zijn vijanden. Als hij die avond dat geld nou maar niet had aangenomen. Als. Als.

Terwijl hij zonder trappen de helling onder het spoorwegviaduct af reed en vervolgens kracht zette om tegen Abbot's Hill op te komen, zag hij maar één oplossing. Hij moest dat geld teruggeven. Dat zou heus niet het einde van de wereld zijn. Hij kon die stoel een andere keer kopen. Er kwamen vast andere stoelen, andere gelegenheden.

Dan zou hij ook bevrijd zijn uit de klauwen van Marshall en Devereux en kon hij aan een tegenactie beginnen. Wat er ook gebeurde, zijn gebruikelijke en meest geliefde optie was uitgesloten. Het was onmogelijk om niets te doen.

Tegen de tijd dat hij de rondweg was overgestoken en over het hobbelige oppervlak van Marsh Lane laveerde, had hij een besluit genomen. Zonder zijn muts of jas uit te trekken of zijn broekveren af te doen, rende hij naar boven, sloeg de deur dicht en draaide Ruths nummer. Hij was nog een beetje buiten adem toen ze opnam.

'Met Martin,' zei hij. 'Ik heb een besluit genomen.'

'Martin!' riep Ruth. 'De stoel is er!'

VIJFENTWINTIG

Hij leunde lomp tegen de keukentafel in Everend Farm Cottage. De poot stak onder een hoek van vijfenveertig graden uit en zat klem in een groef tussen de versleten bruine plavuizen. De zware houten rugleuning rustte tegen het tafelblad, waarvan de hoek tussen de twee bovenste latten doorstak.

Ruth stond in de deuropening van de keuken. Ze droeg een wijde katoenen broek, een geborduurd vest en een zwarte kasjmier trui. In haar ene hand hield ze een sigaret en in de andere een glas whisky met smeltende ijsblokjes. 'Ruik ik nog vleugje Ernest op de zitting?' vroeg ze.

Martin zat gehurkt naast de stoel en streelde langzaam met zijn vingers over de licht gegroefde, verticale steunen. Hij negeerde haar vraag en had haar trouwens nauwelijks aangekeken sinds hij gearriveerd was. Ze nam een trek van haar sigaret en keek hoe hij gebiologeerd naar de ruwe houten latten staarde, alsof hij een pas ontdekte Rembrandt bestudeerde. In Ruths ogen was die stoel een grote teleurstelling. Ze wist niet zeker was ze precies verwacht had toen Roger en Kate Morton-Smith opeens bij haar op de stoep stonden. Ze waren op weg naar een antiekbeurs in Norwich en hadden hun blauwe Mercedes verwisseld voor een rood huurbusje. Er was even korte paniek geweest toen Ruth Martins geld niet meer had kunnen vinden. Ze had het verstopt achter een losse baksteen onder de gootsteen, maar was vergeten welke.

Toen ze weer weg waren, had Ruth getracht om enig enthousiame op te brengen voor dat lompe geval, maar was tot de onvermijdelijke conclusie gekomen dat het een tragische verspilling van zuurverdiende spaarcentjes was. Haar opluchting omdat Martin zo opgetogen was, werd getemperd door oprechte bezorgdheid om zijn geestelijk welzijn.

'Hall-o,' riep ze, toen Martin voor de zoveelste keer om de stoel heen liep. 'Is er iemand?'

'Hier,' zei Martin, die een armleuning pakte. 'Help 'ns met tillen.'

Ruth stak de sigaret in haar mond, kneep haar ogen half samen tegen de rook en pakte de andere armleuning.

'Dat ding is zwaar,' gromde ze.

Ze volgde Martins instructies op en hielp om de stoel tegen de bank te zetten. Eerst was hij te hoog, maar Martin vond een stapeltje bakstenen en legde er bij elke poot van de bank één. Samen tilden ze de bank op en zetten hem op de stenen en daardoor kwam de zitting op de juiste hoogte om de stoel te ondersteunen.

Martin schoof de stoel op de bank, zo ver als de poot in het midden dat toeliet, draaide zich om en ging langzaam en respectvol zitten.

De stoel was groot en breed en eerst maakte hij een nogal verloren indruk, maar zodra hij eenmaal goed zat, aarzelend de versleten leren riemen om zijn schouders en middel had gedaan en achterover leunde, met zijn handpalmen plat op de armleuningen zodat de houten rug schuilging achter zijn romp, vond er een merkwaardige metamorfose plaats. De gedaanteverwisseling die Ruth al eerder had meegemaakt zette opnieuw in, maar nu veel duidelijker. Langzaam maar zeker werd Martin forser en robuuster. De serieuze frons op zijn gezicht verdween, zijn ogen werden groter en zachter, zijn kaaklijn krachtiger en zijn smalle borst breder. Zelfs de aanblik van zijn tenen die nauwelijks op de grond kwamen, kon dat opmerkelijke staaltje bezetenheid niet ontkrachten.

Ze deden er een hele tijd het zwijgen toe.

Even langzaam als zij zich had voltrokken begon de verandering om te keren, tot het weer Martin was die tegenover haar zat, met zijn roze gezicht, gladde huid en verlegen, verontschuldigende ogen die ver uiteen stonden in zijn ronde gelaat.

'Eindelijk,' zei hij zacht. 'Eindelijk.'

Hij had Ruth eigenlijk nooit over zijn andere leven verteld, het leven naast Hemingway. Dat was irrelevant. Als hij eenmaal bij haar was, waren er zoveel andere dingen om over te praten. Vandaag vertelde hij voor het eerst wat er de afgelopen weken allemaal gebeurd was. Toen hij was uitgesproken, bleef hij met gebogen hoofd zitten.

'Ik weet niet hoe ik 't aan moet pakken. Ik ben nog nooit op de proef gesteld.'

Ruth had voor de eerste keer het gevoel dat ze graag haar arm om hem zou willen slaan. Dat ze graag Grace en Hadley en Pauline en Mary en Marty in één zou willen zijn. Ze schonk een whisky in en gaf die aan hem.

''t Is nog niet te laat, Martin.'

Hij schudde zijn hoofd. 'Ik denk dat ik m'n kans ben misgelopen.'

'Dat is een typische Martin-uitspraak, als je 't niet erg vind dat ik dat zeg.'

Martin knikte en glimlachte flauwtjes.

'Dat is een uitspraak die jouw held nooit zou hebben gedaan,' vervolgde ze. 'Hij zou gezegd hebben dat je die rotzakken van katoen moest geven. Met gelijke munt terugbetalen.'

'In een boek is dat gemakkelijk,' zei Martin.

Ruth hield vol. 'Je hebt één groot voordeel. Ze verwachten niet dat je iets onderneemt.'

Half lachend en half schouderophalend vroeg Martin: 'Hoezo is dat een voordeel?'

Ruth gooide haar sigaret in de open haard en stond op. Ze trok haar vest uit en schoof de kleine, grenen eettafel opzij.

'Heb je ooit wel 'ns aan vechtsporten gedaan?'

Martin fronste zijn voorhoofd. 'Bedoel je karate?'

'Ja, zoiets.'

Martin lachte geluidloos en schudde zijn hoofd.

'Nou, dat is in de States een rage. Vooral onder ongetrouwde vrouwen uit New Jersey.' Ze koos een plekje in het midden van de kamer uit. 'Wat ze je leren is dat je de aanvaller het initiatief moet laten nemen en dat je zijn beweging dan uitbuit.'

Ze wenkte hem. 'Sta op.'

'Wat?'

Ze ging klaar staan, met haar voeten uit elkaar. 'Sta op!'

Dat deed Martin met tegenzin. Ze draaide zich een beetje, zodat ze recht tegenover hem bleef staan.

'Oké, Martin, ik weet dat je pacifist bent, maar stel je voor dat ik je moeder net een hoer heb genoemd.'

Martin lachte en schudde zijn hoofd. 'Wat wil je nou in vredesnaam?'

Ruths ogen schoten vuur. 'Kom op. Ik heb je moeder net een hoer genoemd, godverdomme nog aan toe.'

'Hoor 'ns, Ruth, ik heb er echt geen zin in.'
'Goed dan. Ernest Hemingway was een leugenachtige flikker, die geen reet van schrijven wist.'
Martin schudde zijn hoofd, maar glimlachte niet.
'Hij was een dikke, zielige, dronken ouwe papzak die nog niet eens een toespraakje kon schrijven voor de inauguratie van Kennedy toen ze hem dat vroegen,' jende Ruth. Martin zei niets.
'Maar hij zou nooit zo over zich hebben laten lopen als jij Nick Marshall over je heen hebt laten lopen. Hij zou je veracht hebben.'
Hij sprong op haar af. Ruth wachtte tot hij bijna bij haar was. 'Kijk maar. Je laat hem komen. Hij stormt met volle vaart op je af en dan -' Ze greep zijn arm, deed een stap opzij en draaide aan zijn pols, 'breng je hem uit z'n evenwicht en hopla! Hij ligt op de grond met jouw knie in z'n nek.'
Daar lag Martin inderdaad, met zijn gezicht in het tapijt geperst, dat naar stof en vocht en talkpoeder rook. Ruth zat boven op hem met haar scheen in zijn nek en drukte hem tegen de grond.
'Hé! Dat was helemaal niet slecht,' complimenteerde Ruth zichzelf.
'Urghh!' zei Martin.
'Gaat 't een beetje?'
Martin gromde nogmaals. Ruth liet hem los en stond op.
Martin wreef over zijn nek en Ruth stak haar hand uit. Ze hees hem overeind en hij hield zich wankelend vast aan de rugleuning van een stoel.
'Zou je me nog even willen uitleggen waarom je dat nou hebt gedaan?' vroeg hij.
Ruth pakte een sigaret. 'Ten eerste omdat ik niet genoeg lichaamsbeweging krijg en ten tweede om je te laten zien dat een klein iemand voor een hoop problemen kan zorgen, als hij weet wat hij doet. Heb je al gegeten?'
'Ik heb geen honger.'
'Dat komt wel.' Ze liep kordaat naar de keuken en riep tegen Martin: 'Ik heb wijn gekocht. Laten we beschaafd doen en wraakplannen smeden tijdens 't diner.'
Tegen de tijd dat Martin weer vertrok hadden ze twee flessen rode wijn op plus enkele whisky's en hadden ze iedereen die ook

maar iets met de teloorgang van het postkantoor te maken had de huid grondig vol gescholden.

Martin had uit zijn hoofd hele passages geciteerd uit *For Whom the Bell Tolls* over de techniek van de guerrilla-oorlog en ze waren het erover eens dat Martin, net als de held Robert Jordan, de vijand achter zijn eigen linies moest aanvallen.

Om te beginnen, besloten ze, moest hij iemand op de hoogte brengen die net zo over die zaak dacht als hij en die een vooraanstaande positie bekleedde in Theston. Zodra ze een boegbeeld hadden, kon daar een campagne omheen worden gebouwd. De avond eindigde met een ambitieuze poging om Hemingways stoel op de bagagedrager van Martins fiets te laden. Dat mislukte hopeloos en slap van het lachen wankelden ze weer naar binnen. De stoel bleef scheef tegen Ruths bank staan.

Ruth kon die avond de slaap niet vatten. Dat was niet ongebruikelijk, maar deze keer waren het geen woorden, data of paginaverwijzingen die haar uit de slaap hielden maar een heerlijk, schaamteloos, absoluut onintellectueel gevoel van pure geilheid. Ze wist, terwijl ze in de stille, stikdonkere, Suffolkse nacht op haar rug ging liggen, op haar zij, op haar andere zij en weer op haar rug, dat Martin Sproale met haar wilde neuken en dat zij met hem wilde neuken en dat dat vroeg of laat ook zou gebeuren.

Ze ging helemaal op in die zalige fantasie, al wist ze niet goed wat ze daar nou eigenlijk mee aan moest, tot ze opeens begon te lachen. Eerst zachtjes, maar geleidelijk harder en met meer overgave, tot ze bang werd dat de Wellbeings dadelijk nog haastig het pad af zouden komen lopen. En door die gedachte begon ze nog harder te lachen. Het was geen warme nacht, maar Ruth zweette onder haar wijde, zwarte, katoenen pyjama. Ze hees zich uit bed, deed haar ochtendjas aan, stak een sigaret op en ging aan haar bureau zitten om een P.S. toe te voegen aan de brief waaraan ze die ochtend was begonnen.

P.S.: Laatste nieuws voor Hem-fans (vers van de pers!)

Britse mannen zijn niet zoals ze op het eerste gezicht lijken. Onder elk bedaard en verlegen uiterlijk schuilt een beest en onder elk beestachtig uiterlijk iemand die naar moedermelk en vroeg slapen smacht. Onze milde Martin heeft zich vandaag ontpopt tot een redelijke imitatie van een Ruiter van de Apocalyps. Mart is razend en op zoek naar slachtoffers om zijn woede op te koelen. Waarom? De ineenstorting van de monarchie? De mogelijke invoering van een Europese munteenheid? De priesterwijding van vrouwen? Nee. De reden waarom Martin van een grijze muis in een minotaurus is veranderd (zou dat kunnen?) is dat ZE ZIJN POSTKANTOOR HEBBEN GEMODERNISEERD. Blijkbaar zijn er duistere krachten aan het werk, op nog geen tien kilometer van de plaats waar ik deze brief schrijf, die nooit zullen rusten tot ze hem van moderne faciliteiten hebben voorzien en, wat nog erger is, ook andere mensen.

Het wordt hier steeds warmer. In elk opzicht.
Nadere mededelingen volgen.
Jullie immer liefhebbende
Ruthie.

ZESENTWINTIG

Op een van de eerste warme dagen in maart, toen de hemel even blauw en onschuldig was als in juni, kon men Martin Sproale door Jubilee Park zien fietsen en de zacht glooiende heuvel zien afdalen die vanuit het stadscentrum naar de oude koopmanshuizen aan Mulberry Green leidde. Hij stopte voor het mooiste huis. Het was maandagochtend half tien en Martin, begeesterd door zijn nieuwe rol als stadsguerrilla, had besloten om al een week vakantie op te nemen. Hij zette zijn fiets tegen de heg en liep knerpend over het grindpad naar de met zuilen en frontons versierde voordeur. Hij drukte op de goed gepoetste, geëmailleerde bel, waar behulpzaam het woordje 'Drukken' op stond, keek snel in de richting waar hij vandaan was gekomen en zag tot zijn genoegen dat blijkbaar niemand hem had zien arriveren.

De deur werd geopend door een vrouw van middelbare leeftijd, met dik grijs haar dat slechts gedeeltelijk de grote wijnvlek in haar hals bedekte. Ze droeg een schort en hield een stofdoek in haar hand.

'Ja?'

'Is mevrouw Harvey-Wardrell thuis?'

Ze ging hem voor naar een grote, zonnige woonkamer. De vrouw met de stofdoek klakte met haar tong, liet een rolgordijn zakken en tuurde kritisch naar het deksel van een rijk bewerkte eiken kist.

'Die zon is de pest voor de meubels,' zei ze, met een nijdige blik op de weidse, heldere hemel.

Een ogenblik later werd de komst van Pamela Harvey-Wardrell aangekondigd door het scherpe gekef van een hond en het geluid van nagels die over een pas geboende vloer glibberden. In de hal riep een stem: 'Hilda! Caspar mag daar niet zijn en dat weet hij. Zou je hem bij Benjie willen zetten? Oh, en die spullen in de biljartkamer zijn voor de doven.'

De deur van de woonkamer ging open en mevrouw Harvey-

Wardrell zag Martin Sproale dubbelgebogen op het Perzische tapijt staan.

'Voel je je wel goed?' vroeg ze.

Martin kwam buiten adem overeind. 'Ik deed net even m'n broekveren af.'

'Niet op 't postkantoor?'

'Nee, ik heb een weekje vakantie.'

'Oh!' Ze wierp haar hoofd dramatisch in haar nek. 'Ik benijd je! Perry en ik gaan er om deze tijd van het jaar ook altijd dolgraag even tussenuit, maar helaas heeft hij het vreselijk druk en heb ik me weer laten overhalen om die liefdadigheidsavond te organiseren. Zou het postkantoor ook willen meehelpen? Dat zou echt ontzettend aardig zijn. Een paar pakjes met enveloppen voor het rommelkraampje?'

'Dat is vast geen probleem.'

'Heel aardig van je. De politie heeft stickers beloofd.'

Mevrouw Harvey-Wardrell ging op de chaise longue zitten en het viel Martin voor het eerst op dat ze best mooie benen had. Die sloeg ze elegant over elkaar, speelde verstrooid met de parelketting die over haar dure angoratrui hing en gebaarde dat Martin ook moest gaan zitten.

Hij nam behoedzaam op het puntje van een oorfauteuil plaats.

'Ik wilde u juist spreken over 't postkantoor, mevrouw Harvey-Wardrell.'

'Oh ja?'

Ze luisterde met dezelfde uitdrukking die hij ook op foto's van blanke missionarissen in Afrika had gezien. Serieus en enigszins afwezig.

'Ik heb reden om aan te nemen dat, als we niet oppassen, we ons oude postkantoor misschien nooit terugkrijgen.'

'Bedoel je dat we dan dat plastic konijnehok moeten blijven gebruiken?'

'Daar ziet 't wel naar uit.'

'Dat is een absolute aanfluiting.'

'Precies, en omdat ik wist dat u er zo over denkt, vroeg ik me af of u een campagne zou willen leiden.'

Bij het horen van het woord 'leiden' was er even iets van belangstelling zichtbaar in de ogen van mevrouw Harvey-Wardrell, maar die kneep ze direct weer achterdochtig samen.

'Campagne? Wat voor campagne?'

'Om 't postkantoor terug te halen naar North Square, waar 't de laatste zestig jaar heeft gezeten.'

'Tja...' Mevrouw Harvey-Wardrells lange, statige gelaat betrok en Martin bedacht dat het opmerkelijk was dat de hogere klassen niet alleen grotere huizen hadden, maar dat ook hun neuzen, ogen, kinnen en oren allemaal groter schenen te zijn dan het landelijk gemiddelde. 'Martin,' zei ze, 'hoewel ik dat misbaksel dat nu voor een postkantoor moet doorgaan verafschuw, is er een klein probleempje.'

''t Brengt haast geen werk mee, mevrouw Harvey-Wardrell,' stelde Martin haar snel gerust. 'U hoeft er alleen maar uw naam aan te verlenen.'

Mevrouw Harvey-Wardrell sloeg haar ogen gepijnigd ten hemel, alsof wat ze wilde zeggen haar uitermate zwaar viel. 'Martin, je moet begrijpen dat ik in deze zaak niet geheel de vrije hand heb. Zoals je weet is mijn man een bijzonder succesvol econoom, die zich in de allerhoogste internationale financiële kringen beweegt. Maar hij is geen sentimenteel man, Martin en ik ben bang...' Ze zweeg even na het woord 'bang'. Met haar opgetrokken wenkbrauwen en bovenlip en opengesperde neusvleugels zag ze eruit als een springpaard dat net een hindernis had geweigerd. 'Ik ben bang dat hij zich niet zozeer zal laten leiden door het verlangen om de traditionele sfeer van ons postkantoor te bewaren als wel door de mogelijkheid om een aanzienlijk bedrag te verdienen door het voor een winstgevender doel te verwerven.'

Martin boog zich fronsend voorover.

'Pardon?'

'Hij is van plan om het te kopen.'

'Te kopen?'

'Nou ja, hij koopt het natuurlijk niet zelf. Hij regelt het financiële gedeelte. Blijkbaar staan de Posterijen te popelen om het te verpatsen. Je vriend Nick Marshall is al in januari bij ons geweest om advies te vragen. Vertelt hij je dan helemaal niets?'

Martin sloeg zijn ogen grimmig neer. 'Hij vertelt me alleen wat ik moet weten.'

'Ik vind het echt jammer, Martin. Als de zaak anders lag, zou ik je graag hebben geholpen.'

Martin schoof onbehaaglijk heen en weer. Hij voelde zich

vreselijk voor gek staan. Bedrogen en beetgenomen. En was dat al sinds januari aan de gang? Hij stond op.

'Nou, 't spijt me dat ik u lastig heb gevallen en ik... ik zou 't op prijs stellen als u niks zou willen zeggen over m'n bezoek. Vooral niet tegen meneer Marshall. 't Was met de beste bedoelingen.'

Mevrouw Harvey-Wardrell liet hem uit. Ze maakte een spijtige indruk.

'Dat soort besluiten wordt altijd door mannen genomen. Ze zullen wel weten wat ze doen. Ik heb gehoord dat iedereen er geweldig van profiteert.'

Martin knikte wrang. Er waggelde een pekinees op hen af. Mevrouw Harvey-Wardrell tilde hem op en drukte zijn platte snuit tegen haar gezicht.

'Caspar, wat ben je toch lelijk.'

Ze wendde zich weer tot Martin. 'Probeer de dominee 'ns. Die is dol op goede zaken.'

Dominee Barry Burrell werd liefst gewoon Barry genoemd. Hij was heel knap op een ongedwongen manier en vrijwel iedereen in Theston had een hekel aan hem. Zijn voorganger, meneer Wyngarde, had zich op onberispelijke, domineeachtige manier gedragen. Hij had duidelijk voorlezen uit de oude bijbelvertaling, nutteloze bezoeken aan zieken gebracht en nooit een preek gehouden van langer dan twaalf minuten. Barry Burrell had zich voorgenomen om een soort interactieve dominee te worden en daarom besteedde hij extra veel aandacht aan het onder de mensen brengen van het geloof. Hij hield diensten in pubs en bejaardenhuizen, zegende stockcars en had ooit een middernachtelijke mis gehouden in de kantine van Theston Rubber B.V. In ruil voor die gunsten hoopte hij dat de mensen op hun beurt naar de kerk zouden komen. Parkeerwachters werden aangemoedigd om bijbellezingen te houden, lassers om hun uitrusting mee te nemen naar het oogstfeest en een plaatselijk busbedrijf werd gevraagd om de kerststal te sponsoren. Hij gaf een stevige hand en had een goede vriendin die Tessa heette.

Voor Martin kon hij echter weinig doen.

'Jezus Christus is ons boegbeeld, meneer Sproale, niet ik.'

Ze spraken met elkaar in een van de zijkapelletjes van St. Michael and All Angels. Op de achtergrond drentelde Harold

Meredith rond, de kersverse toezichthouder. Hij legde psalmboeken recht en probeerde te verstaan wat ze zeiden.

'Ik ben slechts een zwoeger in de wijngaard,' zei Barry tegen Martin. 'Als u me zou vragen om naar het postkantoor te komen en de voeten van het personeel te wassen - symbolisch, uiteraard - dan zou ik dat graag doen. Als u onze kerk zou willen gebruiken voor een verzoeningsdienst tussen de diverse onderdelen van de geherstructureerde Posterijen, zou ik u die direct uit Zijn naam aanbieden, maar als ik me zou opwerpen als leider, zou ik me een macht toeëigenen die alleen aan Hem toebehoort.'

'Wat zou u zeggen, dominee Burrell -'

'Barry, alsjeblieft.'

'Wat zou u zeggen als *u* uw werk moest doen in 't achterkamertje van een snoepwinkel?'

Barry Burrell hield wel van een grap en hij schaterde. Hij schudde Martin hartelijk de hand, verdween in de sacristie en deed de deur dicht.

Martin hoorde het gedempte geluid van lachende vrouwenstemmen. 'Zangoefeningen,' legde Harold Meredith uit.

ZEVENENTWINTIG

De daaropvolgende drie dagen klopte Martin zo discreet mogelijk bij de vooraanstaande burgers van Theston aan. Hij koos alleen mensen uit van wie hij dacht dat ze met hem zouden meevoelen, maar het resultaat was teleurstellend. Cuthbert Habershon, de gerespecteerde en pas gepensioneerde notaris, had het te druk met het kweken van zijn rozen. Dokter Cadwell gaf er de voorkeur aan om eerst de Engelse gezondheidszorg te redden en dan pas het postkantoor. Norman Brownjohn van de ijzerwarenzaak, Thestons meest gerenommeerde winkelier, wilde wel graag dat het postkantoortje wegging bij Randall, maar alleen als het dan bij Brownjohn zou intrekken. De enige plaatselijke bekendheid die hem onvoorwaardelijk steunde stond niet op Martins lijstje. Martin had zelfs opzettelijk getracht hem te mijden, maar desondanks had Harold Meredith zijn huis en zevenenveertig jaar ervaring bij de militaire administratie ter beschikking gesteld aan Martin en omdat er verder geen enkele kandidaat was, had Martin dat aanbod met tegenzin geaccepteerd. Zodra alles was geregeld, zou meneer Meredith met een petitie rondgaan. Eerst moest de campagne echter een naam krijgen, moest er een beleidsplan komen en moesten er intentieverklaringen worden opgesteld. En het was al donderdag.

Er stond een typisch maartse, buiige wind toen Martin de Corona Portable nr. 3 naar zich toe trok. De regen spetterde tegen de ramen en de dakpannen rammelden, maar hij voelde zich nu eindelijk eens niet ontoereikend of verontschuldigend. Eindelijk had hij iets belangrijks om over te schrijven. Vijf uur later, toen de wind was gaan liggen en had plaatsgemaakt voor een laag, grauw wolkendek en een vroege schemering, deed Martin zijn voltooide werk in een envelop en fietste naar Everend Farm Cottage. Hij had Ruths pc en printer nodig, plus haar goedkeuring. Ruth las zijn prospectus zorgvuldig door, maar maakte niet de goedkeurende geluiden die hij verwacht had.

'Is 't oké?' vroeg hij ongerust.

'Een beetje aan de lange kant, hè? Ik bedoel, wie is die Padge eigenlijk? Is hij als martelaar terechtgesteld door de Romeinen of zo?'

'Hij was de vorige postmeester.'

'Maar dan hoef je toch nog geen *drie* alinea's aan hem te wijden? Ik bedoel, dit is een oproep tot actie, geen novelle, Martin. Mensen hebben geen tijd om iets te lezen dat langer is dan één pagina.'

'In Theston hebben ze tijd zat,' zei hij verdedigend.

'Hoor 'ns, ik heb verstand van dit soort dingen, geloof me. Ik heb ook gefolderd, Martin. Anti-kernenergie, Stop de Walvismoord, Nicaragua. Ik ben met een handvol folders geboren en ik weet twee dingen. Hou 't kort en zorg dat 't telefoonnummer minstens twaalf keer genoemd wordt.' Ze bladerde het dikke pak papier nogmaals door. 'Ik zie hier helemaal nergens een telefoonnummer.'

'Meredith heeft een hekel aan telefoon,' zei Martin. 'Hij is tweeëntachtig en hoort hem niet meer overgaan.'

'Was hij je eerste keus?'

Martin keek gekwetst.

'Sorry. Dat was een goedkope opmerking. Maar is 't wel verstandig om zo'n campagne te laten runnen door een dove hoogbejaarde?' Ze sloeg haar as af op het schoteltje van haar theekopje.

'Verder waren er weinig kandidaten,' legde Martin uit. 'Iedereen had 't te druk of wilde zijn vingers niet branden. Meredith kent iedereen en is van plan om handtekeningen in te zamelen. Hij zal z'n best doen, dat weet ik zeker. Verder heeft hij toch niets te doen.'

'Oké. Laten we zeggen dat die tweeëntachtigjarige herrieschopper inderdaad tot actie overgaat. Wat wil hij – met andere woorden jij – dan dat de mensen doen?' Ze bladerde de pagina's nogmaals door. 'Ik bedoel, als ik dit lees weet ik niet of ik dat nieuwe postkantoor in brand moet steken, mezelf aan een bulldozer moet vastketenen of Chinese levensmiddelen moet boycotten.'

Martin was echt van zijn stuk gebracht. Hij had niet verwacht dat hij zich notabene tegenover Ruth zou moeten verdedigen. ''t Is een serieuze poging om de bevolking te waarschuwen voor wat er gebeurt.'

'Ik weet dat 't serieus is, Martin, maar als je dit leest zou je denken dat de sluiting van 't postkantoor in Theston zo ongeveer de op één na grootste misdaad tegen de mensheid is uit deze eeuw, na Hiroshima. Je moet eerst besluiten wat je wilt en wat je moet doen om dat te bereiken. Wil je geld of demonstraties of burgerlijke ongehoorzaamheid?'

Martin dacht even na. 'Ja,' zei hij. 'Waarom niet?'

'Waarom niet wat?'

'Waarom niet alle drie? Als dat nodig is?'

'Ben je bereid om de gevangenis in te gaan?'

'Zo heb ik er nog nooit over nagedacht, maar - ja, als 't moet.'

Ruth plukte een sliertje tabak van haar onderlip. 'Voor een *postkantoor*?'

Martin staarde haar uitdagend aan. 'Ja.'

Langzaam en bewonderend schudde Ruth haar hoofd. 'Je meent 't nog ook, hè? Je meent 't.'

Martin leek opgelaten door haar compliment. 'Als er niks anders op zit,' mompelde hij. 'Voorlopig wil ik alleen zoveel handtekeningen ophalen dat de Posterijen gedwongen zijn om zich te bedenken.'

Ruth stak haar handen op. 'Oké, dat is duidelijk. Dat scheelt in één klap al anderhalve pagina. 't Volgende punt is de naam.'

Daar had Martin meer vertrouwen in. Tot hij haar uitdrukking zag.

'Hoor 'ns,' zei Ruth. 'Je hebt m'n onvoorwaardelijke steun. Ik ben dol op protesten. Maar,' ze keek naar de bovenkant van Martins eerste pagina, '"Inwoners van Theston voor Heropening van het Postkantoor in North Square" ligt nou niet bepaald gemakkelijk in de mond. Bovendien is ITHPNS geen goede basis voor een acroniem. 't Lijkt me verstandig om daar wat in te snoeien.'

'Wat is een acroniem?'

Ruth keek hem verbaasd aan. 'Voor iemand die al z'n hele volwassen leven verliefd is op Hemingway -'

'Hemingway gebruikte nooit dure woorden.'

'*Touché*.' Ruth glimlachte en vervolgde: 'Een acroniem is zoiets als UNICEF of UNPROFOR. Een woord dat gevormd is uit de beginletters van andere woorden, zodat mensen nooit de volledige naam hoeven uit te spreken. Zoiets heb jij ook nodig. Iets lekkers simpels. Red Ons Postkantoor? ROP? Niet slecht.'

'We hebben een postkantoor,' protesteerde Martin. ''t Is 't oude kantoor dat we willen redden.'

'Red Ons *Oude* Postkantoor. ROOP?' Ze schudde haar hoofd. 'Dat bekt niet.'

''t Is wel accuraat.'

'Daar gaat 't niet om bij een goed acroniem.'

Martin wierp zijn armen in de lucht. 'Nou, bedenk dan eerst een woord en dan kunnen we daar ons doel aan aanpassen!'

'Stop!'

'Waarom?'

'Nee, dat is 't,' zei ze triomfantelijk. 'STOP. Steun Thestons Oude Postkantoor.'

'Moet dat eigenlijk niet STOPK zijn?'

'Martin,' zei Ruth ijzig, 'wees alsjeblieft niet zo'n muggezifter.'

ACHTENTWINTIG

Uiteindelijk werd Quentin Rawlings de reddende engel. Als hij er niet was geweest, zou STOP nooit van de grond zijn gekomen. Harold Meredith was weliswaar bereidwillig, maar hij was een verre van ideale campagneleider. Zijn huis-aan-huistechniek was op zijn zachtst gezegd excentriek. Zijn voorliefde voor uitgebreide praatjes aan de deur, of eigenlijk elk soort praatje, had een duidelijk remmende werking. Vaak vertrok hij na een bezoek zonder gezegd te hebben wat hij nou eigenlijk kwam doen, of als hij daar wel aan dacht liet hij zijn foldertjes of klembord liggen. Als hij zich dat eenmaal herinnerde en weer terugging, hadden de bewoners de tijd gehad om via de achterdeur naar buiten te glippen of zich te verbergen.

Aan het einde van de eerste dag had hij zeven handtekeningen verzameld, plus een belofte om een kraampje te mogen opzetten op de eerstkomende liefdadigheidsbazaar van de plaatselijke afdeling van de Conservatieve Partij. Op de terugweg besloot hij nog één laatste bezoek af te leggen. Vermoeid duwde hij een smeedijzeren hek open dat nog maar op één scharnier hing en stond onder aan het pad dat naar de deur van Hogarth House leidde - het huis van Quentin en Maureen Rawlings.

Hij tikte een zwart met witte plastic voetbal weg met het uiteinde van zijn stok en liep naar de voordeur. Hogarth House was niet zo mooi als de naam suggereerde en ook niet romantisch naar de bekende schilder genoemd. Het dateerde uit 1907 en was een van de drie huizen in de omgeving die gebouwd waren voor de familie van Maurice Hogarth, de suikerbaron. Het was hoog en van slechte smaak getuigend, met allerlei overbodige uitsteeksels en drukke versieringen van pleisterwerk, die de lompe verhoudingen accentueerden. De huidige eigenaars hadden de gevel van rode en gele baksteen gelaten zoals hij was en er alleen een weelderige wingerd tegenop laten groeien, die het zo goed deed dat het 's zomers moeilijk was om de voordeur überhaupt te kunnen vinden. Half maart waren de blaadjes echter nog in knop en kostte het Harold Meredith weinig moeite om niet alleen de deur te vinden, maar ook de ouderwetse trekbel.

De inspanning die het kostte om eraan te trekken leverde weinig op, behalve een aanval van duizeligheid en een flauw gerinkel in een of ander ver verwijderd vertrek, dat meneer Meredith helemaal niet hoorde. Hij stond op het punt om nog een ruk aan de bel te geven toen de bladderende groene voordeur openging en Quentin Rawlings verscheen. Hij droeg een gevlekte witte coltrui die slordig in een mosterdgele corduroy broek was gepropt en zijn haar was ongekamd. Hij zag eruit alsof hij net uit bed kwam, maar in werkelijkheid ging Quentin Rawlings zelden naar bed. Zijn leven draaide om zijn woede, zijn typemachine en zijn vastbesloten voornemen om al het kwaad in de wereld te herstellen voor hij te oud werd. Hij staarde Harold Meredith vijandig aan. 'Ja?'

'Ik kom over 't postkantoor,' zei meneer Meredith. Quentin Rawlings slaakte een korte, scherpe, keffende kreet en meneer Meredith deinsde verschrikt achteruit.

'Praat me niet over postkantoren!'

Als Rawlings het woord nam hanteerde hij steevast dezelfde retorische techniek, of zijn gehoor nu de plaatselijke afdeling van Labour was, de vakbond of gewoon zijn vrouw aan de ontbijttafel.

'Wist je dat er van de twintigduizend postkantoren in dit land nu achttienduizendvijfhonderd gerund worden op franchisebasis? Dat er in de afgelopen vijf jaar ongeveer duizend postagentschappen zijn opgeheven, die stuk voor stuk een gebied verzorgden van zo'n dertien vierkante kilometer - dat dus nu in totaal dertien*duizend* vierkante kilometer van het Britse platteland verstoken is van primaire diensten?'

Harold Meredith deed zijn mond open om iets te zeggen.

'Wist je dat de regering er nog niet tevreden mee is dat ze de traditionele, geïntegreerde, multifunctionele rol van de Posterijen hebben beëindigd maar nu ook van plan is de diverse onderdelen afzonderlijk aan de hoogste bieder te verpatsen?'

Harold Merediths mond bleef openhangen.

'Ik bedoel, dat is toch belachelijk? De pakketpost concurreert met de briefpost en die concurreert weer met de mensen die postzegels verkopen! Heb je 't ooit zo zout gegeten?'

Harold Meredith besloot dat zijn mond voorlopig niet nodig was en deed hem dicht.

'En als klap op de vuurpijl hebben ze notabene hier, in onze eigen stad, ook besloten om 't oude postkantoor te vervangen, zonder enige inspraak en *zonder formele aankondiging*.'

Meneer Meredith stak zijn hand op.

'We moeten niet gewoon uit onze neus vreten en ze rustig hun gang laten gaan. We moeten herrie schoppen, 't ze moeilijk maken, tegenstand organiseren en de bevolking van Theston duidelijk maken wat zich hier afspeelt.'

'Nou...' begon meneer Meredith.

Quentin Rawlings pookte met zijn vinger naar meneer Meredith.

'We moeten een campagne opstarten om die zaken onder de aandacht te brengen.'

'Nou...' herhaalde meneer Meredith.

''t Enige wat je nodig hebt,' vervolgde Rawlings, 'is iemand die bereid is om 't nodige loopwerk te doen, bij mensen aan te kloppen en bij winkels langs te gaan en iemand die een strategie wil opstellen en coördineren. Toevallig heb ik daar net een pamflet over geschreven. Heb je belangstelling?' Harold Meredith knikte hulpeloos. 'Wacht even, dan haal ik er eentje.'

Enige tijd later liep meneer Meredith terug over de bemoste, overgroeide flagstones die naar het wankele hek van Hogarth House leidden met in zijn tas, behalve zijn klembord, een extra paar handschoenen en vijftig onafgegeven STOP-folders ook vijfentwintig onverkochte pamfletten van Quentin Rawlings getiteld 'Schande! De Uitverkoop van Onze Posterijen.'

Rawlings bleef in de veronderstelling dat de STOP-campagne geheel te danken was aan zijn toevallige ontmoeting met meneer Meredith en Martin liet hem maar in die waan, vooral omdat Rawlings direct bereid scheen te zijn om vergaderingen te beleggen, campagneplannen op te stellen en dag en nacht door te werken. De enige voorwaarde die hij stelde was dat zijn naam en een lijst van alle boeken die hij ooit had geschreven boven aan alle officiële documenten moesten komen.

De eerste bijeenkomst van de kerngroep vond op zaterdagochtend plaats in Hogarth House en werd behalve door Martin ook bijgewoond door Rawlings, zijn vrouw Maureen en Harold Meredith. Rawlings benadrukte dat het mobiliseren van natuurlijke bondgenoten een belangrijke eerste stap was. Het overige personeel van het postkantoor zou er uiteraard op gebrand zijn om hun baan en toekomst veilig te stellen.

Op de eerste middag na zijn vakantie benaderde Martin zijn collega's. Hij sprak iedereen aan en stelde voor om direct na sluitingstijd bijeen te komen in de kantine om een dringende kwestie te bespreken. Nick Marshall was na de lunchpauze vertrokken voor de zoveelste belangrijke vergadering en had gezegd dat hij die dag niet meer terug zou komen.

Het minuscule, claustrofobische berghokje dat als kantine werd gebruikt was veel te klein om een vergadering in te houden. Toen Martin de deur opendeed, kwam die met een klap tegen de knieën van Shirley Barker. Martin werd rood, verontschuldigde zich en stond op het punt om iedereen welkom te heten toen hij er abrupt het zwijgen toe deed.

'Waar is Elaine?' vroeg hij.

Geraldine pakte een omgekeerde beker en spoelde die om onder de kraan.

'Ik geloof dat ze nog iets wilde kopen voor de winkels dichtgaan. Ze zei dat 't dringend was.' Ze glimlachte weinig overtuigend. De anderen deden er inmiddels het zwijgen toe en keken uit hun ooghoeken naar Martin.

'Weet je of ze nog terugkomt?'

'Ze zei dat je maar zonder haar moest beginnen.'

'Nou,' zei Martin, die naar een zakdoek zocht, 'jullie hebben misschien al gemerkt dat er een campagne op touw is gezet om de Posterijen ervan te weerhouden ons oude gebouw aan North Square te verkopen.'

'Waarom in vredesnaam?' vroeg Shirley Barker. 'Ze doen op 't hoofdkantoor toch wat ze willen. Ik heb gehoord dat 't oude gebouw op instorten stond.'

'Dat is geklets,' zei Martin. 'Dat is gewoon verzonnen door mensen die niet willen dat we daar terugkeren. Ik weet niet hoe jullie erover denken, maar ik vond North Square een honderd procent betere werkomgeving. We hadden ruimte en licht en konden ons tenminste normaal bewegen en 't was vooral een trefpunt voor de hele gemeenschap. Geen geleuter over consumentenhandvesten of onzin over enkele rijen en knipperende lichtjes en minimale wachttijden. We behandelden onze klanten goed omdat we dat wilden, niet omdat dat voorgeschreven was. Dit –' hij knikte vol verachting naar de deur die naar het kantoor leidde, 'dit is een kooi en als zij hun zin krijgen, zitten we hier dadelijk voorgoed als ratten in de val.'

Er viel een stilte. Shirley Barker deed alsof ze geschokt was en Mary Perrick keek opgelaten. Geraldine staarde Martin aan over de rand van haar beker thee.

'Ik stel voor dat we, in ons aller belang, die STOP-campagne steunen.' Hij haalde een stapel papiertjes met een elastiekje erom uit zijn aktentas.

'Wat ik van jullie vraag is heel eenvoudig.'

Hij trok een papiertje van de stapel en hield het omhoog.

'Op elk papiertje staat de naam van de campagne, 't doel en een adres en telefoonnummer. 't Enige wat jullie hoeven te doen is zo'n papiertje in elk pensioenboekje stoppen, elk spaarbankboekje, elk bijstandsformulier en wat er allemaal nog meer over de balie gaat. 't Is natuurlijk beter om dat te doen als Marshall niet in de buurt is omdat... nou ja, hij is in feite de directie en zou zich misschien gegeneerd voelen.'

Hij keek om zich heen en begon het elastiekje van de stapel te halen.

'Ik zou liefst morgen al beginnen, als dat kan.'

Shirley Barker stond op. Ze raapte haar tas, jas en sjaal bij elkaar en zei: 'Martin, ik stel prijs op m'n baan en ik wil hem graag houden. 't Geld komt me heel goed van pas en eerlijk gezegd maakt 't me niet uit waar ik werk.'

'Met alle respect, Shirley, maar jij bent een parttimer,' zei Martin. 'Jij brengt hier heel wat minder tijd door dan wij.'

Shirley wees op de anderen. 'We zijn allemaal parttimers, behalve jij. Mary is een parttimer en Geraldine ook. En zij werken hier omdat jij John Parr en Arthur Gillis de laan uit hebt gestuurd. Weet je nog wel? Misschien zou je beter een campagne kunnen beginnen om *hen* terug te halen in plaats van ons een veeg uit de pan te geven.' Ze knoopte haar gebloemde sjaaltje om haar hoofd en tuitte nerveus haar smalle lippen. 'Arthur was een doodgoeie, fatsoenlijke man, die nog jaren had kunnen werken. Red 't Postkantoor komt een beetje te laat voor hem.'

Ze pakte haar tas en deed de deur open. Toen ze was vertrokken, sloeg hij met een klap achter haar dicht.

Martin staarde naar de deur. Mary Perrick stond op. Ze was een zachter, moederlijker en veel vriendelijker type dan Shirley, maar haar reactie kwam op hetzelfde neer. 'Ik heb er ook liever niets mee te maken, Martin. Ik heb die baan hard nodig. 't Betaalt niet veel, maar 't is beter dan niets.'

Ze bleef even staan, spreidde haar armen, besefte dat ze verder niets te zeggen had, knikte, glimlachte snel en opgelaten, deed de deur open en vertrok ook.

Geraldine hield haar beker thee in beide handen en verroerde zich niet.

Martin fronste zijn voorhoofd. Hij stak zijn onderlip uit, deed langzaam het elastiekje weer om de papiertjes en stopte die in zijn aktentas. Geraldine stond op en liep met haar beker naar de wasbak. Martin schopte naar de dichtstbijzijnde stoel.

'Waarom was Elaine er niet? Ze is lid van de bond. Ze is altijd veel meer een vechtster geweest dan ik.' Hij keek Geraldine aan. 'Ze is een vechtster, weet je. Elaine is een taaie. Ik bedoel, we hebben zes jaar samengewerkt. Wist je dat?'

Geraldine hield haar beker onder de warme kraan. Het water liep eraf en sijpelde op de vloer.

'Godver!' Geraldine pakte een doekje.

'Elaine steunt die campagne vast en zeker. Ja toch?'

'Ik zou er maar niet op rekenen.'

'Waarom niet, in vredesnaam?'

Geraldine wrong het doekje uit en legde het zorgvuldig op de rand van de wasbak. Ze keek Martin aan. Hij wachtte tot ze iets zou zeggen. Hij had het warm en zag er vermoeid uit. Hij zag eruit alsof hij behoefte had aan troostende woorden, maar ze wist dat hij haar om de een of andere reden vertrouwde en de waarheid verwachtte.

'Je bent belazerd, Martin,' zei Geraldine. 'Elaine gaat met Nick. Ze gaan met elkaar om.'

Martin staarde haar aan.

'Ze zijn een stel, Martin.'

NEGENENTWINTIG

Ruth zag Ted Wellbeing tegen de heuvel optuffen met zijn tractor. Achter de wielen stak een eg omhoog, die schudde en trilde en kluiten verse aarde rondstrooide terwijl Ted tussen de voren zizagde die door een week vol wind en neergutsende regen waren uitgesleten.

Vandaag benijdde ze hem. Ze benijdde hem om die hersenloze routine en het feit dat hij altijd buiten was. Terwijl de zon langzaam hoger klom (op de dagen dat hij tenminste zichtbaar was) begon Ruth zich rusteloos te voelen. Ze kreeg steeds meer zin om de levens van anderen een tijdje te laten voor wat ze waren en zich op haar eigen leven te concentreren. Ze had bijna een week lang haar uiterste best gedaan om een van haar eigen theorieën te bewijzen, namelijk dat Hemingways gepreoccupeerdheid met kapsels en de manier waarop je die kon veranderen en daardoor ook iemands persoonlijkheid kon wijzigen, niet was ontstaan door geslachtsverwarring in zijn vroege jeugd, maar door zijn ontmoeting met Pauline Pfeiffer. Van alle vrouwen en vriendinnen van Hemingway voelde Ruth zich het nauwst verwant met Pauline. Haar levenslust, liefde voor boeken, slanke, ranke figuur en donkere gelaatstrekken spraken Ruth aan en daarom had ze alle mogelijke moeite gedaan om te bewijzen dat het Paulines obsessie over haar uiterlijk en vooral over de stijl, vorm en kleur van haar kapsel was geweest die tot de belangstelling van haar man voor travestie had geleid. Dat het Pauline was geweest die hem ertoe had gebracht om dat onderwerp uit te werken in twee van zijn belangrijkste boeken, in *A Farewell to Arms* en vooral in Ruths eigen favoriet, *The Garden of Eden* –een merkwaardig, fascinerend, erotisch verhaal dat pas vijfentwintig jaar na Hemingways dood gepubliceerd was.

Helaas weigerden de feiten om zich aan te passen aan haar theorie. Ze waren uiterst weerbarstig en verschenen, verdwenen en verschenen opnieuw op precies de verkeerde plaatsen. Ze ging een tijdje aan het raam zitten, zonder te schrijven, en keek alleen hoe de blauwgrijze hemel eerst wit werd en daarna langzaam donker. Ze stond op, rekte zich uit en reikte naar de knop van de grote gele schemerlamp die ze zichzelf met kerst cadeau had gegeven. Ze liep naar de piepkleine badkamer en trok aan het lichtkoordje. Ze keek in de spiegel en streek haar eigen, dikke, donkere haar van haar voorhoofd, maar schrok toen er op de deur werd geklopt.

Ze deed open en zag Martin op de stoep staan. Hij had een sporttas over zijn schouder en zijn gezicht was verhit van het fietsen. Hij zag er terneergeslagen en hulpeloos uit, wat haar irritatie om zijn onaangekondigde bezoek nog vergrootte.

'Ik had je niet verwacht,' zei ze.

'Ik geloof niet dat je me ooit verwacht hebt,' mompelde hij en ze merkte dat er iets mis was.

'Heb je 't druk?' vroeg hij en keek naar binnen, alsof hij half en half verwachtte dat ze visite had.

'Ik zat te schrijven, zoals gewoonlijk,' zei ze schouderophalend. ''t Verhaal wordt vervolgd.'

'Ik ga wel weer, als 't niet gelegen komt. Ik kwam alleen even naar de stoel kijken.'

Ruth lachte. 'Ja, natuurlijk. Dat was ik haast vergeten. Kom binnen.'

Ze voelde zich slecht op haar gemak en opgelaten. Ze bleven even onbeholpen staan en toen zei ze: 'Ga jij maar vast naar binnen, dan schenk ik iets te drinken in.'

Ze ging de keuken binnen en duwde de deur half dicht. Voor deze ene keer wilde ze niets over Hemingway horen. Ze schonk zich iets te drinken in, nam langzaam een slok, staarde naar de doorweekte akkers en voelde hoe ze bijkwam door de trage warmte van de drank.

Toen ze de woonkamer binnenging, was Martin verdwenen. Zijn plaats was ingenomen door een ineengedoken, waakzame gedaante die een witte tennispet droeg, een grijs sweatshirt, een lichtbruin katoenen jasje met een klein ruitpatroon en een effen witte, eveneens katoenen bermuda. Zijn kuiten waren bloot en hij zat half voorovergebogen, alsof hij ergens op wachtte. Ruth deed een paar voorzichtige stappen in zijn richting. De gedaante in de stoel concentreerde zich op iets in de verte. Hij had een ironische glimlach op zijn gezicht, vol zelfspot. Ze hield hem een glas whisky voor

'Wil je iets drinken?'

Eerst verroerde hij zich niet, maar toen de gedaante langzaam opkeek had Ruth opnieuw het griezelige gevoel dat ze in het gezelschap was van een vreemde die ze goed kende.

'Ik zal er wel idioot uitzien, nietwaar?' zei een stem die traag en diep was maar waarin ook een glimlach doorklonk. Ruth zei niets.

'Ik zie er niet uit als een fatsoenlijke kerel, hè?'

Hij pakte de whisky aan, sloeg hem in één teug achterover, stak het glas uit en keek hoe ze nogmaals inschonk.

Hij dronk opnieuw, maar nu langzamer. Deze keer was de whisky puur en hij snakte naar adem. Plotseling keek hij op, ademde diep in en glimlachte breed.

'Nou, ik zie er zo uit omdat ik me zo 't liefst kleed. Ik zie er zo uit omdat ik vanaf morgen in Havana zit en koude biertjes drink met mevrouw Mason op 't dek van HMS *Anita*.'

Ruth begreep alle verwijzingen. In 1933 had Ernest Pauline achtergelaten in Key West en was twee maanden op visvakantie gegaan in Havana, waar hij had kennisgemaakt met de beeldschone, eigenzinnige, drieëntwintigjarige Jane Mason, wier man werkte en niet met haar mee kon gaan. Ze hadden samen gevist op de *Anita*, de boot van Joe Russell, een maatje van Hemingway uit Key West. Dat was een episode uit zijn leven waar zij en de meeste Hemingway-kenners dolgraag meer van wilden weten, een zeldzame buitenechtelijke affaire waarvan ze wisten dat hij had plaatsgevonden, maar die nog steeds omgeven was door mysterie.

Ruth schonk zichzelf ook nog iets te drinken in en ging tegenover hem zitten. Het lamplicht viel op de zijkant van haar gezicht. 'Waarom moet je er nu alweer tussenuit?'

'Omdat ik godverdommes hard gewerkt heb aan dat boek en ik me even wil afreageren.'

'Ik heb ook hard gewerkt om dit huis voor je in te richten,' zei ze rustig. 'Weet je hoeveel geld ik heb uitgegeven?'

Zijn gezicht betrok. 'Dat is de enige manier waarop jij 't kunt zien. Alles moet altijd in geld worden uitgedrukt. Dus je vader heeft dit huis gekocht. Nou, geweldig. Jij hebt 't volgestopt met mooie meubeltjes en grote gordijnen. De hele boel laten opschilderen.

Ook geweldig. Ik kan godverdomme geen letter meer schrijven omdat ik moet helpen gordijnstof te kiezen, terwijl ik ook lekker op zee aan 't vissen zou kunnen zijn met m'n echte vrienden.'

'Noem je die schooiers je vrienden?'

''t Zijn simpele jongens. Ze drinken en gokken en leven van de zee, maar ik hou van ze. Oké?'

'Meer dan van mij?'

'Misschien. Misschien willen zij niet steeds beslag op me leggen en me oppoetsen en in een glazen kooitje stoppen.'

'Ik wil gewoon dat je thuis bent. Voor mijn part draag je alleen gymschoenen en een lendendoek van luipaardvel. Ik wil dat ik voor je zorg en niet mevrouw Mason. Ik ben je vrouw, verdomme. Wat is er gebeurd? Wat heb ik verkeerd gedaan?'

'Je hebt te veel gedaan. Te veel je best gedaan.'

'Ooit heb je van me gehouden. Je hield zielsveel van me en ik hield van jou en we gingen overal samen naar toe en maakten elkaar heel gelukkig.'

'Als jij dat zegt.'

'Weet je dat dan niet meer?'

'Natuurlijk weet ik dat nog, godverdomme. Dat weet ik heel goed.'

'Je wist 't een dag. Je wist 't een week. Maar toen kwam er een interessanter iemand en daar moet ik me maar bij neerleggen. Ik moet braaf afwachten terwijl jij plannen maakt en dan doen wat jij wilt. Is dat soms niet zo?'

'Nee... nee... dat is niet zo.'

'Jij doet wat je wilt en ik moet me daar naar schikken, niet-waar?'

'Nee, nee!'

'Ik ben 't vrouwtje dat thuis moet blijven tot 't de heer des huizes behaagt om terug te komen.'

'Nee.'

'*Mijn* schrijven stelt geen reet voor.'

'Nee.'

'Je wilt alleen een lichaam, dat beschikbaar is als jij er zin in hebt.'

'Nee!'

Ruth zag zweetdruppels op zijn voorhoofd, maar kon nu niet meer ophouden.

'Nou, ik zal je 'ns wat zeggen. Je bent niet zo goed als je wel denkt.'

'Hou op, wil je?' Zijn hoofd zwaaide nijdig heen en weer.

'Je wilt de waarheid niet horen, hè?'

'Hou op, zei ik.'

'Ik kan zo naar buiten stappen en tien kerels vinden waar ik meer aan heb dan aan jou!'

'Hou *op*!'

Een geslepen glazen asbak vloog naar Ruths hoofd. Ze dook weg en hoorde hoe hij kapot sloeg tegen de muur en in scherven op de grond viel.

Ze kwam overeind.

Martin staarde haar hulpeloos aan. 'Heb je niks?'

Ze schudde haar hoofd.

Hij keek naar zijn hand en bracht hem langzaam omhoog, alsof hij zich er nu pas van bewust was wat hij had gedaan. Na een stilte zei hij zacht en verbijsterd: ''t Spijt me, Ruth. 't Spijt me.'

'Is alles oké met je?'

Ruth bleef waar ze was en staarde hem behoedzaam aan. Haar ademhaling ging snel en hortend.

Martin schudde zijn hoofd, alsof hij een waas voor zijn ogen had. 'Ik weet niet wat ik had.'

''t Was mijn schuld,' zei ze. 'We moeten niet zulke idiote dingen doen.'

'Ik was 't helemaal vergeten,' zei hij. 'Ik dacht dat je - ik dacht dat je iemand anders was.'

'Iemand anders dan Pauline?'

'Ja.'

'Wil je erover praten?'

Martin zweeg. Hij streek met zijn hand over zijn ogen en keek naar de stoel.

''t Spijt me. 't Komt door dat ding.' Hij probeerde zich uit de stoel te wurmen zonder dat hij omviel. 'Ik moet opstaan. Ik moet uit die stoel.'

De wind was weer opgestoken rond Everend Farm Cottage, maar hij was niet vijandig. Hij loeide en nam af en loeide minder hard. Het werd donker in de kamer. Ruth pakte veger en blik en begon de scherven op te ruimen. Dat was ook een manier om haar getril te onderdrukken.

Martin hees zich uit de stoel. 'Laat ik maar gaan.'

'Je gaat helemaal nergens heen. Je gaat gewoon weer zitten en dan zet ik koffie voor je.'

De koffie was sterk en Martin dacht dat dat hem goed zou doen. Ruth nam ook een beker en knielde naast de haard neer. Ze stak een sigaret aan in het vuur en ze keken hoe het verse hout siste en langzaam vlam vatte.

'Ik heb nog nooit zoiets gedaan. Echt niet. Nooit.'

'Ik geloof je,' zei Ruth.

'Iets van binnen. Kan 't niet uitleggen. Iets heel sterks.'

'Hoor 'ns, als je me zo graag pijn wilde doen moet daar iets aan gedaan worden.'

'Ik wilde *jou* geen pijn doen. Dat weet je toch?'

'Ja, 'tuurlijk,' zei Ruth. 'Maar ik was ook niet mezelf. Ik was Pauline en jij was Ernest. En toen was jij opeens Ernest niet meer en was ik Pauline niet meer en werd ik in jouw ogen iemand anders. We maken allebei kans op een Oscar, maar laten we 't toch maar niet meer doen.'

Een brandend blok rolde uit de haard. Ruth pakte de pook en duwde het terug.

'Volgens mij was ik verliefd op haar,' zei Martin nuchter. 'Maar ik wist niet goed hoe ik dat moest zeggen. Daarom deed ik niets en nu heeft ze me verraden. Ze slaapt met de vijand.'

Het blok spette een vonk tegen Ruth en ze schoof haastig achteruit. Haar rug kwam tegen zijn benen. 'Godverdomme, een sluipschutter!'

Martin lachte kort en humorloos. ''t Is je dag niet.'

'Zeg dat wel. 't Engelse platteland slaat terug. Nou, ik blijf lekker buiten bereik.'

Ze leunde tegen Martins benen. Er viel een stilte en toen zei Martin langzaam: 'Jij bent de expert. Wat zou Hemingway gedaan hebben?'

'Ik ben geen expert. Nog niet, in elk geval.'

'Laten we dan afgaan op wat je tot dusver hebt ontdekt, professor in de Hemingwayse Vrouwenkunde. Wat zou hij gedaan hebben als hij in mijn schoenen had gestaan?'

Ruth dacht na.

'Nou, als 't verkeerd begon te gaan tussen een vrouw en hem, was dat meestal een teken dat hij iemand had ontmoet die hij aardiger vond.'

'Daar heb ik ook niet veel aan.'

'Zijn er dan geen andere vrouwen in je leven?'

'Absoluut niet!'

Ruth trok haar knieën op tot onder haar kin en boog haar rug, zodat ze hem niet meer aanraakte. 'In dat geval denk ik dat hij erg teleurgesteld in je zou zijn,' zei ze gevoelvol.

Martin glimlachte wrang, maar zei niets.

Ruth ruimde de koffiespullen op en bood aan om iets te eten te maken, maar Martin had geen trek. Daarom maakte ze een fles wijn open en ging weer voor de haard zitten. Ze dronken de fles samen leeg en zij nam weer haar favoriete foetushouding aan, met opgetrokken knieën en haar rug zachtjes maar stevig tegen Martins benen, terwijl hij in de fauteuil zat en naar het vuur staarde.

'Vind je 't vervelend?' vroeg Martin na een tijdje.

'Vind ik wat vervelend?'

'Vind je 't vervelend dat ik... nou ja... dat ik zo ben? Ik vertelde vroeger nooit aan iemand wat ik deed. Dat was privé, iets tussen hem en mij.'

'Ik voel me vereerd, Martin,' zei ze en voelde zich vrij om dat niet te menen.

'Ik was zo opgewonden over die stoel. Ik wilde hem zo graag hebben, omdat me dat dichter bij hem zou brengen en nou gebeurt dit.'

Ruth leunde achterover en nam een trek van haar sigaret. Martin keek hoe ze de rook naar het vuur blies. Hij vermengde zich met de rook van het hout en werd weggezogen door de schoorsteen.

'Heeft 't op jou geen effect – als jij je in Pauline verplaatst?' vroeg Martin na een tijdje.

Ruth schudde haar hoofd en blies opnieuw een lange rookpluim uit. 'Ik kan me niet in Pauline verplaatsen. Ik kan haar boeken lezen en haar brieven en alles wat over haar geschreven is, maar dan kan ik nog niet wat jij kunt.'

'Hoe komt dat, denk je?'

Ze zweeg even en wierp haar hoofd in haar nek. 'Ik denk omdat ik eigenlijk meer weg heb van mevrouw Mason.'

'Maar dat was –'

Ruth grijnsde. 'De gevallen vrouw. Ze was jong en wild en dronk te veel en was niet helemaal goed bij haar hoofd, om 't zachtjes te zeggen.'

Martin keek naar zijn glas, dat leeg was. 'Ik zou niet weten wat ik met zo iemand zou aanmoeten.'

Ruth glimlachte. 'Nou, stel je 'ns voor,' zei ze. 'Jij Papa. Ik Jane.'

Ze gooide haar sigaret in het vuur en duwde tegen zijn benen. 'Sesam open u!' zei ze en wreef zich tegen zijn knieën.

Martin verzette zich niet. Hij gleed van de stoel en plofte op de grond neer. Ze leunde tegen zijn borst en hij voelde de warme breedte van haar rug.

''t Is altijd fijn om je te zien,' zei ze. Ze pakte zijn armen en sloeg die om haar heen. 'Ik vind 't fijn als je komt.'

Ze sloeg haar eigen armen om haar knieën en begon zachtjes heen en weer te wiebelen. 'Je zou 'ns wat vaker vakantie moeten nemen.' Ze voelde hoe hij zijn handen voorzichtig om haar borsten legde, die naakt waren onder haar bloes. 'Ik ben er altijd voor je.'

Zo bleven ze een tijdje zitten en toen zei hij: 'Ik ook, dochter.'

Ze voelde de warmte van zijn gezicht tegen haar wang en de verrassende zachtheid van zijn lippen op haar schouder. 'Ik ook.'

'Waar gaan we vanavond heen?' vroeg ze. 'Floridita? Chory's?'

'Er zijn te veel Amerikanen bij Floridita.'

'Maar ze schenken wel de beste daiquiri's van de hele stad.' Ze wreef met haar wang over zijn borst en hij begroef zijn gezicht in haar dikke, donkere haar, dat naar aloë en de zee rook.

'We zouden naar El Pacifico kunnen gaan,' fluisterde ze. 'Dansen op 't dak.'

'Ik heb liever de meisjes bij Chory's. Herinner je je die ene met dat luie oog?'

Ze lachte. 'Die jij de worstelaarster noemde?'

'Ja, precies.'

'Een struise meid.'

Zijn mond gleed nu op en neer in haar nek. Ze wist wat er ging gebeuren en verheugde zich erop. Ze boog haar hoofd eerst voorover en toen helemaal achterover, tot het op zijn schouder rustte.

Zachtjes zei ze: 'We zouden ook naar de Nacional kunnen gaan voor een absint en dan gek doen op de boulevard.'

Zijn handen gleden lager en ze voelde hoe hij haar katoenen bloes optilde en de warmte van het vuur op haar blote buik en zijn handen die zacht haar borsten streelden.

'Als 't nieuwe maan is, kunnen we ook de boot nemen en vrijen in de baai,' zei ze. 'Ik heb altijd al willen vrijen in de baai.'

Zijn sterke, gespreide vingers gleden over haar buik. Eerst waren ze timide geweest, maar nu was hun aanraking zelfverzekerd. Ze daalden soepel verder en ze deed haar lange benen uit elkaar.

'Dat zou die oude Gutiérrez maar niks vinden,' zei hij en ze voelde zijn adem in haar nek. ''t Zijn slechte, slechte jongens, die zeelui, maar ook goede katholieken en ze zien Papa liever vissen dan wippen.'

Ze lachte zachtjes, liet haar ruime zwarte broek omlaag glijden, boog zich vlug voorover en trok haar bloes over haar hoofd.

'Aan de andere kant zouden we ook altijd 't kerkje op de hoek kunnen proberen,' zei ze en keerde zich naar hem toe. Ze pakte zijn broekriem. 'Heb je ooit wel 'ns in een kerk gevrijd, Papa?'

'Allemachtig, nee,' gromde hij. 'Veel te koud.'

Toen ze allebei naakt waren ging ze tegen hem aan liggen en voelde hoe sterk hij naar haar verlangde. Ze voelde hoe zijn lange, zachte vingers over de curve van haar ruggegraat en haar lendenen gleden, terwijl zijn lippen zich langzaam van haar borsten naar haar slanke, platte buik verplaatsten.

'Weet je wat?' zei ze. 'Laten we maar gewoon hier in 't hotel blijven.'

DERTIG

Ten zuiden van Theston, waar de huizen ophielden en duinen vol hard, stug helmgras zich dertig kilometer uitstrekten langs de kust voor je bij het volgende dorpje kwam, bevond zich een lang en verlaten stuk strand. Om daar te komen moest Martin langs de havenmuren lopen en voorzichtig de groene, glibberige dam oversteken die naar de oude pier leidde. De geur van zout water en zeewier was zwaar en doordringend en hij herinnerde zich de tijd dat daar ook andere geuren te ruiken waren geweest, van teer en vis en benzine. Zijn vader had hem vaak meegenomen om de vissers te zien en dan hadden ze hand in hand toegekeken hoe de boten met stevige kettingen en lieren tegen de helling op werden opgesleept, groen en warrig van de plukken zeegras. Toen hij oud genoeg was om in zijn eentje naar de haven te gaan, hadden zijn ouders hem altijd op het hart gedrukt dat hij nooit verder mocht gaan dan de dam en nooit op de oude, verlaten pier mocht komen. Natuurlijk deden ze dat toch en er waren vaak jongens die stoer wilden doen en zich door het roestige prikkeldraad en het hek wurmden en een eind over de stalen balken liepen. Martin had altijd alleen maar gekeken en het nooit zelf gedurfd. Hij had ook toegekeken toen een jongen genaamd Fraser met laag tij over het hek klom en het uiteinde van de tweehonderd meter lange pier wist te bereiken. Hij had een van de waarschuwingslampen omhoog gehouden als een soort trofee en er triomfantelijk mee gezwaaid, maar hij had te lang gewacht en het getij was sneller opgekomen dan hij terug kon klauteren. Hij had zijn evenwicht verloren en ze hadden hem allemaal zien vallen. Daarna was er veel gepraat over het afbreken van de pier, maar uiteindelijk hadden ze gewoon een hoger hek neergezet aan het landeinde en het daarbij gelaten, alleen waren in de loop der jaren de houten hekpalen vervangen door beton en het prikkeldraad door prikkelband.

Net als de rand van het strand zelf was die afzetting nu bezaaid met afval en plastic bekertjes die overboord waren gegooid vanaf passerende schepen. Martin liep voorzichtig langs het prikkelband en over de kiezels naar de lage, bakstenen schuilhut die Frank Rudge had gebouwd voor oefeningen van het leger en die nooit was gebruikt. Het enige dat af en toe nog aan oorlog deed denken waren de Jaguars en Tornadoes van de RAF-basis in Dentishall die laag over de kust richting zee scheerden, maar het grootste gedeelte van het jaar waren de enige geluiden het zachte geklots en geruis van de brekende golven en het gekras en geratel van de kiezelstenen als het water terugstroomde.

Martin kwam daar vroeger wel eens met Elaine. Je kon rustig wandelen, zonder gestoord te worden.

Nu was hij daar alleen, na het werk, maar om dezelfde reden.

De gebeurtenissen van de avond tevoren, met Ruth, hadden hem in verwarring gebracht. Hij had nog nooit zo'n sterke fysieke aantrekkingskracht gevoeld en zich ook nog nooit zo bevredigd gevoeld, zo geweldig, zo stralend en wonderbaarlijk gelukkig. Hij moest zichzelf daar steeds weer aan herinneren omdat, zodra hij haar huisje had verlaten in het diepe duister dat voorafging aan de dageraad, die gevoelens van geluk en opgetogenheid even snel waren verdwenen als de duisternis zelf.

Samen met de zon waren ook gevoelens van schuld, gêne en wroeging opgekomen. Zijn moeder zei niets, wat de zaak er nog erger op maakte. Hij wilde haar eigenlijk vertellen wat er gebeurd was, maar kon dat niet. Op het werk had hij de gebeurtenissen van afgelopen nacht willen verbergen voor Elaine, maar hij wist vrij zeker dat hij daar niet in geslaagd was. Hij liep nu over het strand, sloeg de kraag van zijn jas op toen er plotseling een koude windvlaag over het staalgrauwe water blies en vroeg zich af wat hij in vredesnaam moest doen.

Seks met Ruth was opwindend geweest. Hij was nog nooit zo innig en intiem met iemand geweest. Hij had nog nooit iemand laten doen wat zij voor hem gedaan had. Wat zou er nu gebeuren? Hij kwam bij een kleine landtong, klauterde tegen een wal van kiezelstenen op, ging zitten, staarde uit over zee en voelde zich niet nauwer met iemand verbonden, maar juist eenzamer dan ooit.

Hij zag Elaine niet direct. Eerst zag hij Scruff, die met zijn neus omlaag aandachtig een of ander spoor volgde door het gras, waar het strand overging in de duinen. De hond bleef staan, zijn staart begon te kwispelen en hij blafte toen hij Martin herkende. Die stond op. Hij wilde eigenlijk weglopen, maar kon nergens heen. Een ogenblik later hoorde hij Elaine Scruff roepen. Ze bleef abrupt staan toen ze hem zag. Haar haar wapperde in de wind en haar gezicht zag er koud en verkleumd uit in de gure zeelucht.

Ze keken elkaar zwijgend aan. Elaine haalde een roze zakdoek te voorschijn en veegde een druppel van het puntje van haar neus.

'Wat doe jij hier?' vroeg ze.

'Wat doe *jij* hier?' vroeg Martin.

'Ik laat de hond uit,' zei Elaine. Dat was waar, maar ze had expres een plaats uitgekozen waar ze niemand zou tegenkomen.

''t Gaat dadelijk regenen,' zei ze, met een hoofdknik richting zee. 'Wil je een lift?'

Martin schudde zijn hoofd. 'Ik ben op de fiets.'

'Waarom koop je geen auto? Dat wordt nu toch wel 'ns tijd.'

'Ik heb geen geld.'

Ze staarde hem even aan. 'Ik heb iets heel anders gehoord.'

'Wat dan?' vroeg Martin. Scruff sprong tegen hem op en probeerde zijn poten tegen Martins dijen te zetten. Martin aaide hem over zijn kop.

'Ik heb gehoord dat Nick heel royaal is geweest,' zei Elaine.

'Ja, dat weet jij natuurlijk, hè?' zei Martin en hij duwde de hond abrupt weg. 'Ga weg, Scruff!'

'Wat heb je ermee gedaan?' vroeg ze.

'Waarmee?'

'Die duizend pond?'

Martin bukte zich en smeet een kiezelsteentje naar zee. Scruff sprintte erachteraan. 'Ik heb een stoel gekocht, als je 't zo nodig wilt weten.'

'Een stoel! Van duizend pond?'

'Dat zou je toch niet begrijpen.'

'Nee, en dat geldt voor de meeste mensen. Hoe ben je daaraan gekomen?'

'Ik niet. Ruth heeft hem gevonden.'

'Oh. Nou, als Ruth hem gevonden heeft...'

Elaine draaide zich om en staarde naar zee. Scruff plensde door de branding, met zijn neus omlaag, zoekend.

'Ze heeft je in haar macht,' vervolgde Elaine zonder hem aan te kijken. 'Ze heeft je echt betoverd, hè? Ik kan me de keer herinneren dat ze voor 't eerst op 't postkantoor kwam. John Parr lachte haar uit en zei dat ze net een heks leek. Dat weet ik nog, omdat ik dat niet aardig van hem vond. Maar misschien had hij wel gelijk.'

'Wat is erger?' vroeg Martin. 'Een heks of een hoer?'

Elaines ogen schoten vuur. 'Wat wil je daarmee zeggen?'

'Ik weet wat je achter m'n rug hebt uitgevoerd, Elaine.'

Elaine schudde haar hoofd. 'Je rug. Dat is 't enige dat ik ooit van je heb gezien. Je godverdommese rug.'

Martin wendde zich verbitterd af. 'Nou, 't zal mij een zorg zijn,' zei hij. 'Je doet voortaan maar, Elaine. 't Zal mij worst wezen.'

Ze keek hem wantrouwig aan.

'Je hebt je keuze gemaakt. Zo eenvoudig is 't. Je hebt voor Marshall gekozen. Jij houdt van hem, ik haat hem. Zo simpel is 't.'

'Nou, goed zo,' antwoordde Elaine. 'Ik kan me de tijd herinneren dat jij hem ook op handen droeg.'

Martin pakte een steentje en woog dat in zijn handpalm. 'Dat was vóór ik wist wat hij in z'n schild voerde.'

Hij smeet het steentje laag over de golven. Het stuitte één, twee keer en verdween. Scruff blafte opgetogen en rende erachteraan.

'Toen had je 't eindelijk 'ns bij 't rechte eind,' zei Elaine. 'We boffen dat hij hier werkt.'

Martin snoof geringschattend. 'Hoezo boffen? Wat is er zo geweldig aan iemand die onze broodwinning wil vernietigen?'

'Oh God, Martin. Je wilt toch niet zeggen dat je dat gelul over Steun 't Postkantoor werkelijk gelooft? Hij heeft ons een heel wat efficiënter kantoor bezorgd dan die bouwval aan North Square ooit was.'

'Oh, dus 't is gelul?' antwoordde Martin nijdig. 'Een fatsoenlijk postkantoor willen redden is gelul?'

'Martin,' zei Elaine, ''t is een gebouw. Meer niet. Een gebouw. Wat wij doen kan overal gedaan worden.'

De golven werden groter en eentje spoelde bijna tot aan hun voeten. Elaine klom wat hoger tegen de kiezels op, bleef staan en keek op hem neer.

Martin klauterde achter haar aan. ''t Gaat niet alleen om 't gebouw, maar alles wat daarbij hoort.' Hij schreeuwde nu. 'We zijn net als de melkboer. We houden een oogje in 't zeil. Als iemand niet komt opdagen om z'n pensioen op te halen of z'n uitkering, dan weten we dat. Als er iets met ze gebeurd is, kunnen we dat zeggen. En zij kunnen ook dingen aan ons kwijt. Wij zijn 't luisterende oor van de gemeenschap.'

'Is dat een uitdrukking van Miss Amerika?'

'Oh, krijg de kolere!' schreeuwde Martin. 'Je zegt dat ik rare kronkels heb en me laat leiden, maar jij gelooft alles wat Nick Marshall zegt. Nou, als Ruth een heks is, is hij een oplichter. Een doortrapte, gewiekste oplichter. Net zoals je vader vroeger was!'

Elaine staarde naar de zee, tegen de wind in. Aan de oostelijke horizon breidde zich een langgerekte, donkere wolkenrand uit. Ze draaide zich om en keek naar het strand. Ze riep Scruff, die met tegenzin en snuivend aan het met steentjes bezaaide zand naar haar toeliep. Vervolgens wierp ze een blik op Martin. 'Nou, ik heb een nieuwtje voor je. 't Postkantoor is verkocht. Gisteren zijn de papieren getekend. Dus we kunnen niet eens meer terug, zelfs als we dat zouden willen. 't Is niet meer van ons. Dus je weet wat je met je stomme campagne kunt doen.'

In de verte klonk het zachte gerommel van de donder.

Martin keek Elaine na tot ze aan de andere kant van de haven was. Hij zag hoe ze het portier openhield en ongeduldig Scruff riep. Vervolgens stapte ze zelf in, zonder om te kijken. Hij hoorde de versnellingsbak knarsen en het grind opspatten onder haar wielen terwijl ze keerde en snel tegen de lage heuvel opreed die terugleidde naar de stad.

Martin bleef een hele tijd naar de zee staren. De aanblik van dat reusachtige, sombere wateroppervlak was geruststellend. De rusteloosheid van de golven kalmeerde en suste. In het westen vervaagde de onschuldige, blauw met citroengele zonsondergang, maar in het oosten werd de zwarte wolkenrand steeds groter. Een aanhoudende, sterker wordende wind liet het water rimpelen. Een gordijn van regen dreef richting kust en boven zee hoorde hij de donder rommelen.

Martin sprong overeind en daalde glijdend en balancerend de wal van steentjes af. Struikelend holde hij over het kiezelige strand tot hij bij het hek van prikkeldraad en de gehavende resten van de dam was. Daar plensden de eerste regendruppels neer en tegen de tijd dat hij bij zijn fiets was, was zijn jas loodzwaar en doorweekt en gierde de wind om hem heen. Fietsen was uitgesloten en hij liep terug, met zijn fiets dicht tegen zich aan. Daar werd hij weer warm van en ondanks het plotselinge noodweer voelde hij zich merkwaardig opgetogen toen hij in het centrum arriveerde.

Hij liep met zijn fiets door Market Street, langs het vrolijk verlichte hotel, door High Street en naar North Square.

Hij bleef in de neergutsende regen staan en staarde naar het postkantoor. Het gebouw werd omgeven door steigers en op de plaats waar ooit het dak had gezeten, bevond zich nu een gigantisch zeil dat klapte en knalde en opbolde in de wind. Martin hief zijn hand op, veegde het water uit zijn gezicht, stapte op en reed rond twee zijden van het plein naar Echo Passage. Hij zou zonder trappen Phipps Yard zijn uitgereden en precies onder aan het trapje bij de achteringang van het postkantoor tot stilstand zijn gekomen als het steegje niet was afgesloten. Het hek zat op slot.

Hij keek om zich heen. Niemand te zien. Hij zette zijn fiets tegen de houten schutting en keek of hij echt stevig stond. Vervolgens klauterde hij moeizaam op het zadel. Vanuit die positie kon hij net bij een uitstekend stuk steigerpijp. Zijn jas was twee keer zo zwaar door de regen en hij had al zijn kracht nodig om zich op te hijsen aan die pijp, tot hij zijn voeten op de schutting kon zetten en de rest van zijn lichaam omhoog kon drukken.

Zodra hij over het hek was, rende hij over de steiger naar een ladder die naar het volgende niveau leidde. Daar stond weer een ladder, waardoor je op het dak kon komen. Daarboven was nauwelijks beschutting. De regen deed haast zeer op zijn handen en gezicht en de wind rukte met zo'n kracht aan het zeil dat hij zich haast niet kon verroeren zonder groot gevaar te lopen. Hij knielde op de houten planken neer en klampte zich aan de schuddende steiger vast. Zodra de gierende wind even een beetje ging liggen rende hij naar de hoek van het gebouw en knielde daar weer neer. De dakbedekking was aan de steiger bevestigd met een touw dat door een oog in het zeil liep.

Toen hij zag hoe slecht die knoop was vastgemaakt, bedankte hij Marshall stilletjes omdat hij zo'n beunhaas als Joe Crispin in de arm had genomen en begon aan het uiteinde van het touw te trekken. Op dat moment sloeg de storm weer met volle kracht toe. Martin viel achterover, het zeil schokte en werd uit zijn hand gerukt. De knoop was los en het zeil zwiepte en krulde wild om, als een schorpioen in het vuur, maar schoot niet los. Martin kroop over de steigerplanken, die schudden en trilden door een extra harde windstoot, zodat hij pijnlijk tegen een stapel bakstenen werd gesmeten. Hij viel plat neer en zijn voet gleed weg en stak buiten de steiger uit, vele meters boven de straat. Duizelig greep hij de steigerpijp en wist te voorkomen dat hij viel. Hij bleef hijgend liggen en zag hoe de regenvlagen twintig meter lager in het licht van de straatlantaarns over North Square joegen. Tot zijn verbazing zag hij ook dat er auto's voorbij reden in wat hij eerst voor uitgestorven straten had gehouden en dat er heel wat mensen schuilden voor de storm. Onder de luifel van het Market Hotel scheen iemand naar hem omhoog te kijken. Hij zette zich af tegen de steigerpijp, schoof achteruit en vouwde zich dubbel op de doorweekte planken.

De regen nam even in hevigheid af en kletterde toen opnieuw in stromen neer. Martin hield de pijp stevig beet en legde glijdend en glibberend de laatste paar meter af. Op de hoek ontdekte hij opnieuw een knoop, maar die werd strakgetrokken door de extra druk en hij kon hem niet loskrijgen. Recht onder hem stopte een bus. Hij drukte zich tegen de planken en wachtte terwijl de passagiers uitstapten. Ondanks het gegier van de wind kon hij hun stemmen duidelijk horen. Het opwindende beeld van Robert Jordan die zich plat tegen de grond drukte in het bos terwijl de fascistische cavalerie in zijn richting oprukte, kwam bij hem op terwijl hij zich vastklampte aan de zwaaiende, door de storm geteisterde steiger.

De wind ging weer even liggen. Hij rukte het zeil met al zijn kracht omlaag en plukte aan de knoop, in de wetenschap dat één onverwachte windvlaag voldoende zou zijn om hem van het dak te zwiepen. Eindelijk was het touw los. Dubbelgebogen rende hij terug over de steiger. Hij was net boven aan de ladder op het tweede niveau toen de wind toesloeg. Hij verloor zijn evenwicht, plofte op een stapel hout neer, hees zich overeind en sleepte zich naar het hek. Boven het gekrijs van de wind uit kon hij nog net het scheuren van het zeil horen en het gekletter van losse bakstenen die op de binnenplaats neerkwamen. Hij kwam met een pijnlijke plof op de grond en pakte zijn fiets. De trappers zoefden wild in het rond tot hij zijn voet erop zette en toen fietste hij weg en keek pas boven aan Victoria Hill weer om.

Net als de rondwervelende mantel van een melodramatische schurk wapperde en klapte het zeil nijdig door de lucht boven het postkantoor. Terwijl Martin toekeek werd het voor de laatste keer omhoog geblazen, maakte een salto, scheurde los en tuimelde flapperend langs de lage gevels van de fraaie, achttiende-eeuwse huizen aan Market Street, tot het werd gegrepen door een woestere vlaag en kletsend en zwiepend en klapperend over de daken rolde, voor het zich uiteindelijk om de massieve schoorsteen wikkelde die oprees uit het dak van de oude Vrijmetselaarshal. Daar bleef het even hangen, tot de wind afnam en het langzaam en versuft omlaag zonk en achter de decoratieve, gekanteelde borstwering uit het zicht verdween.

Martin voelde een golf van opperste, onuitsprekelijke verrukking.

EENENDERTIG

Op de ochtend na de storm versliep Martin zich voor het eerst in zestieneneenhalf jaar. Toen hij naar beneden kwam, was Kathleen bezig zijn brood in te pakken. Martin draafde haastig door de keuken. Hij verging van de hoofdpijn en had een gevoel alsof hij een kogel in zijn kop had, maar wist dat dat door de whisky kwam. Hij had bijna een hele fles leeggedronken toen hij terugkwam. Dat was zijn manier geweest om het te vieren.

'Waar is m'n tas?'

'Waar je die altijd neerzet.'

'Waar is m'n muts?'

'Op de radiator.

'Oh God.'

Hij was al halverwege de rondweg toen hij zich herinnerde dat hij zich niet geschoren had.

Hij fietste gevaarlijk snel en kwam net om de hoek van Bishop Street, in het zicht van de achteringang van Randall's, toen hij Harold Meredith in zijn richting zag lopen. Hij wendde zijn hoofd af en boog zich diep over het stuur. Harold Meredith zwaaide met zijn stok en riep: 'Martin!'

Het had geen zin. Martin kwam overeind en remde.

'Uitstekend nieuws!' riep meneer Meredith. 'Wat de campagne betreft!'

Martin keek vlug om zich heen en legde zijn vinger tegen zijn lippen.

Meneer Meredith liep naar hem toe en dempte zijn stem tot een luid gefluister. 'Ik ben blij dat ik je zie. Ik heb je eerder deze week gemist.'

Martin duwde zijn fiets naar de deur die naar Randalls achterplaatsje leidde. 'Ik ben al te laat. Ik kan nu niet praten,' zei hij.

'Ik heb een goed idee gehad. Ik heb die kleine formuliertjes die je me hebt gegeven in de gezangboeken in de kerk gestopt!'

Ze waren bij de deur.

'Meneer Meredith,' zei Martin, die zijn sleutel pakte, 'ik ben al te laat, ik moet –'

'Ik heb er honderd in gestopt tijdens de communie en tweehonderd tijdens de morgendienst voor die dominee erachter kwam.'

De trots die doorklonk in zijn stem maakte dat Martin zich nog beroerder voelde. Hij deed de deur open.

'Alles bij elkaar driehonderd. Zoveel heb ik erin gestopt.'

De kerkklok sloeg negen uur. Martin was nog nooit te laat op zijn werk gekomen. Nog nooit, in zestieneneenhalf jaar. Hij probeerde de deur zachtjes dicht te doen, maar Harold Meredith stak zijn stok in de kier.

'Tweehonderdtien reacties, Martin. Tweehonderdtien! Allemaal mensen die 't oude postkantoor willen redden.'

Martin duwde de deur weer open en keek naar meneer Meredith. De oude man leek minstens tien jaar jonger. Zijn ogen fonkelden en zijn kin stak onverzettelijk vooruit. Martin wilde hem plotseling slaan. Hem omver duwen. Het gaf niet wat, als hij zijn mond maar hield.

'Ik denk er ook over om ze in de bus te leggen. De chauffeur merkt 't niet en ze hebben toch geen conducteurs meer.'

'Meneer Meredith...' zei Martin vermoeid.

'Ik was net op weg naar Rawlings. Die zal ook wel blij zijn.'

Martins hoofdpijn was nu zo intens dat hij zich niet langer in bedwang kon houden. ''t Is te laat,' schreeuwde hij. Zijn stem werd langzaam hoger en hoger. 'Begrijpt u dat dan niet? 't Is te laat! We zijn belazerd! Besodemieterd! In de zeik gezet en verkwanseld! De campagne is voorbij. 't Postkantoor is verloren, meneer Meredith.' Terwijl hij schreeuwde, voelde hij de knellende pijn minder worden. 'Ze hebben op ons, de onschuldigen van Theston, gewoon gescheten. Gescheten vanaf grote hoogte!'

Hij veegde net zijn lippen af aan de mouw van zijn parka toen hij achter zich een discreet kuchje hoorde. Het was Nick Marshall.

'Ik geloof dat we 'ns even met elkaar moeten praten, Martin. Binnen.'

Nick Marshall volgde Martin naar de personeelsruimte, draaide zich om en leunde tegen de deur. Hij streek met zijn hand door zijn haar, legde zijn arm tegen de muur en keek fronsend voor zich uit, zijn lichaam strak en gespannen in een poging zijn ongeduld te bedwingen. Hij schraapte bruusk zijn keel. 'Ik ben blij dat je toch nog bent komen opdagen, Martin.'

Martins hoofdpijn was bijna helemaal verdwenen en hij begon weer helderder te denken. 'Sorry dat ik zo laat ben.' Hij schudde zijn hoofd. 'Ik voelde me vanochtend niet zo best, Nick. Ik ben een paar dagen niet echt mezelf geweest.'

'Dat heb ik gehoord, ja,' zei Nick met een duistere glimlach. 'Je hebt een campagne georganiseerd.'

'Campagne?'

'Hoe heet-ie ook alweer, Mart? "STOP"? Was dat 't niet? Heel pakkend.'

'Dat was een campagne van verontruste burgers en die is door anderen op touw gezet, Nick.'

'Dat is niet wat ik gehoord heb. En ook niet wat ik geloof. Mannetjes van tachtig drukken niet van dat soort folders en verzinnen geen namen zoals STOP.'

'Wel als 't ze hoog genoeg zit en bovendien was hij niet de enige. Heel wat mensen denken er net zo over. We willen geen postkantoor kwijtraken dat prima functioneerde.'

'Dus 't was inderdaad "we".'

'Oké, ik ben 't toevallig met ze eens. Maar dat wil nog niet zeggen dat ik die campagne gerund heb.'

'Lieg niet, Martin. Dat past niet bij je. Ik heb 't uit zeer betrouwbare bron. Van iemand die je heel goed kent.'

Martin knikte grimmig. 'Iemand die me vroeger goed kende, maar die *jou* nu heel wat beter kent, als ik de verhalen mag geloven. Maar je gaat je gang maar. De Elaine Rudge die ik vroeger kende, verraadde haar vrienden tenminste niet.'

'Elaine heeft geen verraad gepleegd, Martin. Dat heb jij gedaan. Er is een besluit genomen in 't belang van 't postkantoor van Theston. Jij werkt op dat postkantoor.'

Terwijl hij sprak, begon Marshalls mondhoek langzaam maar zeker te trillen. Hij drukte haastig een zakdoek tegen het bedreigde gebied. 'Of werkte, liever gezegd.'

Hij haalde een officieel uitziende witte envelop uit zijn zak en gaf die aan Martin. 'Lees dat maar 'ns als je thuis bent,' zei hij.

Martin scheurde de envelop open. Hij bevatte een dubbelgevouwen vel papier, versierd met het in Peterborough ontworpen logo van de Posterijen. Martin las de inhoud snel door en keek op. Nick Marshall staarde aandachtig naar de muur, alsof hij op zoek was naar haast onzichtbare levensvormen.

Martin moest alle moeite doen om zijn stem niet te laten trillen. 'Dat kun je niet maken. Ik werk al zestien jaar bij de Posterijen. Dat kun je niet maken.'

Marshall liep naar de deur. 'Een maand opzegtermijn. Volledig pensioen.'

'Maar waarom? Omdat ik de klanten wilde helpen?'

'Zo zie jij 't, Martin. 't Hoofdkantoor beschouwt 't als industriële sabotage en dat zou je meer kunnen kosten dan alleen je baan.'

Martin snakte vol ongeloof naar adem. 'Industriële sabotage? Omdat ik heb geholpen wat handtekeningen in te zamelen? Ik bedoel, waar moet dat heen?'

Marshall haalde nog iets uit zijn zak en hield dat omhoog. Het was een broekveer. 'Je zult je wel afgevraagd hebben waar dat ding was gebleven. Ik weet hoeveel die veren voor je betekenen, Martin.'

'Dus 't is een broekveer. Nou en? Je vindt zo vaak broekveren.'

'Maar niet op een steiger, vijftien meter boven de grond.'

'Je kunt niks bewijzen.'

'Maar we kunnen 't wel proberen, Mart, en als we daarin zouden slagen, zou 't je meer kosten dan alleen je baan.'

Marshall maakte aanstalten om te vertrekken. Hij wilde niet in dat kleine, benauwde kamertje zijn en dit gesprek voeren. Hij was een wetenschapper, een technicus, een uitvinder. Hij had geprobeerd zich ook te bekwamen in het begrijpen van menselijk gedrag, maar dat was een ongrijpbaar, lastig, tijdrovend iets, labiel, irrationeel en onvoorspelbaar. Hij liep langs Sproale heen en greep de deurknop.

'Blijf gerust de hele maand,' zei hij, 'maar je moet wel weten dat met ingang van maandagochtend juffrouw Rudge mijn nieuwe assistent-manager is.'

TWEEËNDERTIG

John Devereux en Nick Marshall kwamen tussen de middag in Nicks flat bij elkaar voor een van hun regelmatige briefings.

'Nick, beste knul, soms denk ik wel 'ns dat iemand daarboven 't beste met ons voorheeft.'

Het verlies van het dekzeil op het oude postkantoor was slechts een van de goede nieuwtjes die Nick voor Devereux in petto had.

Geraldine schonk koffie in, sloeg haar notitieblok open en ging zitten.

Marshall raadpleegde zijn aantekeningen. 'Die kerel van de verzekering denkt dat er een paar duizend pond aan directe schade is, vervanging van materialen en zo, plus nog 'ns duizend aan verloren manuren – 't drogen van de balken en meer van die dingen.' Hij gaf de aantekeningen aan Devereux. "t Ziet er heel gunstig uit.

'Nalatigheid?'

'Natuurlijk. En precies op 't juiste moment. Crispin was goedkoop en deed wat hem gezegd werd, maar nu Nordkom dat gebouw heeft gekocht, hebben ze iemand nodig die weet wat hij doet.'

Hij zweeg en wendde zich tot Geraldine. 'Schrijf dat maar niet op.'

Ze streepte de laatste zin door.

Marshall stak zijn hand uit. 'Geef me bij nader inzien maar de hele pagina.'

Geraldine scheurde hem af. 'Vertrouw je me niet?' vroeg ze.

'Ik vertrouw niemand meer. Vooral na gisternacht.' Marshall verfrommelde het papier en gooide het door de kamer. Het viel in de prullenbak zonder de zijkanten te raken.

Hij vervolgde: 'Die schade aan 't dak betekent dat we hem er vóór 't eind van de week uit kunnen werken en dat die jongens van Stopping aan de slag kunnen gaan.'

'Stopping? Kan die z'n handjes een beetje laten wapperen,

zoals ze zeggen waar ik vandaan kom?' Devereux keek naar Geraldine en voegde eraan toe: 'Ik bedoel, kan hij er wat van?'

Marshall haalde zijn schouders op. ''t Is de burgemeester. We hadden beloofd dat hij ook een graantje kon meepikken - schrijf dat ook niet op, Gerry. Schrijf pas iets op als ik dat zeg.'

Geraldine scheurde nog een bladzijde af, verfrommelde die en gooide hem met een boog in de prullenbak. Devereux knikte goedkeurend. 'Niet slecht voor een vrouw. Ken jij vrouwen die kunnen gooien, Nick?'

'Wat?'

'Ik heb gemerkt dat vrouwen meestal niet kunnen gooien.'

'Ik ben altijd al goed geweest in spelletjes, meneer Devereux,' zei Geraldine liefjes. 'Vooral als er ballen aan te pas komen.'

Devereux glimlachte slecht op zijn gemak en sloeg zijn benen over elkaar. Hij kreeg maar geen hoogte van dat grietje. Ze zag er geweldig uit en vloekte als een ketter, maar hij had nog nooit iemand ontmoet die haar ook maar met één vinger had aangeraakt.

'John?' Nick keek hem aan. 'Luister je?'

'Ja,' zei Devereux verstrooid.

'Ik zei dat er goed nieuws was wat de installatie betreft. We hebben de vergunning van Economische Zaken binnen. Volgens de normen mogen masten van minder dan vijftien meter zonder speciale toestemming worden geplaatst.'

'En dat is... eh...'

'Vijfenveertig voet. We kunnen al zenden met de helft.'

'Klinkt goed.'

'Ik heb contact opgenomen met Telemark. Dat zijn installatiespecialisten. Uit Noorwegen. Ze kunnen binnen drie maanden een mast, twee schotelzenders en drie staafantennes plaatsen.'

'Dat is snel.'

'Maar wel belangrijk, John. We moeten onze concurrenten voorblijven.'

'Ik weet niet of de verzelfstandigde onderdelen van de Posterijen de concurrentie dan al aan kunnen gaan.'

Nick schudde mismoedig zijn hoofd. 'Ze moeten nu al plannen klaar hebben liggen. Dat hebben *wij* tenslotte ook, god nog toe. Maar goed, als de Posterijen niet klaar zijn, zoeken we wel iemand anders.'

'Hé! Rustig aan, Nick. We zijn partners, weet je nog wel? En ik ben je baas.'

Nick glimlachte. 'Tussen haakjes, John, hoe gaat 't eigenlijk met je Nederlands?'

Devereux lachte. 'Nederlands! Die klojo's spreken beter Engels dan ik. Hoewel een opfrissingscursus in Amsterdam me wel wat lijkt.' Hij knipoogde naar Geraldine, die hem negeerde.

In vloeiend, haast accentloos Nederlands zei Nick Marshall: 'Die Engelse boerenlul heeft drie miljoen gulden te veel betaald.'

Devereux lachte opnieuw. 'Wat betekent dat? Ik heb twee zussen en die dikke ziet wel iets in jou? Sorry! Dat vind jij waarschijnlijk maar niks, Geraldine.'

Geraldine glimlachte en zei: ''t Betekent dat je een Engelse klootzak bent en drie miljoen te veel hebt gedokt.' Ze zweeg.

Devereux keek van de een naar de ander, met een aarzelende, onbehaaglijke glimlach. Marshall glimlachte terug.

'Niet iets wat je gauw in 't Engels zou zeggen, hè John?'

DRIEËNDERTIG

Ongeveer op hetzelfde moment waarop de manager van het postkantoor van Theston met de Coördinator van de Regio Zuid-Oost sprak, onder de duffe prenten van plompe galjoenen en hoekige, in merkwaardig perspectief geschilderde theeklippers waarmee de wanden van de flat in Atcham waren behangen, deed zich iets ongewoons voor in het badplaatsje Hopton, negen kilometer ten oosten van Theston aan de rand van de Noordzee.

Achter de haveloze grindpleistergevel van de Lifeboat Inn bestelde de ex-assistent-manager van het postkantoor van Theston zijn derde pint Devlin's Old Magic Ale, met een glas whisky ernaast. Hij had zijn hemelsblauwe parka opengeritst zodat een grijs met geel gespikkelde trui met V-hals zichtbaar was, een wit overhemd en een grijze stropdas die was bedrukt met het logo van zijn recente werkgever. Zijn keurig geperste pantalon werd door twee broekveren tegen groen met roodbruine sokken met paisley-patroon gedrukt.

Hij was nog geen half uur geleden gearriveerd bij die oude, vermoeide pub, die op het randje van de afbrokkelende kliffen tussen Theston en Lowestoft balanceerde en had sindsdien stug doorgedronken. Er kwamen zelden vreemden in de pub en Trevor, de barman, was tot de conclusie gekomen dat zijn in parka gehulde, onbekende klant ernstig in de problemen zat.

Dat deprimeerde Trevor niet, integendeel, hij werd er juist vrolijker van. Hij kon zich de keren niet heugen dat hij zelf gedronken had om te vergeten en als barman was hij dankbaar als mensen hun sores kalm afreageerden en hem geen moeilijkheden bezorgden.

Trevor was midden veertig en had een filosofische inslag. Zijn hele leven was een aaneensschakeling van mislukkingen geweest en hij had elk nieuw fiasco nog filosofischer opgevat dan het vorige. De baan die hij nu had was perfect. Een mislukkeling die werkte te midden van andere mislukkelingen, in een pub die langzaam de zee in gleed. Hij schonk een laag Bells in een whiskyglas en zette dat op de bar, naast het bier.

Hij nam Martins geld aan. 'Alles oké?' vroeg hij weinig hoopvol.

Martin knikte, maar keek niet op.

'Ik zal je 'ns wat zeggen,' zei Trevor, die een sigaret achter zijn oor vandaan haalde. 'Als je alle problemen die ik in m'n leven heb gehad achter elkaar zou leggen, zouden ze verdomme van hier tot aan Lowestoft reiken.' Hij streek een lucifer af en stak zijn sigaret aan. 'Maar daar maak ik me geen zorgen over. Integendeel.'

Martin pakte zijn bier en nam een grote slok. Dat zag Trevor.

''t Inspireert me juist. Je weet wat Jezus heeft gezegd. "Komt tot Mij, allen die vermoeid en belast zijt, en Ik zal u rust geven." Dat heb ik altijd mooi gevonden.' Hij gooide de afgebrande lucifer in een geschilferde asbak. 'Maar helaas ben ik zwaarder belast dan de meeste mensen.' Uit zijn ooghoek zag hij Martin de whisky in één teug achterover slaan. Klassieke symptomen.

Trevor zuchtte diep. 'Daar hoef je niet over in de put te zitten. Mislukking. 't Hoort erbij. Wat jou is overkomen, is ooit ook wel 'ns iemand anders overkomen. Je kunt je er dus net zo goed maar bij neerleggen.' Hij nam een trek van zijn sigaret en zoog de rook dankbaar in zijn ene long. 'Wat wou je anders doen? Er een eind aan maken?'

Martin hief langzaam zijn hoofd op. Door een versuffend waas van alcohol zag hij plotseling een sprankje licht. Een sprankje hoop. Een baken in het duister, een antwoord op al zijn vragen, een rustpunt te midden van het niets, een zwevende, wenkende, bereikbare Heilige Graal, die zijn wonden zou helen en zijn tranen zou wegwissen.

Zelfmoord was zo'n verbijsterend eenvoudige oplossing dat Martin zich plotseling opgetogen voelde. Hij keek nu met andere en dankbare ogen naar het treurige interieur van de Lifeboat Inn, naar de naaldvilt tegels op de vloer, het veloutébehang en de formica tafeltjes. Het geluid van scherp, hinnikend gelach, dronken geruzie en monotoon televisiegebrabbel versmolt tot één geheel, ongrijpbaar maar knus. De geur van tabak, bier en HP-saus werd een vertrouwde, goedkope walm.

Hij kon zich haast voorstellen dat hij in Sloppy Joe's was in Key West of in het Café des Amateurs aan de Rue Mouffetard. Ernest was dol geweest op cafés. Cafés boden vrijwel alles waar

Papa behoefte aan had. Een glas, drank, een tafel om op te schrijven, toehoorders, een tegenstander, een minnares, een ruzie, een verhaal.

Nu hij besloten had zelfmoord te plegen werd Martin overweldigd door zo'n gevoel van genegenheid voor die pub dat hij besloot dat een laatste pint gepast zou zijn. Hij dronk hem dankbaar op en Trevor ontleende een stille, zij het misplaatste voldoening aan het feit dat zijn simpele wijsheden opnieuw een verloren ziel hadden gered.

Martin pieste lang, hield zijn handen onder een dun straaltje koud water en vervolgens een hele tijd onder de condoomautomaat, voor hij tot de ontdekking kwam dat dat niet de heteluchtdroger was. Hij wist de droger te vinden maar kreeg hem niet aan de praat, veegde ten slotte zijn handen maar af aan zijn broek en wankelde de kille, frisse buitenlucht in.

Terwijl Martin op zijn fiets over het parkeerterrein hotste en rammelde en de hoofdweg op reed, had hij het gevoel dat hij eindelijk iemand was om rekening mee te houden. Een grote, onbedwingbare kracht die nog één laatste, apocalyptische rol zou spelen alvorens verlost te worden uit de alledaagse beslommeringen en onbeduidende sleur. Hij stak opzettelijk zijn hand niet uit toen hij linksaf sloeg, negeerde een rood verkeerslicht en reed schaamteloos voor een aanstormende bus langs.

Uiteindelijk merkte Martin dat hij nog leefde, maar op een weg reed die hij niet kende. Hij kronkelde het binnenland in vanaf Hopton, tussen velden en boerderijen door. Hij boog zich over het stuur en fietste snel en expres aan de verkeerde kant van de weg verder.

Na een paar minuten werd duidelijk dat hij voor zijn laatste, grootse, opstandige gebaar een weg had uitgekozen waar nooit enige vorm van verkeer kwam. Hij stopte buiten adem bij het hek van een weiland en wist eigenlijk niet goed meer waar hij was of waarom hij daar was. Waar het dan ook was. Hij wachtte hijgend tot het weer een beetje helder werd in zijn hoofd en terwijl hij dat deed, viel zijn blik op iets wat zich links in de wei bevond.

De zon stond laag en het begon al te schemeren, maar hij had daar beslist iets gezien. Hij keek nogmaals en toen kwam het uit de schaduwen te voorschijn: een magnifieke Friese stier, met een lange rug, korte poten en massieve schoften. Martin voelde een duizelig makende golf van ontzetting en opwinding. Hij had al vaker naar stieren gekeken. Hij had over hekjes gehangen en bedacht hoe moedig je moest zijn om toreador te worden. Hij had ontelbare keren het zweet voelen prikken in zijn handpalmen als hij naar illustratie nummer drieënveertig staarde in de biografie van Carlos Baker: 'Ernest (in witte broek) tijdens de "amateurs", Pamplona, 1925.' Je zag Papa in de ring, onbeschermd en als een schooljongen rondspringend tussen de zwaaidende, stotende, verraderlijk gebogen horens, terwijl Spanjaarden rondrenden en gilden en schreeuwden en wezen. En nu, bij die wei aan de kust van Suffolk, was Martin ervan overtuigd dat het moment was aangebroken om datgene te doen waar hij juist de grootste angst voor had. Wat was het mooi, volmaakt en ongelooflijk toepasselijk dat hij op die manier aan zijn eind zou komen.

Er was een zuidwestenwind opgestoken en er kwamen dikke wolken aandrijven - onheilspellend, laag en grauw. Hij likte langs zijn lippen, ademde de naar mest geurende lucht diep in en begon over het hek te klimmen. Het wiebelde toen hij hoger klom en hij zag dat hij het ook gewoon open had kunnen doen door een lus van rood touw over de hekpaal heen te halen. Hij sprong eroverheen en plofte op het sappige, veerkrachtige, korte gras neer. Van dichterbij gezien was die stier echt ontzagwekkend. Gigantisch zelfs. Veel groter dan hij vanaf de andere kant van het hek had geleken. Hij stond op zo'n tweehonderd meter afstand, zwiepte met zijn staart en zwaaide met zijn enorme, zware kop, op een manier die Martin deed denken aan zijn vader die zeewater uit zijn oren trachtte te schudden nadat hij had gezwommen. Martin hoorde de wind nu ook. Hij suisde door de gebroken, kale takken van een dode iep en liet de meidoorn ritselen. Hij schuifelde iets verder de wei in, met zijn blik strak op de stier gericht.

Wat zou hij doen? Zou hij eerst met zijn poot over de grond schrapen of plotseling aanvallen, zonder enige waarschuwing? En hoe zou het zijn als hij Martin raakte? Een geweldig, denderend gewicht en een vermorzelende klap, gevolgd door duisternis en vergetelheid? Misschien werd hij wel op de horens genomen. Hij had foto's gezien van gespietste toreadors, die als een kluwen vodden door de lucht werden geslingerd. Misschien sloeg hij met gebroken rug tegen de grond, slap en verlamd, hulpeloos wachtend tot zijn ogen werden uitgetrapt door wraakzuchtige, gespleten hoeven.

Martin liep nog dichter naar de stier toe, maar toen zonk de moed hem in de schoenen. Misschien was het voldoende dat hij in dezelfde wei was geweest als dat ontzagwekkende beest. Een van die dieren waarvan Papa had geschreven dat ze 'van niets op aarde bang zijn.' Misschien was dat voldoende. Gewoon dat hij in die wei was geweest. Dat was op zich al een hele ervaring, iets om door te vertellen. Heel wat mensen zouden nooit zo ver zijn gekomen. Absoluut niet. Hij kon het daar echt bij laten zonder bang te zijn dat ze zouden denken dat hij niet gedurfd had. Geen sprake van. Maar toen raakte hij opeens in de greep van een spectaculaire waanzin, een laatste, overweldigend verlangen om er een einde aan te maken. Hij merkte dat hij op de stier afrende, met zijn armen zwaaiend en zo hard mogelijk schreeuwend.

Hij had waarschijnlijk al zo'n tien of elf meter gehold toen hij uit zijn ooghoek zag dat de stier en hij niet alleen waren. In de andere hoek van het veld keken nog een stuk of twaalf reusachtige beesten afwachtend toe. Martin hield abrupt op met gillen. Een koude rilling, een plotseling besef van de mogelijkheid van echte angst, drong door tot zijn benevelde brein. Maar het was al te laat. De stier draaide zich om, zwaaide met zijn kolossale kop en begon te rennen.

Martin keek verbijsterd toe. Hij rende weg. En die andere stieren volgden zijn voorbeeld en renden ook weg. Ze denderden zo snel mogelijk naar de verste hoek van het veld en terwijl Martin ze nastaarde hoorde hij bij het hek iemand roepen: 'Wat moet dat in godsnaam?'

Martin keek om en voelde zich nu net als die stier die hij gestoord had. Er was een modderige Landrover gestopt bij het hek en een kleine, woedende man met een gezicht dat de kleur had van een lelijke wond was uitgestapt. Een kleine jongetje met krullend haar stond naast hem.

Het gezicht van de boer was vertrokken van woede.

'Goeiemiddag,' zei Martin hees.

'Wat voer je daar verdomme uit, godverdommese eikel?'

Het ventje, dat hoogstens zes of zeven kon zijn geweest, giechelde.

'Ik... eh... ik dacht dat een van die stieren op 't punt stond om los te breken. Ik probeerde hem in 't veld te houden,' verzon Martin snel.

'Wat voor stier?'

Martin wees op de angstige kudde in de hoek van het veld.

'Waar ben jij in godsnaam opgegroeid?' antwoordde de boer woest. 'Stieren hebben verdomme kloten, stomme hufter.' Hij staarde Martin vol onverholen minachting aan. 'Maar jij weet waarschijnlijk niet eens wat dat zijn.'

Het jongetje met krulhaar giechelde opnieuw. De boer wees nijdig op de wei.

'Die beesten zijn verdomme ossen. Nergens een kloot te bekennen. En ik krijg ze godverdomme nooit gevoerd als stomme hufters zoals jij met je armen zwaaien en schreeuwen en ze de stuipen op 't lijf jagen.' Hij deed er even het zwijgen toe en staarde Martin achterdochtig aan. 'Ben je soms zo'n stomme anti-jachtactivist?'

Martin schudde zijn hoofd. Hij had overal pijn en voelde de eerste regendruppels.

De boer hield vol. 'Nou, daar lijk je godverdomme wel op. Mager en nichterig. Jullie zijn godverdomme allemaal hetzelfde, stelletje hufters. Jullie zijn verdomme geen echte mannen en daarom lopen jullie mensen die dat wel zijn voor de voeten.'

Martin was bij het hek en sprong op zijn fiets. Hij wilde zo graag wegkomen dat zijn voet van de trapper gleed, die ronddraaide en keihard tegen zijn scheen knalde. Hij zette zijn linkervoet op de grond om zich in evenwicht te houden, maar voelde hem wegglijden in een verdekt opgestelde ossevlaai. Langzaam zakte hij met fiets en al in de heg.

Het jongetje met krulhaar giechelde.

VIERENDERTIG

Martin werd met een schok wakker. Hij bleef even liggen, volledig gekleed, en luisterde met ingehouden adem of hij opnieuw het geluid zou horen dat hem gewekt had. Dat kwam inderdaad, voorafgegaan door een gierende windstoot. Hij hees zich overeind. Het duizelde in zijn hoofd en zonder het licht aan te doen wankelde hij naar het raam en sloeg dat dicht, net op het moment dat een nieuwe vlaag tegen de zijkant van het huis sloeg.

Toen hij zich omdraaide knalde hij keihard en uiterst pijnlijk tegen de hoek van zijn safaritafel. Hij greep zijn dij beet en zonk vloekend neer op de grond.

Hij bleef liggen tot de pijn enigszins was weggeëbt, sleepte zich naar zijn bed, leunde daarop, stak zijn hand uit en deed het licht aan.

Dat onthulde niet veel fraais. Hij had er tenminste aan gedacht om zijn met modder overdekte schoenen uit te doen, die nog lagen waar hij ze had neergesmeten, onder de wasbak. Zijn parka was nergens te bekennen. Misschien had hij die beneden uitgetrokken. Zijn vieze postkantoortrui en verfomfaaide overhemd waren in zijn slaap helemaal rond zijn lichaam gedraaid en zijn broek zat in grote plooien om zijn dijen.

Hij herinnerde zich nog dat hij nat en vuil thuis was gekomen. Hij was regelrecht naar boven gegaan en had tegen zijn moeder gezegd dat hij vroeg naar bed wilde. Dat was rond half zeven of zeven uur geweest. Hij draaide de Ingersoll-reiswekker naar zich toe. Twee uur.

De wind huilde opnieuw en nam weer af. Hij krabbelde overeind en trok zijn trui en overhemd, zijn nog vochtige broek en onderbroek uit, tot hij naakt voor de spiegel stond, afgezien van zijn sokken met paisleypatroon.

Zijn lichaam was glad en wit. Zijn schouders waren mager en gebogen, als een soort kleerhanger. Zijn borst was hol en haarloos en hij had wat sproeten op zijn schouders. Hij had een rond, klein buikje en schaars roodbruin haar liep omlaag naar zijn kruis. Hij was echt stomverbaasd toen hij bedacht dat dat het lichaam was waar Ruth twee nachten geleden zoveel plezier aan had beleefd. Er moest een vergissing in het spel zijn.

Hij liet de wasbak vollopen, stak zijn hoofd in het water en waste zich onder zijn armen. Hij droogde zich zorgvuldig af, trok een schone onderbroek aan, deed zijn kleerkast open en ging systematisch de hangertjes af.

Hij koos een militaire outfit. Papa was weliswaar nooit soldaat geweest, maar had wel een hoop oorlogen meegemaakt als correspondent of ambulancechauffeur en Martin dacht dat hij het eens zou zijn geweest met het khaki hemd, de gevechtsbroek en de dienstkistjes die hij van bovenop de kast pakte. Om het geheel te completeren deed hij de Duitse legerkoppel om die nog het meeste leek op de *Wehrmacht*-koppel die Hemingway vaak had gedragen. Ook hier stond '*Gott Mit Uns*' op de gesp gegraveerd. Hij had hem gevonden in een dumpzaak achter de kazerne van Colchester.

Hij legde een Amerikaanse legerhelm op tafel, van het type dat Hem ook vasthield op de foto waarop hij stond afgebeeld met generaal Barton en kolonel Chance aan het westelijk front in '44. Hij pakte een fles tequila en een glas uit de medicijnkast, samen met een klein zakje zeezout en een half uitgedroogde, een week oude limoen die hij speciaal voor een moment als dit bewaard had.

Hij ging zitten, sneed de limoen in plakjes en legde die op een schoteltje. Op een ander schoteltje deed hij een klein bergje zout. Hij pakte de tequila en schonk een hoeveelheid in een dik caféglas met zware bodem. Hij keek op. 'Dat wordt niet slapen vannacht, Papa.' Hij proostte tegen de grote, trieste, korrelige gedaante op de foto aan de wand. Het half gesloten linkeroog keek hem schattend aan; het grote, wijd open rechteroog keek ook, maar liet niets los.

Martin likte aan de rug van zijn hand en deed er zout op. Hij sloeg de tequila in één teug achterover en zodra hij het voelde branden likte hij het zout op, pakte een schijfje limoen en kauwde erop. Hij was blij dat de scherpte van het zout en de zuurte van de limoen de harde, onaangename alcoholsmaak verzachtten. Martin grimaste en keek opnieuw naar Hemingway.

Hij voelde zich plotseling trots. 'Ik heb gisteren de wet overtreden, Papa.' Hij grijnsde bescheiden. 'Ik heb de wet overtreden. En geen eenvoudige overtreding.' Zijn hoofd werd warm van de tequila. ''t Was godverdommes moeilijk. Ik ben vijftien meter tegen een steiger op geklauterd met m'n overjas aan om de wet te overtreden. Ik ben vijftien meter tegen een steiger op geklauterd met m'n jas aan en *met windkracht acht* om de wet te overtreden! Jij lacht er misschien om, maar 't had godverdomme m'n dood kunnen zijn!'

Martin begon onbedaarlijk te lachen. ''t Had godverdomme m'n dood kunnen zijn, Hem!'

Langzaam kalmeerde hij weer. Hij schonk nog een tequila in.

'Moet je ons 'ns zien. Moet je ons nou 'ns zien, Hem. Waarom doen we godverdomme altijd van die stomme dingen? Waarom zoeken we altijd naar moeilijkheden?' Hij wees naar de foto. ''t Is allemaal jouw schuld. Ik zocht niet naar moeilijkheden. Ik was gelukkig. Ik had een baan met vooruitzichten. Ik had –' zijn stem stierf weg. 'Ik had van alles.'

Martin kwam onhandig overeind. Terwijl hij langs de tafel liep schopte hij tegen de poot en de helm viel met een dreun op de grond en rolde weg. Hij verstijfde. Zijn moeder werd altijd door het minste of geringste wakker. Waarschijnlijk lag ze sowieso al naar de storm te luisteren. Ze lag altijd wakker als het slecht weer was. Hij hield zijn adem in en ademde net voorzichtig weer uit toen hij een deur open hoorde gaan en een stem vanaf de andere kant van de overloop riep: 'Is alles goed, Martin?'

Martin plofte op een stoel neer. Giechelend zei hij in zichzelf: 'Ja, alles is goed, moeder. Ik heb me verkleed als Ernest Hemingway, ik heb net twee tequila's achter m'n kiezen en ik heb een Amerikaanse legerhelm van die klotetafel gestoten.'

'Martin? Is alles echt goed?' riep ze opnieuw.

Deze keer verhief hij zijn stem ook. 'Ja, alles is oké.' Hij stond op en liep naar de deur. 'Er viel iets van 't bed!'

Er volgde een stilte en een ogenblik later hoorde hij haar deur dichtgaan. Hij bleef even roerloos staan, met zijn arm tegen de deur, schudde toen zijn hoofd en draaide zich om. Hij schonk nog een tequila in en keek weer naar de foto. 'Moeders!' Hij schudde nogmaals zijn hoofd. 'Jij haatte je moeder, hè Hem? Je haatte haar omdat ze je vader tot zelfmoord heeft gedreven. Ging 't daar niet allemaal om? Dat kreng van een Grace? Hmmm?' Hij zweeg even.

Zijn hoofd begon te tollen. Hij hield zich aan de schoorsteenmantel overeind en haalde diep adem. 'Sorry. Dat zijn heel persoonlijke vragen, maar ik... ik moet er meer over weten. Ik heb 't gevoel dat je dingen voor me achterhoudt. Mislukking, bijvoorbeeld. Ik wil weten hoe ik met mislukking om moet gaan, Papa. Want *jij* bent eigenlijk ook mislukt, hè? Uiteindelijk draaide alles op een mislukking uit. Maar wel een mislukking in stijl. Je schoot je op je eigen veranda voor je kop, met een dubbelloops Engels jachtgeweer, dat je zo hard tegen je gezicht drukte dat je 't grootste gedeelte van je hoofd wegblies. 's Ochtends vroeg. 't Tijdstip waar je 't meest van hield. 't Tijdstip waarop je 't beste schreef. 't Tijdstip waarover je ook zo godverdommes mooi kon schrijven.'

Martin voelde een plotselinge, onweerstaanbare golf van zelfmedelijden in zich opkomen, die over hem heen spoelde met de kracht van de storm die tegen de ramen beukte. Hoewel hij op dat moment niet kon huilen, wist Martin dat hij een dieptepunt had bereikt.

Zijn blik kruiste die van Papa. 'We lijken zoveel op elkaar, hè? Zoveel.' Hij spreidde langzaam zijn armen, liet zijn handen over de volle breedte van de schoorsteenmantel gaan, hief zijn hoofd op en staarde naar de raadselachtige, koele ogen boven hem. 'Vroeger dacht ik dat jij alles was wat ik niet was en ik alles wat jij niet was. Maar 't mooie -' Hij zweeg even. De kamer tolde. ''t Mooie is dat we als twee druppels water op elkaar lijken, Papa. We zijn allebei mislukkelingen.'

VIJFENDERTIG

Martin boog zijn hoofd en zijn vingers klemden zich lichtjes om de hoeken van de schoorsteenmantel. Een tijd lang was het enige geluid dat hij hoorde het aanzwellende en weer afnemende gehuil van de wind, die de ramen deed rammelen en klapperen en in de schoorsteen loeide. Zijn ogen vielen dicht en de alcohol verwarmde zijn bloed en benevelde zijn brein.

Hij werd met een schok weer wakker. Het geluid van de wind was wild en vijandig geworden. Het gladde, betegelde oppervlak van de schoorsteenmantel voelde koud en zwaar aan tegen zijn voorhoofd, maar toen hij overeind probeerde te komen, merkte hij dat hij niet in staat was zich te verroeren.

Plotseling voelde hij de onmiskenbare druk van een hand op zijn hoofd. Een grote, zware hand. De zachte palm bedekte zijn kruin en de lange, dikke vingers strekten zich uit tot in zijn nek. Hij oefende een sterke, gelijkmatige, duidelijk voelbare druk uit. Martin was zich niet bewust van angst, alleen van een allesoverheersende rust. Van de betrouwbare, ondubbelzinnige belofte van bescherming. Hij hoorde de wind ook niet meer razen en gieren en huilen om het huis, hij hoorde alleen nog een langzame, gelijkmatige stem, die niet hoog en niet laag maar wel heel echt was, even echt als de schoorsteenmantel waar hij zich aan vastklampte en die langzaam en duidelijk tegen hem sprak. De stem zei dat er nog veel te doen was en een lange weg te gaan en dat Martin was voorbestemd om dingen te voltooien die hij zelf nooit had kunnen afmaken.

Martin wilde dolgraag zijn eigen arm uitsteken, die hand grijpen en hem beethouden, maar toen hij dat deed verdween hij, net als de stem en keerde het geluid van de wind terug.

Heel traag hief hij zijn hoofd op, dat nog steeds op de schoorsteenmantel rustte. Zijn blik gleed behoedzaam omhoog. Omhoog, langs de vele Hemingway-ansichten die tegen de schoorsteen leunden en langs de art deco-klok die ooit in de lounge van het Palace Hotel in Madrid had gestaan, tot hij uiteindelijk Hemingways foto aan de wand bereikte. Martin kneep zijn ogen dicht, deed langzaam één oog open en keek naar de rechterhand. Die was waar hij altijd geweest was, laag naast zijn zij, en hield nog steeds een potlood vast. Hij opende zijn andere oog en liet dat uiterst behoedzaam omhoog gaan langs de ladenkast met krulgrepen, tot hij op zijn linkerhand rustte. Die was ook roerloos en lag half gebald op de omkrullende, beschreven vellen papier op het schrijfbord.

''t Was jouw hand niet, hè Papa?' fluisterde Martin en Papa glimlachte en schudde zijn hoofd en terwijl hij dat deed gebeurde er iets vreemds. De stugge witte baard verdween geleidelijk van Papa's kaak. Op zijn bovenlip verscheen een rossige snor en zijn brede, hoge jukbeenderen werden ronder. In zijn krachtige, rechte neus ontstonden een paar bobbels, zijn ogen werden kleiner, lichter en vrolijker en ten slotte werd zijn haar een verwilderde, vuurrode haardos. Zo rood als een tomaat, zoals ze in Theston zeiden. En zijn glimlach werd breder en zijn ogen staarden vrolijk en verwachtingsvol op hem neer, net als op de ochtend van eerste kerstdag, herinnerde Martin zich, als hij omringd door cadeautjes in bed zat en wist dat er geen voordeur dicht zou slaan voor het goed en wel licht was, geen lege posttas nijdig op tafel zou worden gesmeten in de vroeg invallende, winterse schemering. En die glimlach werd een lach, een lange, diepe, ongecompliceerde lach. Een lach die hij haast was vergeten.

Hij wilde dolgraag dat die lach door zou gaan, hij wilde dolgraag dat hij door zou gaan en nooit zou ophouden, maar terwijl hij toekeek zag hij die vertrouwde uitdrukking van wanhoop weer in de ogen opkomen en hij besefte wat er zou volgen.

En de lach stierf weg en de glimlach verstarde en het haar werd weer wit en dun en de rossige snor werd een baard die ook wit was. En de neus werd breder en rechter en krachtiger, de jukbeenderen breed en hoog, de ogen donkerder en groter en het enige dat ze nog uitstraalden was angst en iets smekends.

ZESENDERTIG

Na haar nacht met Martin had Ruth niets meer van hem gehoord en de gewoonte gekregen om, nu de avonden langer werden, grote wandelingen te maken die haar vaak kilometers van Everend Farm Cottage voerden. Ze was eigenlijk nooit een buitentype geweest en had altijd meer van studie, boeken en bibliotheken gehouden, maar de laatste tijd voelde ze zich opgesloten in het kleine huisje. Dan liep ze het modderige pad uit dat naar de boerderij leidde, stak het verharde weggetje over waarop het uitkwam en volgde het bordje dat naar een ruiterpad wees. De boer wiens land het vroeger was geweest had zijn akkers verkocht aan een groot bedrijf, dat de heggen had gerooid en de paden omgeploegd, maar Ruth had een paar groene kaplaarzen gekocht en genoot van hun onkwetsbaarheid.

Ze marcheerde over warme, met vuursteenbrokken bezaaide voren en door plassen stilstaand water tot ze bij een stroompje kwam en volgde dat een paar kilometer tot het uitkwam in een brede riviermonding. Blauwe reigers stegen loom klapwiekend op uit de rietkragen en elke avond kwam er op een bepaald tijdstip een vlucht rotganzen aanvliegen, laag en in perfecte V-vorm, die met schor gekwaak en veel opspattend water neerstreken in een nabijgelegen inham.

Hoe meer Ruth wandelde en nadacht en hoe langer Martin niets van zich liet horen, hoe meer ze ervan overtuigd raakte dat alles volgens het oude patroon verliep. Haar gretigheid, zijn terugtrekking - en weer was er iets bedorven.

Ze dacht talloze keren over die avond na en probeerde vast te stellen wat er nou precies gebeurd was. Om welke twee mensen was het eigenlijk gegaan? Had ze in het gezelschap van die timide Martin verkeerd of van de bruuske, zelfverzekerde vreemdeling die hij soms kon worden? Had hij met de kieskeurige, intellectuele Ruth Kohler gevrijd of met de schaamteloze, overspelige Jane Mason? Was zijn minnares Ruth Kohler geweest, voor wie seks zo gecompliceerd was, of Jane Mason, die er juist geen enkele moeite mee had?

Het feit bleef dat ze die avond opzettelijk had verkozen niet langer de rol van de door haar bewonderde Pauline Pfeiffer te spelen, maar van de vrouw die Paulines huwelijk mede op de klippen had laten lopen. Was dat geen bevestiging van haar onvermogen om van een fysieke relatie te kunnen genieten tenzij die iets riskants en destructiefs in zich droeg? Hoe meer ze daarover nadacht, hoe meer een fundamentele kwestie haar dwars begon te zitten.

Tot dusver had Ruth de heersende feministische opvatting gehuldigd dat mannen over het algemeen de destructievere kracht in de wereld waren - de soldaten, de vechters, de relschoppers, de gangsters, de vernietigers van regenwouden en de bommengooiers - en dat vrouwen meer de aandrang voelden om wat ze ter wereld hadden gebracht te bewaren en te beschermen en de constructievere kracht waren.

Wees het feit dat ze zo gemakkelijk de rol had aangenomen van een vrouw van wie ze wist dat ze destructief was er niet op dat zij, Ruth Kohler, dat ook kon zijn en dat zowel mannen als vrouwen in feite een even groot destructief potentieel bezaten?

Op een avond, een week nadat ze Martin haar huisje uit had zien glippen in de stilte die voorafging aan de dageraad, met zijn lange benen, blauwe parka en rode ijsmuts, was er plotseling iets uitgekristalliseerd in haar gedachten en was ze haastig teruggelopen over de akkers. Toen ze bij haar huisje was, ging de zon al onder en naderden vanuit het westen de vertrouwde, dikke grijze wolken. Ze trok ongeduldig haar kaplaarzen uit en deed niet eens haar jas uit, maar drukte op het lichtknopje en ging aan haar schrijftafel zitten. Ze trok de nette stapel uitgeprinte vellen naar zich toe en begon ze door te bladeren.

Waar ze al bang voor was klopte. Hoe meer ze van haar hoofdstukken over Pauline las, hoe minder logisch ze leken. Hoe meer ze de periode van hun huwelijk onder de loep nam, hoe duidelijker ze inzag dat haar veronderstelling dat Pauline een produktieve, heilzame en uitsluitend positieve artistieke invloed had gehad op haar man niet werd gestaafd door de feiten.

In de periode tussen *A Farewell to Arms* en *For Whom the Bell Tolls*, waarin hij getrouwd was geweest met Pauline, had Hemingway een hele reeks boeken en verhalen geschreven die over het algemeen als inferieur werden beschouwd. Het veelgeprezen *A Farewell to Arms* was weliswaar geschreven toen ze zich nog koesterden in de hartstochtelijke gloed van hun eerste liefde, maar het boek zelf was een evocatie van een eerdere liefdesaffaire, met een andere vrouw en op een andere plaats. Zijn volgende grote roman, *For Whom the Bell Tolls*, die hij elf jaar later schreef, was opgedragen aan Martha Gellhorn, de vrouw voor wie hij Pauline uiteindelijk had verlaten.

Het werd donker en haar ogen werden moe terwijl ze de pagina's doorbladerde - in totaal zo'n tweehonderd - die die periode bestreken. De conclusie was onontkoombaar.

Ruth had een theorie opgebouwd die onjuist, ontoereikend en simplistisch was. Ze moest het bewijsmateriaal opnieuw onder de loep nemen. Dat was een geduchte taak en veel tijd had ze niet meer. Het was al bijna april en het boek moest begin juli klaar zijn. Er moest nieuwe research worden verricht en misschien moest wel een derde van de tekst worden herschreven.

Ze leunde achterover en stak een sigaret op. Ze staarde uit het raam naar de inktzwarte duisternis en haar eigen spiegelbeeld, wreef in haar ogen, schonk de eerste whisky van die dag in en nam een besluit dat veel problemen leek op te lossen.

De volgende dag hotste Ruths kanariegele Datsun over het hobbelige wegdek van Marsh Lane, op weg naar Martins huis. Ruth liet het stuur met één hand los en hield de schuddende en zwaaiende visstoel vast, die ze als excuus gebruikte om de stilte te verbreken.

Het was een warme, windstille zondagmiddag. Kathleen Sproale was in de tuin bezig en keek hoe Ruth stopte. Ze zei dat Martin ergens heen was op zijn fiets en voorlopig nog niet terug zou zijn. Ze kwam overeind en tikte met haar schepje tegen een steen, om de aarde eraf te slaan.

'Ik was toch bijna klaar,' zei ze met een vluchtige glimlach. 'Ik heb geen puf meer.'

Haar glimlach was een tikje geforceerd, dacht Ruth.

'Je drinkt graag koffie, hè?' zei Kathleen, die haar tuinhandschoenen uittrok en naar het huis liep.

Ze gingen in de keuken zitten en staarden naar het moerasgras en de zegge en de treurwilgen, die triest heen en weer zwaaiden in het zachte, zwoele briesje.

'Ik vind dit altijd 't mooiste jaargetij,' zei mevrouw Sproale. 'De lente.'

'Ik snap niet hoe u 't hier 's winters uithoudt,' zei Ruth. 'Op Everend Farm is 't al erg, maar daar heb je tenminste nog wat beschutting.'

'Soms vraag ik me dat ook wel 'ns af,' zei Kathleen. 'Maar Martins vader heeft er altijd van gehouden. De stad vond hij maar niks. Hij zei dat hij daar al genoeg kwam als hij zijn ronde deed.'

'Wat deed hij eigenlijk? Uw man?'

'Hij was brievenbesteller. Postbode.'

'Martin heeft nooit iets over hem gezegd.'

'Nee. Nou, hij is gestorven toen Martin zeventien was.'

'Was hij ziek?'

Kathleen knikte. 'Hij is een tijd ziek geweest.'

Buiten had een zwerm zwart met gele sijsjes het stuk zwoerd op het voedertafeltje ontdekt en voerde nu een reeks snelle, duikende aanvallen uit.

'Dat moet een vreselijke schok zijn geweest voor Martin.'

Kathleens milde, waterige ogen keken Ruth scherp aan, maar ze wendde haar blik weer snel af. 'Waarschijnlijk wil hij er daarom met niemand over praten.'

'Misschien moet hij 'ns naar iemand toegaan. Om raad vragen.'

Kathleen keek haar opnieuw aan. Schamper zei ze: 'Een psychiater?'

'Een of andere vorm van therapie. Waarom niet? Ik ben ook een tijdje in analyse geweest en dat heeft geholpen.'

Kathleen richtte haar blik weer op het kale, vlakke landschap. Zachtjes en haast in zichzelf zei ze: 'Daar heeft z'n vader ook niks aan gehad. Hij werd van de ene psychiater naar de andere gestuurd, als een van z'n eigen pakjes.' Ze staarde uit het raam. 'Toen hij dood was heeft verdomme niet eentje ook nog maar iets van zich laten horen. Excuseer m'n taalgebruik, Ruth. Niet eentje bood z'n excuses aan of zo.'

Ruth voelde een koude rilling door zich heen gaan. 'Hoe is hij gestorven, mevrouw Sproale?'

Kathleen bleef uit het raam staren. Ze ademde zwaar en haar

mond bewoog, alsof ze een moeilijk woord probeerde uit te spreken. 'Daar praat ik niet over,' zei ze uiteindelijk.

''t Zou misschien helpen als u dat wel deed.'

De keukenklok sloeg het halve uur. Mevrouw Sproale wendde zich kordaat en haast agressief tot Ruth. Ze streek met haar handpalm over het tafelblad, alsof ze denkbeeldige kruimels wegveegde. 'Dat is zeventien jaar geleden. Ik maak me nu meer zorgen om m'n zoon.'

Ze stond abrupt op en terwijl ze de denkbeeldige kruimels in de gootsteen deponeerde zei ze: 'Al dat Hemingway-gedoe. Vroeger dacht ik dat 't onschuldig was, maar nu geloof ik dat hij er langzaam door verziekt wordt. Soms zou ik die kamer van hem 't liefst in brand steken. Allemaal stukjes en beetjes van 't leven van een ander. Ik hoor hem nu elke nacht praten en schreeuwen. Ik heb hem ook horen vloeken en verder is er niemand. Alleen hij.'

'Hij heeft een moeilijk jaar achter de rug.'

'En wiens schuld is dat?' Om haar woede af te reageren greep Kathleen een handvol bestek uit het afdruiprek. 'Hij had verloofd kunnen zijn met Elaine Rudge, maar dat heeft hij vergooid.' Ze begon het bestek met krachtige bewegingen te sorteren. 'Hij had manager van dat postkantoor kunnen zijn, maar dat heeft hij ook vergooid. Hij was met iedereen bevriend, iedereen in Theston kende hem. Nu zit hij alleen nog maar boven of hij gaat urenlang weg met de fiets, zonder te zeggen waarheen.'

Ze zuchtte diep, leunde met haar armen op het aanrecht en bleef zo even staan.

Ruth draaide zich om en staarde naar het vlakke, drooggelegde moerasland, dat zich uitstrekte tot aan de duinen en de zee. Een dichter zag daar misschien iets poëtisch in, dacht ze, maar zij vond het een rommelig en chaotisch landschap. Kil en onvriendelijk. Het deed haar, onheilspellend genoeg, denken aan de symboliek in *A Farewell to Arms*. De manier waarop Hemingway het boek zo had opgebouwd dat alle scènes van dood en verderf plaatsvonden in het vlakke laagland en alle scènes van leven, liefde en hoop in de heldere berglucht. Er waren hier geen bergen in de buurt.

Er klonk een geluid naast het huis en Martin kwam binnen. Ruth was geschokt toen ze hem zag. Hij droeg de witte tennispet die ze al eerder had gezien, waar zijn pluizige, rossige haar verwilderd onder uitstak. Zijn ogen waren roodomrand en bloeddoorlopen en zijn kaken waren stoppelig. Hij droeg een vormeloos sporthemd en een slobberige, geruite korte broek tot op zijn knieën, die werd opgehouden door een stuk touw om zijn middel. Hij leek groter en sjofeler dan ze zich herinnerde. Zijn langzame, weloverwogen bewegingen verrieden weinig, maar uit de kleur die zijn gezicht opeens kreeg bleek dat hij verbaasd was Ruth te zien. 'Hoi,' zei hij met een kort knikje en hij leunde tegen de deurpost.

Ruth voelde zich slecht op haar gemak. Kathleen merkte dat en begon de kopjes af te ruimen.

'Ik heb de stoel meegebracht,' zei Ruth.

Het scheen niet tot Martin door te dringen. 'Stoel?' zei hij onduidelijk.

'Jouw stoel. Hij ligt in de auto.' Ruth wees. ''t Ging maar net. Ik moest de achterbank eruit halen. Met behulp van meneer Wellbeing.'

Plotseling reageerde Martin. Hij zette zich af tegen de deurpost en staarde Ruth ongelovig aan. 'Mijn stoel.'

Ruth knikte.

Samen tilden ze hem voorzichtig uit de Datsun en sjouwden hem met enige moeite naar boven. Zijn kamer was bezaaid met boeken, papieren en flessen en zijn bed was niet opgemaakt. Zodra ze de stoel hadden neergezet, trok Martin snel de lakens en dekens glad en stopte een paar flessen terug in de medicijnkast. Hij kwam een tikje opgelaten overeind en staarde haar aan en ze bedacht dat de blik in zijn ogen vrijwel identiek was aan die in de ogen op de foto achter hem. Behoedzaam, ooit wijs, maar nu een beetje bang.

Martin glimlachte nerveus en begon een plaatsje te zoeken om de stoel neer te zetten.

'Hoe gaat 't ermee, Martin?' vroeg ze. Ze besteedde opzettelijk niet al te veel aandacht aan de rommel in de kamer.

'Goed,' zei hij. 'Goed. Ik ben druk bezig lijstjes op te stellen.'

'Lijstjes?'

'Je weet wel. De schepen waarop hij gevaren heeft. Alle verwondingen die hij ooit heeft opgelopen. Alle hotels waarin hij heeft gelogeerd. Alle rivieren waarin hij heeft gevist. Er is een hoop te doen.'

Hij schoof twee stoelen naar elkaar toe en probeerde de visstoel daartussen te zetten.

'Moet ik helpen?' vroeg Ruth.

'Ja... ja... bedankt.' Hij sprak ook snel en nerveus.

Ze zetten de stoel neer. Hij ging er niet meteen in zitten. Zijn vingers streken lichtjes over de armleuningen en bleven even rusten op de ruwe, versleten latten van de rug, alsof hij hernieuwd kennismaakte met een oude vriend.

'Ik hoop dat je 't niet erg vind dat ik zomaar langskom?' vroeg ze.

'Nee.'

'Ik ben een paar keer op 't postkantoor geweest, maar je was er niet.'

'Nee. Daar werk ik niet meer,' zei Martin kortaf. Hij pakte de armsteunen van de stoel en leunde er met zijn volle gewicht op.

'Heb je ontslag genomen?'

Martin deed een stap achteruit, staarde naar het samenraapsel van hout en leer en metaal dat wankel tegen de dikke armleuning van de fauteuil balanceerde en knikte bewonderend.

'Heb je *ontslag* genomen bij de Posterijen?'

Martin keek op, alsof hij haar vraag nu pas hoorde. 'Ik ben ontslagen.'

'Waarom?'

'Vanwege die campagne.' Hij keek haar aan, met een nerveuze glimlach die snel wegstierf. 'Dat soort dingen kun je onmogelijk geheim houden in Theston,' zei hij.

Ruth merkte onverwacht dat ze te zeer van streek was om iets te kunnen zeggen. Haar ogen prikten en brandden en schoten vol met tranen. Martin wendde zijn blik opgelaten af, precies zoals ze gehoopt had dat hij niet zou doen en staarde slecht op zijn gemak uit het raam. Ruth deed nijdig haar best om haar tranen in bedwang te houden, maar was in zekere zin ook opgelucht. Wie weet wat ze allemaal gezegd en gedaan zou hebben als zijn reactie vriendelijk en fysiek was geweest.

''t Spijt me,' zei ze. Ze ging van de ene voet op de andere staan. ''t Is allemaal mijn schuld.'

'Hoezo?'

'Omdat ik m'n grote mond heb opengetrokken. Omdat ik je lekker heb gemaakt voor stoelen en campagnes.'

Martin keek haar weer aan en schudde met zijn vinger. Hij scheen plotseling zijn zelfvertrouwen terug te hebben en hees zich in de stoel, die gevaarlijk heen en weer zwaaide. 'De strijd is nog niet gestreden.'

Hij grijnsde breed en drukte zich tegen de harde houten rugleuning. 'De strijd is nog niet gestreden, Ruth. We beginnen gewoon een nieuwe campagne. Alleen runnen we die deze keer zelf.'

Ruth glimlachte ook en zocht in haar tas naar een sigaret. 'Je zult 't deze keer zonder mij moeten doen,' zei ze.

Martins gezicht betrok. 'Hoezo?' vroeg hij.

'Ik ga een tijdje weg.'

Zijn frons werd dieper. 'Hoe lang?'

'Hangt ervan af hoe lang ik nodig heb om m'n boek af te maken.' Ze stak haar sigaret op en nam een lange trek.

'Ik dacht dat je bijna klaar was?'

'Ik ook. Maar -' Hij keek hoe ze haar hoofd achterover liet vallen, haar lange nek uitrekte en een rookpluim omhoog blies, net als de allereerste keer dat hij haar had gezien. 'Ik had 't mis,' zei ze vlak.

Martin leunde achterover in de visstoel en dacht na over wat ze gezegd had.

'Ik ga naar Oxford,' vervolgde ze. 'Ik heb de bibliotheken nodig. Ik moet een hoop nieuw materiaal zien te vinden.'

'Hoe lang blijf je weg?'

'Zes weken. Misschien wel twee maanden. Hangt ervan af.'

Martin knikte langzaam. Hij scheen op het punt te staan om iets te zeggen, maar zijn stemming sloeg abrupt om. 'Kunnen we een eindje gaan rijden? Ik wil je iets laten zien.'

Ze reden over de rondweg naar Theston, meden het centrum en kwamen uit op de heuvel boven de haven. Martin vroeg of ze daar wilde stoppen en ze stapten uit. Hij had een oude marineverrekijker meegenomen. Hij liep voor haar uit, daalde de heuvel een eindje af zodat ze beter zicht hadden op de haven en bracht de verrekijker naar zijn ogen.

In de korte tijd sinds hij daar met Elaine was geweest, was de hele haven veranderd. Het was nu één en al bedrijvigheid. Busjes en vrachtwagens met het bliksemschichtlogo van Telemark omringden het gebouw dat ooit de visfabriek van Frank Rudge was geweest. Dat stond nu in de steigers en op het dak was al een lichtgewicht aluminium frame gemonteerd. Het was zondag, maar desondanks waren er mannen aan het werk, die zeil over het frame spanden. Er was een lijn getrokken naar de pier en er werden sleuven gegraven. Naast de sleuven lagen stapels leidingen gereed en één kant van het terrein werd in beslag genomen door een gigantische kabeldrum. Werklui van de gemeente waren begonnen met het aanbrengen van een nieuwe, bredere asfaltlaag op de toevoerweg naar de haven.

Maar vandaag had Martin daar geen oog voor. Hij liet de verrekijker zakken en gaf hem aan Ruth. 'Kijk, daar.' Hij wees opgewonden. 'In de haven.'

Ruth stelde de kijker bij en richtte hem op een lang, sierlijk motorjacht met een donkergetint perspex scherm en een witte, gestroomlijnde romp en bovenbouw. Een rij van vier patrijspoorten leidde naar een naam die ze nog net kon lezen. *Nordkom IV*. Het was een betoverende boot, die daar uit de toon viel en het haventje domineerde.

'*Pilar*!' fluisterde Martin.

'Oh, kom nou toch!' Ruth snoof schamper. 'De *Pilar* had karakter. Dat is gewoon 't jacht van een playboy.'

Maar Martin luisterde nauwelijks. Hij kon zijn ogen niet losscheuren van de boot, die langzaam en loom deinde terwijl hij voor anker lag. Ze zag zweetdruppels op zijn slapen. Zacht en urgent en zonder haar aan te kijken zei hij: 'Stel je voor dat je daarmee op zee bent. Uithouders op hun plaats, lokaas uitgegooid. Deinend over golven van drie meter hoog, in de vechtstoel, terwijl er een vijhonderdponder cirkelt aan de lijn. Langzaam en gestaag binnenhalen. Soms duurt dat uren.'

Ruth wist helemaal niets van boten en vissen af. Ze had *The Old Man and the Sea* altijd vreselijk gevonden en Santiago de visser Hemingways meest weerzinwekkend sentimentele held.

'Tegenwoordig gooien ze gewoon een staaf dynamiet in zee, nietwaar?' zei ze zuur.

Martin hoorde haar niet. Hij staarde naar de boot. Het was alsof ze al weg was.

ZEVENENDERTIG

Precies één maand nadat hij zijn ontslag had gekregen en drie weken nadat Ruth naar Oxford was vertrokken, keerde Martin Sproale terug naar het postkantoor van Theston. Hij zag er uiterst merkwaardig uit. Zijn haar was dik en ruig geworden en zijn gezicht was vleziger en ging voor een groot deel schuil onder een lichtrode baard. Zijn schouders waren breed genoeg geworden voor een wijd, lang, beige sweatshirt, dat los over een slobberige, katoenen korte broek hing. Hij droeg groezelige espadrilles en geen sokken. Het algehele effect was van een soort bizarre vervorming, alsof Martins lange, slungelige lichaam werd weerkaatst door een lachspiegel. Zo kwam het in elk geval over op Elaine, die net een klant had afgehandeld toen hij binnenkwam. Hij bleef bij de vitrine met handgemaakte bonbons staan en staarde nijdig naar de lange rij klanten. Op maandagochtend was het altijd druk in het kantoortje.

Nadat Martin was ontslagen, had het gerucht de ronde gedaan dat hij was verhuisd of zelfs dat hij ernstig ziek was. Die geruchten werden weersproken door mensen die hem op de heuvel boven de haven hadden gezien, maar iedereen had bevestigd dat er iets in hem geknapt was. Desondanks was Elaine toch niet voorbereid op de verwilderde gedaante die nu naar de tien personen lange rij slofte die gehoorzaam om het touw en de roestvrijstalen paaltjes heen krulde.

'*Loket nummer vier*.' De hoge, schelle toon van de eerste aankondigingen was te wijten geweest aan een fout in het systeem. Het bandje was inmiddels verwisseld en de stem klonk nu dieper en krachtiger. De Zweedse eunuch had plaatsgemaakt voor een bejaarde treurspelactrice.

Martin liep regelrecht naar het loket. Er werd wat geschuifeld en veel gefluisterd onder de klanten die hem herkenden, maar daar behoorde de dame van middelbare leeftijd met de indrukwekkende boezem die vooraan in de rij stond niet toe. Ze wierp

Martin een vernietigende blik toe toen hij naast haar kwam staan. 'Wilt u alstublieft niet voordringen?' zei ze streng. 'Er staat een rij, weet u.'

Martin boog zich naar haar toe. 'Ik ben gehandicapt.'

Ze keek sceptisch naar Martin en vooral naar zijn onderlijf. ''t Spijt me dat te horen, maar toch staat er een rij.'

Hij boog zich nog dichter naar haar toe. 'Cambodja. Ik was bij de VN. Landmijnen opruimen.'

De vrouw was nog niet overtuigd. 'U ziet er heel gezond uit.'

'Inwendige verwondingen,' fluisterde Martin.

'Pardon?' vroeg ze.

'Ze hebben bijna m'n hele maag weggehaald.'

'*Loket nummer een*,' kondigde de stem tragisch aan.

De vrouw wilde naar het loket lopen, maar Martin hield een plastic tasje omhoog. 'M'n ontlasting,' zei hij. 'Eigenlijk had 't gisteren al opgestuurd moeten worden.'

Hij liep snel naar de balie. Shirley Barker zat achter loket één en kon haar mengeling van schok en afkeer bij het zien van Martin niet verhullen.

Martin streek een paar samengeklitte haarlokken opzij en keek haar opgewekt aan. 'Hallo, dochter,' zei hij met een brede glimlach.

'Dag, Martin,' antwoordde Shirley behoedzaam. 'Hoe gaat 't met je?'

Zijn blik gleed langs de loketten.

''t Is waarschijnlijk wel prettig om voor de verandering 'ns niet elke ochtend om half zeven op te hoeven staan,' zei Shirley voorzichtig.

Martin knikte enthousiast. 'Dat betekent dat ik om zes uur op kan staan, als 't net licht genoeg is om de stammen van de dennebomen te kunnen zien en je voetzolen nat zijn van de dauw op de stenen en je aan de wind vanuit zee kunt voelen hoe de dag zal worden. Dat is de beste tijd om te schrijven.'

Shirley was zich bewust van afkeurende gezichten achter het touw. 'Wat wil je, Martin?'

Hij zuchtte diep. 'Ik wil hetzelfde als iedereen, dochter. Ik wil weten dat ik de grote dingen voor elkaar heb. Zoals liefde en haat en angst. En dat ik 't ook niet zo slecht heb gedaan wat de kleine dingen betreft. En dat ik, als m'n tijd gekomen is –'

Ze viel hem in de rede. 'Wil je postzegels of zo?'

Martin deed er abrupt het zwijgen toe en staarde haar doordringend aan. Shirley voelde een sterke vijandigheid. 'Ik wil Geraldine spreken,' zei Martin.

'Die zit daar, aan 't laatste loket. Ze is bezig.'

'Zou je willen zeggen dat ik er ben?'

Shirley was weer kalm en speelde met de broche op haar kraagje. 'Hoor 'ns, Martin, er staan een hoop mensen in de rij.'

''t Kan me niks verdommen hoeveel mensen er in de rij staan,' antwoordde Martin zonder zijn stem te verheffen. Hij boog zich dichter naar het loket. 'Kom van je luie reet, loop naar dat godverdommese loket en zeg dat juffrouw Cotton hier moet komen. Snel!'

Sinds ze in het nieuwe kantoor werkte, had Shirley Barker constant gehoopt dat ze ooit een excuus zou hebben om de alarmknop in te drukken. Ze had zich altijd voorgesteld dat er dan op magische wijze twee of drie potige ex-commando's zouden verschijnen die met touwen van het dak zouden afdalen om haar te redden. Ze was dan ook behoorlijk teleurgesteld toen de druk op de knop, na een kort oponthoud, alleen een nogal zenuwachtige Alan Randall opleverde, gehuld in een nieuw leren sportjasje en een gestippelde vlinderdas.

Martin voelde dat hij bij zijn elleboog werd gepakt. 'Kom, Martin. Laten we hier buiten over praten.'

Martin draaide zich nijdig om en rukte zich los. 'Wat krijgen we nou?' schreeuwde hij. 'Ik ben hier voor postzaken. Ik wil geen zoetigheid, ik wil geen vieze boekjes, ik wil alleen met een werkneemster van de Britse Posterijen spreken.'

'Dit is een postkantoor, Martin,' zei Randall gedecideerd. 'Je zult op je beurt moeten wachten.'

Alan Randall was bonbonverkoper en haatte lichamelijk geweld. Toen Martin hem neersloeg, was dat dan ook een compleet nieuwe ervaring voor hem. Het ene moment was hij de redelijkheid zelf, het volgende moment lag hij languit op de grond. Hij voelde zich alleen lichtelijk belachelijk en het feit dat hij overeind werd geholpen door Hettie Loyle, een vrouw die half zo groot was als hij en een kunstheup had, maakte de zaak er nog erger op. Hij wreef over zijn kaak, zoals hij ze ook op tv had zien doen, en verzekerde iedereen ervan dat hij het wel zou overleven.

'Waar was dat nou voor nodig?'

Martin zat in de Theston Tea Shoppe, met zijn lange benen oncomfortabel onder een van de sierlijke tafeltjes gepropt. Geraldine zat tegenover hem. Ze droeg een paarse chenille trui, die ze haastig over haar uniformblouse had aangetrokken toen ze het postkantoor hadden verlaten. Ze draaide met één hand aan een lok haar - dat langer was geworden en van asblond in licht roodbruin was veranderd. In haar andere hand hield ze een lepeltje, waarmee ze langzaam in haar beker lichtbruine koffie roerde.

'Nou?' vroeg ze nogmaals. 'Waarom moest je me zó dringend spreken dat je daar iemand voor moest neerslaan?'

Martin keek op. Geraldine zag dat zijn ogen roodomrand en ongezond waren. Te veel drank of te weinig slaap. Misschien wel allebei. Hij zag er in elk geval slecht uit.

'Ik haat dat kantoortje,' zei hij. 'Ik haatte 't direct toen ik 't voor de eerste keer zag en ik haatte 't toen ik daar werkte -'

Geraldine knikte vlug. 'Na wat er daarnet gebeurd is zal dat gevoel ongetwijfeld wederzijds zijn, Martin.'

Hij boog zijn hoofd weer, maar keek haar eerst even met een snelle, schalkse glimlach aan. 'Maar 't was een goeie klap, hè?'

Geraldine nam een slokje koffie. Hij was warm tot lauw, zoals ze hem het liefste had. Ze deed haar best om een balans te vinden tussen ergernis en bezorgdheid.

'Martin, we zouden 't allemaal leuk hebben gevonden om je weer te zien. 't Was echt niet nodig om narigheid te komen zoeken.' Onwillekeurig voegde ze eraan toe: 'Narigheid is er vandaag trouwens toch niet. Hij heeft weer een vergadering met de geldschieters.'

Martin schudde schamper zijn hoofd. 'Ik kwam voor jou.'

Geraldine kneep haar ogen achterdochtig samen. 'Hoezo?'

Martin keek haar voor het eerst recht aan. 'Vanwege die boot,' zei hij.

Geraldine wilde een slok nemen, maar de beker bleef halverwege steken. Ze fronste haar voorhoofd. 'Sorry, Martin,' zei ze. 'Heb ik een aflevering gemist?'

'De boot waarop ik je gezien heb. In de haven.'

'Heb je me op een boot gezien?'

Geraldine voelde zich plotseling slecht op haar gemak. Niet

zozeer door die boot, als wel door het zien. Zijn uitdrukking werd nog intenser. 'Ja, natuurlijk. Ik houd die haven elke dag in de gaten. Ik kijk wat er gebeurt. Wie er is. Ik weet wanneer Devereux komt. Ik weet wanneer Nick komt. Ik weet wanneer die boot komt en wie erop meevaart.'

'En dus?'

Martin staarde haar aan. Diep in zijn ogen zag ze een overblijfsel van dat wat haar die avond bij Marshall thuis had aangesproken. Een vreemde gloed.

Langzaam en duidelijk vervolgde Martin. 'Wat ik 't allerliefste wil is een keertje varen met die boot.'

Geraldine besefte dat ze terug moest naar haar werk. Ze keek op haar horloge en maakte aanstalten om iets te zeggen, maar Martin kapte haar snel af. 'Begrijp je?' vroeg hij. 'Ik wil weg met die boot. Ik wil gaan vissen.'

Half lachend haalde Geraldine haar schouders op. 'Martin, ik wil niet dat je je nog verder in de nesten werkt. Vergeet die hele rotzooi. Vergeet die mensen. Ga ergens anders werken. Echt. Je kunt verder niks doen en ik kan je nergens mee helpen.'

'Ik wil weg met die boot, ik wil de zee op en ik wil voelen hoe 't is.' Zijn stem werd scheller. 'Dat begrijp je, hè? Dat weet ik. Jij bent anders dan de rest, Geraldine. Ja toch? Ja toch?'

Geraldine keek hem medelijdend aan. Hij bood een trieste aanblik. Een gehavende, getekende, verslagen man. Hij was niet slecht of fout, alleen maar hopeloos. Maar dat was niet haar schuld. Ze genoot niet echt van haar huidige baan, maar ze deed haar werk en deed het zonder klagen. Ze deed het bovendien goed genoeg om de verantwoordelijkheid te hebben gekregen voor het contact tussen Shelflife en Nordkom iedere keer dat het jacht de Noordzee overstak, wat de laatste tijd steeds vaker gebeurde. Ze was opgegroeid met boten en wist precies wat Martin bedoelde met de opwinding van de zee, maar ze kon hem onmogelijk helpen bij het realiseren van zijn hersenspinsels.

'Sorry Martin, maar ik kan je met geen mogelijkheid ook maar in de nabijheid van die boot krijgen.'

Bovendien was de *Nordkom IV* geen vissersboot. Het was een hypermodern, vijfentwintig meter lang motorjacht dat speciaal voor Nordkom in Zweden was gebouwd en anderhalf miljoen pond had gekost. De zonnelounge, het bubbelbad en het geïntegreerde zwemplatform werden zelden gebruikt. De *Nordkom IV* was een zeewaardige vergaderruimte, die de tweehonderddertig kilometer van Rotterdam naar de Engelse kust in de tijd van één planningsbijeenkomst kon afleggen.

Het zou absoluut niet verstandig zijn om dat verwilderde menselijke wrak ook maar in de buurt te laten komen van de smetteloos witte, gecoate stalen romp, laat staan het dek van massief teakhout of de zes meter lange vergadertafel van glanzend mahonie.

ACHTENDERTIG

Geraldine Cotton was nu vijfentwintig jaar oud en had in die tijd zelden iets gedaan wat je verstandig of degelijk zou kunnen noemen. Als er twee mogelijkheden waren, overwoog ze wat ze eigenlijk zou moeten doen en wat waarschijnlijk niet en koos dan onveranderlijk voor het laatste. Ze weet dat geheel aan haar ouders, die twee verder veelbelovende levens hadden gewijd aan degelijk en verstandig zijn. Ze hadden een verstandig huwelijk gesloten, een degelijk huis gekocht en degelijke banen genomen waar ze naar toe konden rijden met hun degelijke auto's. Ze hadden heel verstandig drie kinderen genomen die ze hadden ingeschreven bij degelijke scholen, in de hoop dat ze even degelijk zouden opgroeien als zij.

Dat had bijna gewerkt. Geraldines zus George, die vierenhalf jaar ouder was, was hoofd personeelszaken bij een van de degelijkste firma's van Engeland. Ze was al acht jaar getrouwd met een intelligente, hardwerkende schade-expert die huwelijkstrouw hoog in het vaandel had staan. Ze hadden twee schatten van kinderen en waren van plan er nog een te nemen. Haar broer Giles was leraar aardrijkskunde aan een school voor over het algemeen degelijke kinderen in de omgeving van Londen. Hij had zich onlangs aangesloten bij de Groenen, maar ondanks die bemoedigende ontwikkeling Geraldines hoop de grond ingeboord door zich te verloven met een oerdegelijk meisje genaamd Sheila, dat bij een groot gasbebrijf werkte en daar inlichtingen verschafte aan mensen die vragen hadden over hun rekeningen.

Geraldine was zich er vanaf haar zesde jaar van bewust geweest dat ze graag dingen deed die niet verstandig of degelijk waren. Zodra ze daar oud genoeg voor was, had ze bijvoorbeeld besloten om in de enorme plataan in hun achtertuin te klimmen, niet alleen omdat hij zo groot was maar ook omdat hij over de tuin van de buren groeide. Haar nieuwsgierigheid was haar echter lelijk opgebroken. Wat ze meneer en mevrouw Marsden had zien doen door een bovenraam van hun huis had haar zo verbaasd dat ze haar evenwicht had verloren en door een broeikas was gevallen. Ze had onder de snijwonden gezeten en was vreselijk geschokt geweest, maar ook nog voldoende bij haar positieven om tegen haar ouders te kunnen zeggen dat meneer Marsden blijkbaar een kannibaal was.

Aan dat incident had ze een voorliefde voor ouderlijk ongenoegen overhouden waar ze veel aan had gehad gedurende haar adolescentie, die ze had doorgebracht op een gemengde kostschool (haar keus), waar ze een passie voor rugby had ontwikkeld en later gedurende een studie werktuigbouwkunde aan een onbekende Schotse HTS. Vanaf haar eenentwintigste had ze verhoudingen gehad met één of twee jongens en diverse meisjes. Ze was in de loop der jaren actrice, acupuncturiste en installatrice van schotelantennes geweest en was intelligent, goed opgeleid en vindingrijk, maar nog steeds niet degelijk of verstandig.

Dat baantje bij Shelflife was op exact het juiste moment gekomen. Ze was net vijfentwintig geworden en had een veelbelovend debuut gemaakt bij een experimenteel toneelgezelschap in Londen, maar na een lange reeks voorstellingen als verkrachtingsslachtoffer was er geen werk meer geweest en drie maanden later had ze gereageerd op de advertentie die naar John Devereux en Shelflife had geleid. Het vooruitzicht van een jaartje aan zee als persoonlijk assistente bij een nieuw telecommunicatiebedrijf klonk intrigerend, aanlokkelijk en enigszins onwaarschijnlijk. Precies het soort uitdaging waar ze van hield.

De activiteiten van Shelflife waren echter niet helemaal wat ze zich ervan had voorgesteld en werden met de minuut duisterder en loucher. Ze hadden het oude postkantoor voor een appel en een ei gekocht en doorverkocht aan het Nordkom-consortium, waarvan zij ook deel uitmaakten, eveneens voor een appel en een ei maar dan wel een iets grotere appel en een groter ei dan zij ervoor betaald hadden. De burgemeester van Theston, die tevens aannemer was, had voorkeurscontracten gekregen in ruil voor een voorkeursbehandeling van Shelflifes voorstellen aan de gemeenteraad. Na bepaalde onthullingen tijdens een uiterst onaangenaam dineetje in Marshalls flat was raadslid Rudge, de lastige en onafhankelijke voorzitter van Bouw- en Woningtoezicht, regelrecht gechanteerd zodat hij zijn mond dicht zou houden en de steun van andere plaatselijke hotemetoten zoals Peregrine Harvey-Wardrell was gekocht met attractieve lokkertjes in de vorm van aandelenopties.

Dat patroon van bedrog begon opmerkelijk voorspelbaar te worden en het enige waar Geraldine gedeprimeerd van raakte, was voorspelbaarheid. Dat was ook de reden waarom ze Martin Sproales onsamenhangende gebazel niet meteen uit haar gedachten had gebannen. Plus het feit dat hij duidelijk geen degelijk en verstandig persoon meer was.

Een week na Martins spectaculaire bezoek aan het postkantoortje arriveerde de *Nordkom IV* weer in de haven van Theston, met een lading directeurs en multimedia-experts uit Nederland. Zodra de boot had aangelegd, gingen Devereux en Marshall en diverse andere adviseurs aan boord en werd er de hele dag vergaderd in de grote salon. 's Avonds, toen de bemanning en de directeurs aan land waren om van het plaatselijke bier of de clubs in Norwich en Ipswich te genieten, was het Geraldines taak om samen met de schoonmakers aan boord te gaan en voedsel voor de volgende dag te brengen.

Op een avond, toen de schoonmakers klaar waren, bleef ze alleen op het jacht achter. Het was een warme avond in mei en de zon ging pas tegen negenen onder. Geraldine klom de zes treden op naar de vliegende brug. Daar stond een rijtje smetteloze, nauwelijks gebruikte, gestreepte ligstoelen en op het tafeltje daartussen lag een verrekijker. Ze pakte hem, stelde de scherpte in en bestudeerde de haven en de toegangswegen. En inderdaad, daar op de steilste van de twee heuvels tussen de haven en de stad stond een lange, merkwaardig gevormde, onmiskenbare gedaante met een donkerblauwe, gebreide wollen ijsmuts met een rode pompon. Zijn slobberhemd wapperde in de wind, hij had zijn handen voor zijn gezicht in net zo'n gebaar als het hare en ze wist dat hij ook naar haar keek.

De daaropvolgende twee of drie weken zag ze hem steeds op die heuvel, iedere keer als het jacht in de haven lag. Zijn positie wisselde nauwelijks. Soms leek hij een blocnote te voorschijn te halen en dingen te noteren, soms had hij geen verrekijker bij zich en stond hij alleen maar te staren.

Geraldine wist dat ze Martin gewoon kon negeren of Nick

Marshall zelfs kon waarschuwen, maar hoe langer hij volhield, hoe meer ze zich begon te identificeren met zijn koppige, hopeloze volharding. Zijn halsstarrige weigering om de werkelijkheid onder ogen te zien kreeg iets bewonderenswaardigs en zelfs inspirerends. In haar gedachten werd hij de ontembare gedaante aan de kust, de eerste indiaan die Columbus zag, de keltische krijger die toekeek hoe de laatste Romeinen Brittannië verlieten.

Op een avond zag ze hem niet op de heuvel en nadat haar werk erop zat en ze in het rubberbootje dat voor de bevoorrading werd gebruikt terugvoer naar de haven, voelde ze zich merkwaardig triest. Ze maakte het bootje vast en wilde net de trap op lopen toen ze hem een paar meter verderop zag staan. Dat was de eerste keer dat hij geprobeerd had persoonlijk contact te maken sinds dat bezoek aan het postkantoor en ze hapte even naar adem. 'Ik vroeg me al af waar je was gebleven,' zei ze.

'En?' zei hij. 'Mag ik aan boord?'

Geraldine schudde glimlachend haar hoofd.

'Ik kan je niet mee aan boord nemen. Dat weet je best. Als ze erachter komen –'

Snel en gedecideerd antwoordde hij: 'Ze komen er niet achter.'

'Nee, Martin,' herhaalde ze vastbesloten. 'Als ze terugkomen en jij bent aan boord, kan ik naar m'n kerstgratificatie fluiten.'

Hij deed een stap in haar richting. 'Dat gebeurt heus niet. Ze zijn vijfenvijftig minuten geleden vertrokken in twee auto's, allebei taxi's uit Norwich. Ze gaan vast naar de Blue Beat Club in Queen Street of Rocco's op Cow Hill. Die rit duurt gemiddeld één uur en zeventien minuten. Ze zijn vier keer eerder naar Norwich geweest en kwamen toen terug om negen over een, twaalf over twee, zeventien over twee en zeven over drie 's nachts.'

'Je bent echt gek,' zei Geraldine. Er klonk iets van afgunst door in haar stem. Martin, verwaarloosd en verfomfaaid, met haar dat nu zo lang en verwilderd was als dat van een profeet uit het Oude Testament, schudde zijn hoofd en bleef haar aanstaren.

'Alsjeblieft?'

Daarna ging Martin nog diverse keren aan boord. Hij wist precies wanneer het veilig was en Geraldine, die besefte dat hij het onorthodoxe gezelschap was waarnaar ze verlangd had, begon een soort genegenheid te voelen voor die sloffende, gedreven gedaante. Ze liet hem de hele boot zien en vertelde hem waar alles zat en hoe het werkte. Maar dat was niet voldoende voor Martin. Hij hield van het stuurhuis en de kaarten en de belofte van de zee voorbij de havenmuur. Hij wilde meer dan alleen aan boord zijn.

NEGENENDERTIG

'Vandaag breekt een nieuw tijdperk aan voor het stadje Theston in Suffolk.'

Ruth Kohler boog zich voorover en zette haar radio wat harder. Pas nadat ze dat flatje in Oxford had genomen, had ze het clandestiene genoegen van het heerlijk lang weken in een Engels bad leren kennen. Ze ging achterover liggen en genoot van de eerste sigaret van de dag, omgeven door met as besprenkelde schuimkoppen van Elizabeth Arden Celebration Gel.

'Vanmiddag om twaalf uur zal Dennis Donnelly, de nieuwe minister voor Technologie, de eerste fase openen van een belangrijk nieuw Europees telecommunicatiecentrum, dat gefinancierd is door de Nederlandse multimediagigant Nordkom B.V.'

En tegen lunchtijd, bedacht Ruth, zou Ruth Kohler, bezoekend hoogleraar Engels, terugkeren naar Theston na belangrijk nieuw onderzoek te hebben verricht voor haar baanbrekende studie over een van de meest controversiële literaire figuren van deze eeuw.

'Er gaan sterke geruchten dat Nordkom voorstander is van nauwe samenwerking met de Britse Posterijen met hun enorme middelen als, zoals verwacht, de privatiseringsvoorstellen van de regering de Posterijen de commerciële vrijheid gunnen waar de directie al zo lang op aandringt.'

Het was prettig om weer terug te gaan naar het middelpunt van het heelal, dacht Ruth. Oxford was prima, maar er gebeurde nooit iets. Ze grijnsde. Ze zag er goed uit en ze voelde zich goed en ze was vastbesloten om zich niet meer zo druk te maken om allerlei dingen. Ze zou Martin bellen als ze terug was en dan zouden ze wel zien hoe het liep. Ze had zelfs een goede fles grappa weten te vinden, hoewel ze daar heel Oxford voor had moeten afzoeken.

'Het is nu drie over zeven,' kweelde de radio door de zeepbellen heen. *'Blijf luisteren naar de Dick Arthur Ontbijtshow.'*

Tweehonderddertig kilometer ten noordoosten van Oxford stierf het zachte gedreun van twee elfhonderd pk MAN 12 dieselmotoren weg. Een ankerketting ratelde door de kluispijp en de lange, ranke boeg van het motorjacht *Nordkom IV* draaide langzaam rond op de licht deinende Noordzee tot hij precies naar het noordwesten en de hoge, fraaie, met banden vuursteen versierde toren van St. Michael and All Angels in Theston wees.

De toeschouwer op de heuvel kon door de laaghangende zeenevel nog net zien hoe een rubberboot de haven uitvoer, bestuurd door een atletische, jonge brunette die een volumineuze gele waterdichte broek en een geel met zwart windjack met het Nordkom-logo droeg.

Een paar minuten later stapten vijf mannen in dure, lichtgewicht pakken vanuit het jacht over in de rubberboot, gevolgd door een stuk of zes bemanningsleden met sweatshirts en witte katoenen broeken aan. Een of twee van de mannen in pak hadden zaktelefoons bij zich en allemaal hadden ze een aktentas. Het flauwe geluid van gelach klonk over het water.

Op het moment dat de rubberboot de kade bereikte, verschenen er twee zilvergrijze Mercedessen. De mannen liepen nog steeds lachend de trap op en een of twee bleven even staan om een grapje te maken met de vrouw die de rubberboot bestuurde. Uiteindelijk stapten ze allemaal in de gereedstaande auto's, die naar het noorden reden, in de richting van Theston.

De waarnemer op de heuvel hield zijn verrekijker op de rubberboot gericht. Na een lang en onverklaarbaar oponthoud zag hij eindelijk datgene waarop hij wachtte: drie korte lichtflitsen vanuit de rubberboot. Hij liep snel de heuvel af naar de lange, lage, stenen schuilhut aan de duinrand op het verlaten stuk strand ten zuiden van de haven.

Al lopend keek hij op zijn horloge. Twaalfenhalve minuut over zeven. Ze hadden een half uur.

Twee juli was niet de schitterende zomerdag waarop Nick Marshall had gehoopt. Een oostelijke wind blies doffe grijze wolken over Theston en nu hadden ze ook nog eens met mist te kampen. 'We mogen van geluk spreken als we die stomme mast überhaupt kunnen zien,' mompelde hij terwijl hij de deur van de Portakabin opendeed.

John Devereux en hij waren om kwart voor acht bij de haven

gearriveerd. Nick Marshall had al ruim tien kilometer gejogd en voelde zich gespannen, maar had alles in de hand.

''t Is nog een beetje vroeg. De zon lost die mist dadelijk wel op,' verzekerde Andy Glenson hem. Glenson was de opzichter, een kleine, cynische Schot. Hij was opgeleid in de offshore-industrie in de vette jaren zeventig en had gezien hoe fortuinen werden verdiend en verloren. De derde aanwezige was Matt van Haren, de technisch manager van Nordkom.

'Ik hoop dat je gelijk hebt, jongen,' zei Devereux. 'Als prinses Diana poedelnaakt over 't strand zou wandelen, zouden er minder cameraploegen aanwezig zijn dan nu voor ons.' Hij ging met zijn vinger over een lijstje dat op tafel lag. 'Waar komen al die lui voor? Is er soms gratis eten of zo?'

Nick Marshall glimlachte niet. Hij likte langs zijn lippen. 'Alles oké, Matt? Geen onverwachte problemen?'

Matt van Haren was slank en blond, met een snor die hij probeerde te laten uitgroeien tot een vollere baard. Hij was hoogstens één of twee jaar ouder dan Nick Marshall en droeg een zwart met gele waterdichte jas over een T-shirt. Er hing een walkie-talkie aan zijn middel. ''t Was hard doorwerken, dat zeker. Maar we hebben gisteravond de laatste verbindingen gelegd.'

'Dus nu beschikken we over...?' vroeg Nick.

'Drie staafantennes.'

'Prima.'

'... en twee schotelzenders,' vervolgde Van Haren. 'Die zijn nu allebei verbonden met Zandvoort.'

'Heb je dat gecontroleerd?'

Van Haren knikte. 'Ik heb ze een uur geleden nog gesproken. Alles is oké.'

'En de verdere verbindingen?' vroeg Nick. 'Ook allemaal klaar?'

'Alles in orde, Nick. Maak je geen zorgen, we hebben dit al eerder gedaan.'

'Maar niet hier,' zei Devereux, die een plastic bekertje pakte en ongeduldig op het nog gorgelende koffieapparaat tikte. 'Je kent dit land niet, Matt. Een hoop klojo's hopen gewoon dat we de boel verneuken.'

Glenson lachte somber.

Van Haren gebaarde naar het raam, waardoor het stakerige silhouet van de zendmast zichtbaar was, die op nog geen driehonderd meter afstand stond en oprees vanaf de bovenbouw van de oude pier.

''t Is toch niet meer dan verstandig, gezien de zaken die wij doen?' vroeg Matt. 'We maken tenslotte allemaal deel uit van de Europese Unie.'

Glenson lachte nogmaals. 'Neem me niet kwalijk, jongen!' zei hij tegen Matt. '*Jullie* maken deel uit van Europa. Wij maken deel uit van Groot-Brittannië.' Hij tikte op zijn voorhoofd. 'En dat heeft niks te maken met tunnels of zenders, Matt. Dat is een mentale kwestie en 't zal eeuwen duren om dat te veranderen.' Hij wendde zich tot Nick. 'Ik bedoel, als we *werkelijk* geloofden in de Europese gedachte, zouden we een Nederlander hebben gevraagd om de boel te openen, god nog toe. Zij hebben tenslotte al 't werk verzet!'

'Oh, kom nou, Andy,' zei Nick enigszins ongeduldig. 'Niet nu.'

'Waarom laten we ons afschepen met een of andere zak uit Londen voor een onderneming die voor negen tiende gefinancierd is vanuit Rotterdam?' vervolgde Glenson. 'Ik bedoel, laten we dan Ruud Gullit nemen of Marco van Basten. Of die godverdommese koningin Beatrix, voor mijn part. Excuseer 't taalgebruik, Matt.'

'Marco van Basten en Ruud Gullit konden niet, Andy,' zei Nick nijdig.

'En koningin Beatrix zei dat ze er niet over peinst om hier ook maar in de buurt te komen als *jij* de godverdommese boel hebt gebouwd,' voegde Devereux eraan toe.

Er werd gelachen, maar Glenson hield vol. 'Maar dat is toch idioot?'

Marshall liep naar de deur. 'Niet *nu*, Andy. We hebben nog een hoop te doen. Neem die radio's mee.'

Hij liep de vochtige, zilte buitenlucht in. Achter hem begon Glenson echt warm te lopen. 'Wat is 't eerste dat ze in Holland zien als de eerste door stemgeluid geactiveerde videofoonverbinding ter wereld tot stand wordt gebracht? Een of andere zak die tot gisteren staatssecretaris voor Film en Basketbal was. Ik bedoel, kom nou, Nick. Er moet toch een betere manier zijn.'

Hun stemmen stierven weg in de mist.

Martin Sproale hield zijn adem in en keek hoe de vier mannen het hokje verlieten. Die mist was een meevaller. Ze hadden er langer over gedaan om de spullen aan boord te krijgen dan ze verwacht hadden en liepen het gevaar om ontdekt te worden nu het bouwterrein werd opengesteld. Tot zijn opluchting stapten Devereux en Marshall vrijwel direct in Devereux' auto en reden weg richting stad. De overige twee mannen, die veiligheidshelmen droegen, gingen het hoofdgebouw binnen.

Met één laatste, opperste krachtsinspanning hees Martin zijn loodzware, moeilijk te hanteren last over de reling van de *Nordkom IV* en legde hem op het dek. Beneden liet Geraldine de buitenboordmotor zachtjes pruttelen, klaar om weg te varen. Ze bevonden zich aan stuurboordzijde van het jacht, de kant die naar zee was gekeerd en niet naar de haven, maar de mist begon al op te trekken onder de invloed van een bleek zonnetje en er was nog een hoop te doen.

Martin had nauwelijks tijd om te genieten van de aanblik van zijn stoel, die zich nu werkelijk aan boord van een boot bevond. Hij sleepte hem over het teakhouten dek en verborg hem achter een schot bij de trap die omlaag leidde naar de salon.

Hij hoorde Geraldine dringend fluisteren: 'Ik heb nog een kwartier!'

Martin wierp een blik op de haven. Er was nog steeds niemand te zien. 'Oké!' siste hij op zijn beurt. 'De kust is veilig.' Zo weinig mogelijk gas gevend voer Geraldine uiterst behoedzaam om de achtersteven van het jacht heen. Daar bevond ze zich in het volle zicht en ze wist dat de hele onderneming geruïneerd kon worden als er nu iemand stond te kijken. Ze had haar hart niet meer zo voelen bonken sinds de laatste keer dat ze iets heel doms had gedaan en dat was vrije val parachutespringen geweest, of anders geblinddoekt skiën of tegen haar ouders zeggen dat ze verliefd was op Freda Mitchell. Ze kon zich niet herinneren wat het nou precies geweest was.

Toen de rubberen zijkant van haar bootje zachtjes tegen de hoge stalen romp van het jacht stuitte, hoorde ze op het haventerrein een slecht gehangen deur knarsend opengaan en kwamen Glenson en Van Haren naar buiten. Ze wezen naar de pier, waar de ranke, lichtgewicht zendmast van koolstofvezel oprees, met zijn indrukwekkende verzameling schotels en antennes, op nog geen honderd meter van de plaats waar de *Nordkom IV* zachtjes deinde in het aflopende getij. Ze liepen doelbewust in de richting van de mast en Martin wierp zich plat op het dek. Geraldine greep een stootblok en trok de rubberboot terug achter het jacht.

Hun stemmen kwamen naderbij.

'Ik bedoel, ik ben een Europese patriot, Matt,' zei Glenson met zijn harde, Glasgowse accent. 'Ik wilde graag wat vlagvertoon bij de opening. Alle vlaggen van de Europese naties aan ons kleine zendmastje.'

Ze liepen nu over de pier, over het looppad van staalplaten dat naar de mast leidde. Als ze daar aankwamen, konden ze beide zijden van de *Nordkom IV* zien. Geraldine klemde zich aan de romp vast en drukte zich zo dicht mogelijk tegen het dolboord. Martin lag onbehaaglijk languit op het koele, gepolijste houten dek. Opeens draaide een van de mannen zich om. Het was de Schot.

'Oh Jezus! Kijk nou 'ns.'

Geraldine hield haar adem in.

'Wat is er?' vroeg de Nederlander.

'Devereux is terug. Waarschijnlijk wil-ie dat die klotemast een halve meter naar links wordt verplaatst of zo.'

De stemmen deden er even het zwijgen toe en toen hoorden ze Glensons zachte gevloek wegsterven. Een minuutje later keek Martin heel voorzichtig boven het schot uit en zag de drie mannen weer de Portakabin binnengaan.

Half ineengedoken rende hij naar de stuurboordzijde en wenkte Geraldine. Terwijl zij naar de achtersteven voer kroop hij over het dek en pas op het allerlaatste moment, toen zij 'klaar' riep, kwam hij overeind, greep de kabel die ze door het kluisgat duwde en maakte de lus vast om een massief koperen bolder. De eerste kabel wist hij direct te grijpen, maar de tweede gleed weg. Hij griste er opnieuw naar en voelde de eerste, directe zonnestralen door de nevel heen dringen.

'Godallemachtig, Martin,' zei Geraldine nijdig. 'We hebben hierop geoefend.'

Martins tweede poging slaagde en hij maakte de lijn vast. Terwijl hij daarmee bezig was, hoorde hij iemand roepen vanaf de wal en hij liet zich opnieuw plat op het dek vallen en drukte zich tegen de kabels.

'Gerry!' De kreet van Devereux echode door de haven. 'Waar ben je, gvd!'

Martin hoorde Geraldine even krachtig en doodkalm terugschreeuwen: 'Ik was m'n make-up vergeten! Ik moest even terug. Ik kom eraan.'

Op zachtere toon voegde ze eraan toe: 'Martin?'

'Ja?'

Er viel een stilte en hij hoorde haar handpalm tegen de stalen romp slaan. 'Goeie vangst!'

Een ogenblik later bromde de buitenboordmotor en voer ze naar de kust. Het tij werd nu snel lager en er zou niemand meer naar de *Nordkom IV* komen tot het weer vloed werd, een hele tijd na de ceremonie. Hij was alleen.

Drieënhalf uur later stond Nick Marshall, na de hele ochtend allerlei briefings te hebben bijgewoond en op het allerlaatste moment nog lastige maar succesvolle onderhandelingen te hebben gevoerd, op de kade te wachten op de minister. Hij had zich in het Market Hotel verkleed en droeg nu een gloednieuw, petrolkleurig gabardine pak van Hugo Boss en, na een korte maar heftige woordenwisseling met John Devereux, een niet-bijpassende das van de Posterijen. Hij liet zijn blik ongerust over de kade gaan. Tegenover hem, in een klein, afgescheiden gedeelte, bevonden zich de officiële gasten. De Harvey-Wardrells stonden op de voorgrond en zij torende minstens vijftien centimeter boven haar man uit. Peregrine Harvey-Wardrell was sowieso al geen grote man, maar vandaag ging hij vrijwel geheel schuil onder de rand van haar strohoed, die zo breed en knalrood was dat ze eruit sprong als een of andere middeleeuwse kardinaal. Vergeleken met haar zagen de overige genodigden er maar slonzig uit. Samengepropt achter een gewichtig, blauw met wit gestreept koordje bevonden zich plaatselijke hoogwaardigheidsbekleders zoals de jonge dokter Cardwell, die de hand van zijn kleine, dikke vrouw Jane vasthield (ze hadden elkaar ontmoet op een wijnproefavond) en Cuthbert Habershon, de oude notaris, die onbehaaglijk zij aan zij stond met zijn bedrijvige, humorloze opvolger Eric Moss en zijn waakzame vrouw Bridget. Achter hen stond lord Muncaster, gekleed in een elegant, lichtgrijs kamgaren pak dat hij bij het zo-goed-als-nieuwstalletje van de Rudges had gekocht, met naast hem dominee Barry Burrell en zijn goede vriendin Tessa.

In een apart gedeelte vochten de leden van de gemeenteraad –

met de opmerkelijke afwezigheid van Frank Rudge – en mensen zoals Alan Randall en Norman Brownjohn om de plaatsjes met het beste uitzicht. Ernie Padgett zat helemaal vooraan, voorovergebogen in zijn stoel en zijn grote, gezette vrouw Brenda, die zich voor deze gelegenheid een indrukwekkend kapsel had laten aanmeten, stond naast hem met haar hand op zijn schouder. Frank Rudge beweerde dat hij pijn in zijn borst had en was thuisgebleven, evenals Kathleen Sproale, die een hekel had aan alles wat ook maar enigszins op een officiële gelegenheid leek. Harold Meredith en Quentin Rawlings hadden geen uitnodiging ontvangen en stonden met grimmige gezichten op de heuvel boven de haven, samen met de rest van het gepeupel.

Marshall keek eerst op zijn horloge en vervolgens naar diezelfde heuvel, om te zien of de minister en zijn gevolg er al aankwamen. De route werd omzoomd door een behoorlijke menigte. Vooraan stonden onder anderen Elaine, haar moeder en Mary Perrick en Shirley Barker van het postkantoor. Toen Marshall hen zag, voelde hij opnieuw een scherpe steek van ergernis om de komedie die ze het afgelopen jaar hadden opgevoerd. Als de regering gewoon de morele moed had gehad om hun overtuigingen in de praktijk te brengen, zou die privatiseringswet er al een jaar geleden zijn doorgedrukt en had hij geen negen maanden van zijn leven hoeven verspillen met doen alsof hij op een postkantoor werkte. Het kaliber van de mensen met wie hij te maken had gekregen had hem weinig hoop gegeven voor de toekomst. De Elaine Rudges en Shirley Barkers. Ze wilden óf geneukt worden, óf hulp met hun kruiswoordpuzzel en hadden geen greintje belangstelling voor grotere kwesties. Als je ze vroeg hoe ze hun leven in positieve zin zouden kunnen veranderen, zouden ze voorstellen om te gaan trouwen of een nieuwe grasmaaier te kopen. Het kleinsteedse Engeland was een grote teleurstelling geweest voor Nick Marshall. Maar goed, nog even en dan was hij hier weg en zou hij erkend worden als iemand met een wereldwijde visie. Jezus had tijd moeten doorbrengen in de wildernis. Hij had tijd doorgebracht in Theston.

Hij keek naar de zee. De nevel was opgetrokken en de zon had de aanval ingezet op de hogere bewolking. Het bedrijfsjacht deinde magnifiek op het diepere water bij de pier. Het was een prachtschip, een symbool van wat bereikt kon worden door mensen met visie en durf. Glenson had gelijk. De zakenmensen die met dat jacht waren gekomen, waren veel belangrijker voor de toekomst van de telecommunicatie dat de minister voor Technologie of de burgemeester van Theston. Hij glimlachte flauwtjes. Hij had zogezegd al informele gesprekken gehad met die Nederlanders. Ze mochten hem wel. Ze hielden van zijn stijl. Ze waardeerden het dat hij de moeite had genomen hun taal te leren. Zodra die zender eenmaal in bedrijf was, konden Devereux en Vickers zijn rug op.

De menigte roerde zich opeens en hij keek naar de heuvel. Er verscheen een politiewagen, op discrete afstand gevolgd door een zwarte Ford Granada. De tv-ploegen zetten hun camera's op hun schouders en maakten zich gereed.

Dennis Donnelly, de minister, was een nieuwe naam in het politieke wereldje. Iemand om in de gaten te houden. Hij was kort geleden weggeplukt uit de duistere diepten van Cultuur en sommige mensen zeiden dat zijn promotie tot minister van Technologie slechts de eerste stap was in een snelle beklimming van de regeringsladder. Donnelly was een man van principes. Zijn voornaamste principe was om de premier door dik en dun te steunen, wat hij ook deed en wie hij ook was, tot het moment waarop hij voldoende macht had om die steun te kunnen intrekken en zelf premier te worden. Donnelly had vele voordelen. Hij was nog jong, pas achtendertig, was niet bijzonder intelligent en was nooit met iemand anders naar bed geweest dan met zijn eigen vrouw. Het enige minpunt was dat zij met heel veel anderen naar bed was geweest en ondanks zijn strenge woorden nergens uit liet blijken dat ze van plan was om haar leven te beteren. Waarschijnlijk was ze op dit moment ook weer bezig. Terwijl hij in Suffolk een revolutie op telecommunicatiegebied inluidde, lag zij vermoedelijk op de grond te kronkelen onder een of andere grote, zwarte telefoontechnicus. Dennis Donnelly bande die onsmakelijke beelden uit zijn gedachten toen hij uit zijn limousine stapte en begon te glimlachen. Hij werd begroet door Ken Stopping, die een van zijn laatste plichten als burgemeester vervulde, en ging het rijtje af om handjes te schudden. Iedereen vond de minister aardig. Hij leek een recht-door-zeetype, die alle aanwezigen begroette alsof ze oude vrienden waren.

Stoppings welkomstwoord was kort en weinig gedenkwaardig

en werd ernstig beïnvloed door het feit dat hij niet in staat was om 'telecommunicatie' te zeggen.

Vervolgens stapte Maurice Vickers naar voren. Zijn luie oog keek glanzend naar links terwijl hij sprak over benutte gelegenheden en nieuwe dageraden die aanbraken voor Posterijen die binnenkort verlost zouden zijn van overheidsbemoeienis.

Hij ging vaardig controversiële onderwerpen zoals de totale vernietiging van het traditionele postkantoor uit de weg en Nick, wiens benen pijn deden van het lange staan, was opgelucht toen Vickers een toepasselijke, apocalyptische apotheose bereikte en het grote moment aanbrak waarop de gretige minister plaats zou nemen voor een videocamera en zijn beeld via een telefoonverbinding zou worden doorgestraald naar een door stemgeluid geactiveerde computer in Zandvoort die, als alles goed ging, live-beelden zou doorzenden naar een tiental belangrijke financiële centra in Europa en de rest van de wereld.

Nick voelde een merkwaardige en onverwachte rilling van trots toen de minister het woord nam. Hij hoorde het applaus van de menigte door de haven klateren en wist dat dat voor een groot deel aan hem toekwam. Dat wist het publiek nog niet, maar daar zou binnenkort verandering in komen. Binnenkort zou de naam Nick Marshall even bekend zijn als Marconi of Alexander Graham Bell of zelfs Bill Gates. Hij zou zeker veel, veel bekender zijn dan Dennis Donnelly.

De minister nam met schaamteloos gemak achter de microfoon plaats en begon met geloofwaardige spontaniteit te spreken, terwijl hij af en toe behendig een blik wierp op de tekst die zijn ambtenaren voor hem hadden opgesteld.

'Ik ben trots en verheugd om vandaag in Theston te mogen zijn en een installatie in te wijden die een nieuw tijdperk in de telecommunicatie zal inluiden. Dit zal een voorbeeld zijn voor honderden soortgelijke installaties langs onze mooie kusten.' Hij prentte zich in om degene die het woordje 'mooie' aan de speech had toegevoegd te ontslaan. 'Men heeft mij ervan verzekerd dat, als deze zender gereed is, er een kabel- en satellietverbinding zal zijn met het continent die in staat is tweehonderd megabyte aan informatie *per minuut* te verwerken.'

Dat indrukwekkende maar nietszeggende statistische gegeven weergalmde metaalachtig rond de haven en werd begroet met beleefd, zij het enigszins mechanisch applaus. Ruth hoorde dat applaus op haar autoradio, toen ze voorbij Ipswich afsloeg van de A45 en over de eerste van de reeks rotondes manoeuvreerde die naar de weg naar Theston leidden.

Elaine hoorde het applaus ook op de heuvel, maar deed er niet aan mee. Ze vroeg zich af of zij de enige was die beweging zag op het glanzende witte jacht, dat in de eerste stralen van de middagzon net buiten de haven dobberde. Het leek wel alsof er iemand aan boord was die een zwaar voorwerp naar de achtersteven sleepte. Iets aan de manier waarop die gedaante zich bewoog zat haar dwars.

Elaine was niet de enige die zag wat er gebeurde op de *Nordkom IV*. Terwijl het applaus wegstierf wist Geraldine Cotton, die gedwongen was om in een strak, antracietgrijs pakje tussen de overige mindere goden te staan, dat Martin over een paar seconden het deksel in het teakhouten dek zou optillen waaronder zich de met koper beslagen schacht bevond waarop stoelen voor diepzeevissen werden gemonteerd.

De meeste toeschouwers keken echter naar de minister en verbaasden zich erover dat hij nog zo jong en relatief knap was.

'De bouw van dit centrum is een prestatie van formaat van alle betrokkenen,' vervolgde Donnelly. 'De ingenieurs van de Posterijen, het technisch personeel, de bouwvakkers, de burgemeester en wethouders van Theston met hun bewonderenswaardige visie en uiteraard onze vrienden van overzee.' Hij zweeg even en verwachtte applaus, maar dat bleef uit. Hij zou ze wel krijgen met de volgende alinea, waar in de kantlijn: 'Rechtstreeks beroep op het publiek' bij stond. Hij verhoogde zijn stem een octaaf en probeerde zijn ogen te laten tranen, zoals hij Meryl Streep zo vaak en zo effectief had zien doen. 'Laten we niet vergeten dat we vandaag, onder het oog van de gehele wereld, hulde brengen aan een Britse prestatie. Dit is een triomf van Britse vindingrijkheid en Britse vooruitziendheid. Dit is onze kans om aan te tonen dat Groot-Brittannië een leidende, wereldwijde rol kan spelen in een nieuw, internationaal communicatietijdperk. Vol trots en genoegen verklaar ik het Internationaal Telecommunicatiecentrum van Theston hierbij voor geopend.'

Op dat moment gebeurden er een heleboel verschillende dingen. De minister trok aan een blauw koord en er schoof een gordijn opzij, dat een plaquette onthulde met zijn naam en de verstrengelde logo's van Nordkom B.V. en de Britse Posterijen. De tv-ploegen draaiden zich om en richtten hun camera's op de nieuwe zendmast. De schoolfanfare van Theston zette 'Rule Britannia' in en in de haven steeg een feloranje vuurpijl op boven de *Nordkom IV*. Iedereen keek omhoog en plots klonk het hese gebulder van krachtige motoren. Voor iemand besefte wat er aan de hand was had het smetteloze, vijfentwintig meter lange jacht een scherpe bocht gemaakt en voer richting zee. Vanaf de achtersteven rees de zilverachtige lijn van een staalkabel op en een ogenblik later kwam nog zo'n kabel uit het licht deinende water omhoog. Samen rezen ze boven de golven uit, terwijl de bestuurder meer gas gaf en het motorgeluid toenam tot het gekrijs van een speedboot. De kabels trokken strak, de motoren bulderen en haast in slow motion schommelde de zendmast, zakte scheef, scheurde met een angstwekkend gekraak los van de pier, viel in zee en verdween in de grijsgroene golven.

Sommige toeschouwers beweerden later dat ze een soort vreugdekreet hoorden opstijgen uit de boot. De daaropvolgende gebeurtenissen waren in elk geval overduidelijk. De kabels werden losgegooid en het jacht racete over de golven naar de open zee. Tegen die tijd was alleen de verrekijker van de kustwachter nog krachtig genoeg om de gedaante met de donkergroene zonneklep en de korte, tropische slobberbroek te kunnen herkennen die uit het stuurhuis kwam en zijn gebalde vuist ophief in de richting van de kust. Vlak daarna zag echter iedereen, op rechtstreekse videoverbindingen met een stuk of tien belangrijke financiële centra op het continent en elders, hoe de glanzende witte romp tegen het stevige, overnaads gebouwde vissersschip *Lady Mary* botste, omhoog schoot uit het water en omtolde als een stuk speelgoed, voor hij weer in het water smakte en in een felgele baaierd van vuur explodeerde.

Tegen de tijd dat de reddingshelicopter arriveerde, waren er ook al twee reddingsboten ter plaatse. De wrakstukken van de *Nordkom IV* lagen over een groot gebied verspreid. De schipper van de *Lady Mary*, Derek Adland, werd levend uit het water gehaald, maar kon zich weinig herinneren toen hij aan wal was. Hij herhaalde keer op keer dat het jacht recht op hem af was gekomen en geen enkele poging had gedaan om hem te ontwijken.

Hij kon alleen maar concluderen dat de bestuurder hem opzettelijk had willen vermoorden.

De kustwachter deed er het zwijgen toe. Hij kende Martin Sproale en hij kende Kathleen en hij wist dat er niemand aan het stuur had gestaan op het moment van de botsing. Het stuur moest op automatisch zijn gezet, want de enige opvarende van de *Nordkom IV* had op de achtersteven in een soort visstoel gezeten en de andere kant uit gekeken.

Een paar dagen later, toen Ruth achter haar laptop zat in Everend Farm Cottage, werd er op de deur geklopt. Het was een warme juli-ochtend en ze had alle ramen openstaan. De geur van hartje zomer dreef naar binnen, een graanachtige, stoffige, doordringende geur. Ze had twee koppen koffie geleden haar laatste hoofdstuktitel getikt, maar ze verafschuwde conclusies. Dat waren net sirenen, die de wetenschapper op de rotsen van de pompeusheid en zelfgenoegzaamheid lokten. En kom nu met de oplossing, schenen ze te zeggen. Vertel ons waar het allemaal om draait, zodat we niet het hele boek hoeven te lezen.

Om deze tijd kwam mevrouw Wellbeing vaak even langs en stoorde haar dan omdat ze iets kwam brengen - eendeëieren misschien, waar Ruth niet van hield of aardbeien, die ze wel lekker vond. Ze legde haar sigaret op de rand van haar nieuwe asbak en liep naar de deur. Het was mevrouw Wellbeing niet, maar de postbode en hij had een brief voor haar met een Londens poststempel. Ze bedankte de postbode, maakte even een praatje over het weer en deed de deur dicht. De envelop bevatte twee dubbelgevouwen vellen papier. Ze waren oud en droog en droegen het vergeelde opschrift: '*Ambos Mundos Hotel, Havana, Cuba.*'

Lieve Ruth,

Ik heb tien jaar op de kans gewacht om dit briefpapier te kunnen gebruiken. Ik hoop dat je onder de indruk bent. Het spijt me dat je nooit hebt kunnen meevaren op de *Pilar*. Het was geweldig om je te kennen en al die mooie, krankzinnige momenten met je te delen. Ik heb geen spijt van wat er gebeurd is. Dingen gebeuren nou eenmaal zo. Als ik heb bereikt wat ik wilde bereiken, zal dat een grote overwinning zijn en hoewel ik weet dat je me altijd voor gek zult verklaren omdat ik dat allemaal deed voor een postkantoor, zou jij moeten weten dat het om veel meer ging. Ik heb het niet alleen gedaan. Gerry heeft me die boot leren besturen en was ook gek. Ik heb haar deze brief gegeven en ze zal ervoor zorgen dat jij die krijgt, wat er ook gebeurt.

Je hebt me een hoop geleerd, Ruthie, en als ik eenmaal in Scandinavië ben, of welke kust ik ook het eerst bereik als ik noord-noordoost vaar (en ik die boot tenminste kan stoppen!), zal ik je schrijven en op de thee vragen.

Haal voorlopig eerst die fles whisky uit je keukenkast en drink op de man die het allemaal mogelijk heeft gemaakt.

Dromend van leeuwen,
Altijd de jouwe,
Santiago Sproale.

Later dronk Ruth inderdaad een whisky en dwong zichzelf om te beginnen aan de eerste regels van haar laatste hoofdstuk.

De letters flikkerden op het scherm. Zilver op blauw:

De laatste gebeurtenis van Hemingways leven wordt door velen nu ook als de meest voorspelbare beschouwd. Zo'n ondoordacht oordeel mag de expert nooit weerhouden van een poging om erachter te komen waarom een man die nog steeds grote populariteit genoot, die nog steeds gerespecteerd werd door vele goede vrienden en nog steeds liefde en zorg kreeg van de vrouw met wie hij al zoveel had doorgemaakt, besloot om zich van zijn eigen leven te beroven op die zonnige zomerochtend op twee juli 1961.